ENCYCLOPÉDIE ILLUSTRÉE DE LA LORRAINE

HISTOIRE DE LA LORRAINE

publiée sous la direction

de Guy CABOURDIN

Professeur émérite à l'Université de Nancy II

ENCYCLOPÉDIE ILLUSTRÉE DE LA LORRAINE

Les temps modernes

2. De la paix de Westphalie à la fin de l'Ancien régime

Guy CABOURDIN
Professeur émérite à l'Université de Nancy II

Ouvrage publié avec le concours
du Conseil Régional de Lorraine

ÉDITIONS SERPENOISE
PRESSES UNIVERSITAIRES DE NANCY

<u>*Dans la même collection*</u>

Déjà paru :

> *La vie artistique,* sous la direction de Hubert Collin.
> *La vie intellectuelle,* sous la direction de Laurent Versini.
> *La vie religieuse,* sous la direction de René Taveneaux.
> *La vie traditionnelle,* sous la direction de Jean Lanher.

HISTOIRE DE LA LORRAINE, sous la direction de Guy Cabourdin

Déjà paru :

- *Les temps anciens. 2. De César à Clovis,* Yves Burnand.
- *L'époque médiévale : Austrasie - Lotharingie - Lorraine,* Michel Parisse.
- *Les temps modernes : de la Renaissance à la guerre de Trente ans,* Guy Cabourdin.

A paraître :

- *Les temps anciens : 1. Préhistoire et Protohistoire,* Christine Guillaume.
- *L'époque contemporaine : de la Révolution à la Grande Guerre,* François Roth.
- *L'époque contemporaine : le XXᵉ siècle,* François Roth.

L'auteur et les éditeurs expriment leur gratitude à tous ceux qui leur ont facilité la tâche, en particulier pour l'illustration de cet ouvrage :

Claire Aptel, Guy Arbellot, princesse Minnie De Beauvau-Craon, Françoise Boquillon, Hubert Collin, Michel Hachet, Françoise Haudidier, Pascal Joudrier, Yves Le Moigne, Maurice Noël, Jean Peltre, Albert Ronsin, Francine Roze, Guy Vaucel et Pierre-Edouard Wagner.

Encyclopédie illustrée de la Lorraine. Histoire de la Lorraine / sous la dir. de Guy Cabourdin... — Metz : Ed. Serpenoise ; Nancy : Presses universitaires de Nancy, 1990. —   —   vol. ; 31 cm.

3.2. Les Temps modernes : de la paix de Westphalie à la fin de l'Ancien régime. — 1991. — VIII-232 p. : ill. en noir et en coul., jaqu. ill. en coul.

(P.U.N.)
ISBN 2-86480-220-1 (coll.)
ISBN 2-86480-539-1

(SERPENOISE)
ISBN 2-87692-008-5 (coll.)
ISBN 2-87692-086-7

© 1991, PRESSES UNIVERSITAIRES DE NANCY - 25, rue Baron Louis, 54000 Nancy
ÉDITIONS SERPENOISE - B.P. 89 - 57014 Metz Cedex

Sommaire

Au temps des Lumières

Ce livre ne comporte pas de notes en bas de pages. Quelques noms, particulièrement lorsqu'il s'agit de citations, ont été indiqués dans le texte entre parenthèses. Il convient de se reporter à la bibliographie placée à la fin de l'ouvrage.

AVANT-PROPOS

Lorsqu'après plus de trois années de négociations l'empereur germanique et le roi de France s'accordèrent pour signer et publier, le 24 octobre 1648, à Munster, le premier des traités de Westphalie, ils mettaient fin en Europe centrale à un conflit trentenaire et meurtrier. Le sort des Trois Évêchés était scellé : « La Souveraine Puissance sur les Éveschez de Metz, Toul et Verdun, les villes de mesme noms et leurs destroitz nommément sur Moyenvic appartiendra désormais à la couronne de France et luy sera incorporée à perpétuité et irrévocablement en la mesme façon que jusques à présent elle avait appartenu à l'Empire... » Les évêchés de Metz, Toul et Verdun, avec — de façon explicite — les territoires qui en dépendaient, étaient, en droit, reconnus français presque un siècle après la « Chevauchée » de Henri II. Les « hommes du roi » s'installaient dans les évêchés, promus aux tâches communes aux provinces-frontières. Une nouvelle fois l'Histoire ne s'écrivait pas de la même manière à Nancy ou à Metz, à Bar-le-Duc ou à Verdun et Toul.

Rien, en effet, n'était prévu en 1648 pour les deux duchés. Les envoyés de l'empereur avaient présenté quelques propositions ; les plénipotentiaires français estimèrent qu'elles étaient inopportunes : « La Lorraine était bien et dûment acquise à la France par les violations de traité qu'avait commises Charles IV ». Mais il ne faisait guère de doute que le problème des duchés de Lorraine et de Bar allait être réglé sans tarder.

Les Français s'étaient installés dans le pays et en contrôlaient les points stratégiques, alors que l'Espagne menait sa propre politique où étaient impliqués ses territoires, des Pays-Bas à la Comté et au Milanais.

De plus la Lorraine était, en 1648, au fond de l'abîme, ruinée par les guerres et vidée de la plus grande partie de ses habitants. Ainsi malgré l'incertitude des lendemains et la divergence des destins, les Lorrains devaient entamer l'indispensable et malaisée Reconstruction de leur population et de leur économie.

Cet ouvrage présente un siècle et demi de l'histoire lorraine de 1648 à 1788, de la signature des traités de Westphalie à la veille de la Révolution. Ainsi qu'il a été procédé dans les volumes déjà publiés de l'*Histoire de la Lorraine,* celui-ci s'inscrit dans la perspective d'une vaste *Encyclopédie Illustrée de la Lorraine.* Il a donc fallu tenir compte de l'existence d'études sur l'art, la religion, la vie intellectuelle et les activités traditionnelles. Sans être négligés, ces aspects n'ont donc pas fait l'objet de développements particuliers.

CONFLITS ET RÉPITS
1648-1698

AU TEMPS DE LA FRONDE 1648-1661

La paix de Westphalie signée, le problème des duchés de Lorraine et de Bar restait pendant, lié à la solution d'un règlement entre la France et l'Espagne, toujours en guerre. Une fois de plus, Lorraine ducale et Barrois étaient en sursis, occupés par les Français jusqu'en 1661, puis restitués à Charles IV et réoccupés à partir de 1670.

Charles IV entre Espagne et France

A vrai dire, le duc avait peu d'atouts dans son jeu. Pour l'heure il ne pouvait qu'être dans le camp de l'Espagne. La Cour souveraine de Lorraine et Barrois siégeait à Luxembourg, en terre espagnole, et la famille ducale était éclatée : le « duc » Nicolas-François résidait à la Cour de Vienne depuis 1637 ; son épouse et cousine germaine Claude venait de mourir le 2 août 1648. Charles IV avait fait de Bruxelles son point d'attache, entouré, à l'hôtel de Berghes, d'une suite de gentilshommes lorrains. Auprès de lui réapparut Béatrix de Cusance ; de la réconciliation naquit le 17 avril 1649 Charles-Henri, qui fut fait « prince de Vaudémont ».

Selon l'avis du marquis de Beauvau, « le délicieux séjour de Bruxelles... amollit peu à peu quelque chose de son humeur guerrière ». Le duc jouait au séducteur auprès des dames de la ville, particulièrement auprès de la fille d'un bourgmestre. On le vit aussi se pavaner par les rues de Bruxelles, devenu « le Roi de la Kermes » pour avoir participé au jeu populaire du *papegay* (cible en forme d'oiseau de bois) et l'avoir abattu.

Les débuts de la Fronde

L'heure, pourtant, pouvait paraître propice en raison de la grave crise qui déchirait la France. Le 13 septembre 1648, le roi et la Cour quittaient Paris pour échapper aux troubles suscités par le Parlement : de janvier à mars le roi mena le siège de sa propre capitale.

De Bruxelles, l'archiduc Léopold, gouverneur des Pays-Bas, ne profita guère des circonstances. De plus, l'entente ne régnait pas entre les généraux espagnols et l'imprévisible et irritant duc de Lorraine qui avait fait revenir, à l'automne de 1648, ses troupes envoyées en Rhénanie pour secourir l'électeur de Cologne.

La tactique de Mazarin à la fin de l'année comportait deux volets. A la fois pour concrétiser la nouvelle entente avec Condé et pour rendre impossible une collusion avec Charles IV et les Espagnols, le cardinal fit, par lettres patentes, octroyer en apanage au vainqueur de Lens, le Clermontois et les places si longtemps disputées de Stenay, Jametz et Dun « pour en jouir souverainement comme jouissait Sa Majesté » : il s'agissait des places cédées à la France par le traité de 1641 que Charles IV n'avait pas voulu appliquer. La duchesse Nicole, qui restait son épouse légitime et résidait à Paris depuis longtemps, tenta de s'opposer devant le Parlement à l'exécution de ces lettres patentes ; elle n'en obtint que le report et, sur l'intervention pressante d'Anne d'Autriche, se désista de son action en septembre 1649, tout en faisant parvenir au nonce du pape une lettre de protestation.

Parallèlement Mazarin dépêchait à Bruxelles auprès de Charles IV le comte Charles de Brancas, porteur de propositions inespérées. Deux possibilités étaient envisagées, soit par adhésion de l'Espagne à une paix générale, soit par conclusion d'un traité entre France et Lorraine. Malgré une lettre impérative d'Anne d'Autriche, les entretiens n'aboutirent pas ; il en fut de même pour la deuxième mission de Brancas qui rencontra à Sedan, en mars 1649, un émissaire de Charles IV, et celle de François Cazet de Vautorte, envoyé personnel de la reine.

Les hostilités entre France et Espagne, qui n'avaient jamais réellement cessé, reprirent autour de Cambrai au début du mois de mars. Une partie de l'armée lorraine prit position entre Laon et Cateau-Cambrésis, conduite par le duc, Philippe-Emmanuel de Ligniville et le baron de Clinchamp. Le printemps se passa en manœuvres diplomatiques et en mouvements militaires. Ainsi des pourparlers reprirent à Sedan entre l'envoyé de Mazarin, Plessis-Besançon, et Antoine Rousselot

B.M. Nancy, cliché R. Carton.

Le cardinal Mazarin (1602-1661).

La place de Jametz.

d'Hédival, secrétaire du duc au nom duquel il demanda la restitution de ses possessions dans l'état où elles se trouvaient en 1630 : de telles prétentions étaient fort éloignées des exigences de Mazarin, surtout préoccupé d'obtenir la liberté de passage vers le Rhin.

En juin 1649 les Lorrains combattirent dans la région de Valenciennes, de concert avec les troupes commandées par l'archiduc Léopold ; ils participèrent aux affrontements qui contraignirent le comte d'Harcourt et ses soldats à lever le siège de Cambrai.

Puis au mois d'août, après quelques semaines d'accalmie, la guerre reprit dans le Cambrésis. Cette fois le sort des armes fut plus favorable aux Français. Malgré la présence de Charles IV et leur ardeur au combat, les Lorrains ne purent s'opposer au passage de l'Escaut par les troupes françaises. Et le 27 août, d'Harcourt obtenait des colonels lorrains Croonders et La Mothe, la reddition de la place de Condé-sur-l'Escaut, insuffisamment pourvue en munitions. Mais à l'heure où l'on tentait de négocier une nouvelle fois, il ne sut tirer parti de ces succès ; sa marche vers le nord fut stoppée en octobre, après la perte des places de la Motte-aux-Bois et de Lillers.

La campagne de Lorraine en 1650

A Paris l'année 1650 commença par un coup de théâtre : Anne d'Autriche et Mazarin firent arrêter le 18 janvier Condé, Conti et Longueville ; le duc de Bouillon, le maréchal de Turenne et la duchesse de Longueville parvinrent à s'enfuir. Turenne, retiré à Stenay, conclut un traité avec l'archiduc Léopold, gouverneur des Pays-Bas, et avec le duc lorrain. Il reçut le commandement de quelques régiments espagnols. Charles IV, qui parvenait à lever, dans les duchés mêmes, hommes et argent, divisa ses troupes : 6 000 soldats furent placés, moyennant finances, sous le commandement de l'archiduc Léopold ; d'autres, conduits par Frédéric de Salm dans l'évêché de Liège, effectuèrent des raids jusque sur le territoire des Provinces-Unies ; d'autres encore, placés sous l'autorité de M. de Fauge, reçurent l'ordre de rejoindre Turenne.

De part et d'autre on s'apprêtait au combat et Mazarin appelait le général Roze-

Philippe-Emmanuel de Ligniville.

Turenne (1611-1675).

Worms qui devait amener d'Outre-Rhin 1 500 hommes pour prêter main-forte à l'armée du nord. Charles IV y vit l'occasion d'intervenir en Lorraine, mais, soucieux de suivre l'évolution des événements aussi bien sur le plan militaire que sur celui de la diplomatie, il envoya son maréchal de camp, le général Philippe-Emmanuel de Ligniville avec seulement 4 000 hommes et deux canons. Malgré le risque provoqué par la dispersion de ses troupes sur plusieurs fronts, le calcul n'était pas mauvais car La Ferté Sénectère et les troupes françaises, jusqu'alors cantonnées en Lorraine, avaient été envoyées en Champagne sur l'ordre de Mazarin, laissant, pour un temps, le champ libre à Ligniville et Roze-Worms.

La première phase de la campagne fut rapide. Les belligérants se rencontrèrent près de Vincey, non loin de Charmes ; par une manœuvre habile, Ligniville anéantit la troupe ennemie et s'empara de son chef. Avec l'appoint de volontaires lorrains et de déserteurs allemands, il soumit au cours de l'été les places de Châtel-sur-Moselle, Mirecourt, Neufchâteau, Commercy, Bar-le-Duc, Ligny, et les châteaux d'Haroué, de Tonnoy, de Savigny et de Void. Mais il n'osa attaquer ni Thionville, ni Nancy qu'il était indispensable de tenir pour contrôler le pays.

L'occasion, en venant sur place, de reprendre ses états échappa ainsi à Charles IV perdu dans ses intrigues politiques et sentimentales. Son inaction permit le retour de La Ferté Sénectère. Certes la Cour souveraine de Lorraine et Barrois, siégeant à Luxembourg, faisait publier au siège du bailliage de Mirecourt un arrêt, ordonnant aux sujets du duc « de revenir à leurs drapeaux et dans ses pays », interdisant, par ailleurs, aux étrangers de posséder des biens en Lorraine s'ils n'avaient obtenu des lettres de naturalité. Mesures tardives et peu observées, car La Ferté, revenu à Nancy, faisait reprendre par un de ses lieutenants, le sieur de Berreau, le château de Tonnoy, au sud de Nancy, malgré la courageuse résistance de Jean le Borgne, ancien tailleur devenu chef de bande au service de Ligniville, et de seize paysans. En fait la position n'avait guère d'importance ; on n'hésita pas cependant à imprimer et à vendre à Paris une plaquette, intitulée *La prise du fort château de Tonnoy en Lorraine par le marquis de La Ferté*, glorifiant l'épisode.

Mais il fallait chasser Ligniville et reconquérir les autres places. Surpris par la rapide reddition, le 7 octobre 1650, de la place de Bar-le-Duc, La Ferté s'était installé à Pargny-sur-Saulx pour rassembler ses soldats et guetter Ligniville. Il sut profiter de la nonchalance des Lorrains sur la route de Saint-Mihiel pour les battre sévèrement près de Lignières le 9 octobre. Quant à la reprise de Ligny, elle coûta cher à La Ferté, sérieusement blessé à l'épaule ; la dignité de maréchal fut la récompense de son dévouement. Le colonel Fleckenstein fut chargé d'achever l'œuvre entreprise. Aux confins méridionaux, Charles IV avait, peu avant, obtenu des droits seigneuriaux sur la forteresse d'Aigremont, devenue le repaire des bandes qui menaçaient la proche ville de Langres. Ligniville, après sa défaite à Lignières, avait reconstitué une partie de son armée, puis, sur ordre du duc, il avait rejoint Turenne. Une première expédition avec la participation des Langrois avait échoué en août 1650 ; celle de janvier 1651 aboutit à la prise du château qui fut rasé.

Pendant ce temps Fleckenstein avait repris celui de Void, alors que Charles IV s'entendait avec Turenne et ordonnait à Ligniville de rassembler ce qui restait de ses troupes dispersées et de ses garnisons, puis de les diriger sur Stenay. Mais Turenne, mal soutenu et surpris par la rapidité des mouvements du maréchal français Duplessis, fut battu devant Rethel le 15 décembre 1650. Ligniville, très grièvement blessé, guérit miraculeusement, en attribuant les mérites au pèlerinage qu'il fit à Benoîte-Vaux.

En l'absence de l'essentiel de l'armée lorraine, La Ferté, lui aussi remis de ses blessures, tenta la reconquête des places perdues. Malgré la disproportion des forces il ne put reprendre ni Epinal, ni Neufchâteau. Il lui fallut obtenir des renforts pour s'attaquer à la solide place de Châtel-sur-Moselle. Mal renseigné et préoccupé de la situation aux confins luxembourgeois, Charles IV fit négocier la capitulation qui entraîna la reddition d'Epinal et des autres places lorraines ; Bar fut repris par La Ferté le 26 décembre 1650.

Les opérations militaires étaient encore une fois génératrices de violences, d'exactions, de réquisitions et de pressions fiscales. Malgré la présence de l'occupant français, on continuait à recruter des hommes pour le service du duc et à lever des contributions. Ainsi Charles IV n'était pas aussi démuni qu'on aurait pu le croire. En effet aux produits de levées d'argent dans les duchés s'ajoutaient les pensions versées par l'Espagne et les revenus des importants biens-fonds qu'il avait acquis dans les Pays-Bas. Parfois même il tirait de l'argent de la « vente » d'un de ses régiments.

Le projet irlandais

Le sort des armes s'était donc soldé pour Charles IV par un échec. Sur le plan diplomatique les princes emprisonnés furent relâchés en février 1651, alors que Mazarin, abandonné par beaucoup, choisissait de s'exiler. Il prenait la route de Bruhl près de Cologne bénéficiant pour la traversée de la Lorraine de l'appui sans réserve de La Ferté et d'un passeport accordé, non sans arrière-pensée, par Charles IV. Partagé entre ses ouvertures aux différents camps en présence, ce dernier caressa pendant quelque temps le projet d'intervenir en Irlande.

N'envisagea-t-il pas au printemps de l'année 1648 d'armer des vaisseaux « pour incommoder et empêcher le commerce et trafic » de ses adversaires ? De Bruxelles le 18 avril, il chargeait le capitaine anglais William Moucklow, devenu « chef maître et commandant » du vaisseau appelé *L'espérance de Lorraine,* de « mettre au fond, brûler et forcer leurs vaisseaux et s'en rendre maître », sans toutefois ouvrir coffres et lettres, ni omettre de verser à Charles IV le dixième des prises.

L'année suivante — la question irlandaise devenant pressante — le comte de Taafe entra en pourparlers avec Charles au nom du clergé et du peuple de son pays, menacés par Cromwell. De nouveau en avril 1650 les archevêques et évêques d'Irlande lui écrivaient une lettre décrivant l'oppression exercée par le nouveau régime et la condition à laquelle était réduite la religion catholique. La perspective de secourir les Irlandais enthousiasma Charles qui remit la somme importante de 5 000 livres anglaises à Taafe, écrivit au pape pour lui préciser ses intentions et dépêcha sur place Etienne de Hennin, coadjuteur de l'abbé de Longeville pour lui faire un rapport sur la situation. Il promit son intervention personnelle et celle d'un contingent lorrain. L'affaire prenait tournure lorsque, devant les menaces anglaises, les députés irlandais signèrent le 3 juillet 1651 un accord avec le duc, qui avait exigé le titre de « protecteur ». Mais l'affaire n'eut pas de suite.

Le maréchal de La Ferté Sénectère.

Charles IV à Paris

Pendant l'hiver 1651-1652 le duc Charles IV fut fort courtisé par les deux partis, d'un côté les princes révoltés (Orléans, Condé, Nemours), de l'autre, la reine, Mazarin revenu d'exil et Turenne qui avait changé de camp en mai 1651. Les députations se succédaient, porteuses de promesses parfois identiques, comme la proposition de régler la question du mariage du duc avec Béatrix de Cusance.

Après avoir, un temps, penché pour la cause de la reine et de Mazarin, peu chiches d'assurances verbales, Charles s'entendit par traité avec l'Espagne, dispensatrice de généreuses subventions, pour intervenir en faveur des princes révoltés et du Parlement de Paris ; il y fut engagé par des personnages influents de son entourage, le comte de Ligniville et le marquis de Gerbéviller.

Les expéditions de 1652

Ce fut dans ces dispositions d'esprit, mais sans rompre ouvertement, que Charles IV prit la route de Paris à la tête de 12 000 hommes. Afin de rassurer, il publia un manifeste où, après avoir exposé ses malheurs et les injustices subies, il annonçait au peuple de France sa volonté de rétablir la concorde qui devait prévaloir avec le succès des princes et l'élimination de Mazarin : « C'est... ce qui m'oblige d'avancer à la tête de mes troupes, avec un si bon ordre et tant de précautions qu'il n'y aura personne qui en puisse former aucune plainte légitime, pour les joindre à ceux de Messieurs les Princes, afin que, secondant leurs bons et généreux desseins aussi bien que les vôtres, nous tâchions cependant, autant par la force de nos armes que par la justice de notre procédé, d'ouvrir les prisons de votre jeune monarque, de lui rendre la liberté, de réunir la maison royale, et de rétablir à votre repos et le mien par la punition exemplaire du cruel tyran du Roy, de sa maison et de son peuple, de l'ennemy juré de la paix et de l'unique auteur de tous nos maux, en le remettant entre les mains de votre auguste Parlement, pour y rendre compte de

LA FRONDE

« Le parti de Messieurs les Princes se fortifiait, et même très considérablement. M. de Lorraine, qui crut qu'il avait satisfait, en sortant du royaume, au traité qu'il avait fait avec M. de Turenne à Villeneuve-Saint-George, fit tirer deux coups de canon aussitôt qu'il fut arrivé à Vaneau-les-Dames, qui est dans le Barrois. Il rentra en Champagne, avec toutes ses troupes et un renfort de trois mille chevaux allemands, commandés par le prince Ulric de Wurtemberg, M. le chevalier de Guise servait sous lui de lieutenant général, et le comte de Pas, duquel j'ai déjà parlé en quelque lieu, y avait joint, ce me semble, quelques cavalerie. M. de Lorraine remarcha vers Paris, à petites journées, enrichissant son armée du pillage ; et il se vint camper après de Villeneuve-Saint-George, où les troupes de Monsieur, commandées par M. de Beaufort, celles de Monsieur le Prince, car il était malade à Paris, commandées par M. le prince de Tarente et de Tavannes, et celles d'Espagne commandées par Clinchamp, sous le nom de M. de Nemours, le vinrent joindre. Ils résolurent tous ensemble de s'approcher de M. de Turenne, qui, tenant Corbeil et Melun et tout le dessus de la rivière, ne manquait de rien, au lieu que les confédérés, qui étaient obligés de chercher à vivre aux environs de Paris, pillaient les villages et renchérissaient, par conséquent, les denrées dans la ville. Cette considération, jointe à la supériorité du nombre qu'ils avaient sur M. de Turenne, les obligea à chercher l'occasion de le combattre. Il s'en défendit avec cette capacité qui est connue et res-

Musée lorrain, Nancy. Cliché P. Mignot.

CHARLES IIII DVC DE LORRAINE, Marchis Duc de Cal Bar &c. Fil? de François Comte de Vaudemont et de Chrestienne de Salm, ses prem? armes furent employées au secours de la Religion et de l'Empereur Ferdin. II à la Bataille de Prague contre le Roy de Boheme où il mena 4500 hômes : Apres la 1re Bataille de Leipsic ce Duc passa le Rhin, et arresta le cours des progrez des Suedois, comandant l'armée Imperiale confederée contr'eux. Il contribua beaucoup au gain de la batail. de Nortlinguen, et prit les Generaux Horn et Gratz, prisonniers. Deffit le Wirtemberg, cobattit le duc de Weimar aux bords du Mein, l'empescha d'assieger Besançon, fit lever le siège de Dole, cobattit heures aux attaques de Poligny et de Brisac; et mit en route l'armée Francoise à Dutlinguen. Ayant comandé en Allemagne et en Flandre diverses armées pour l'Emp. et le Roy d'Espagne avec beaucoup de valeur, il a espousé la Duchesse Nicole de Lorraine, sa cousine germaine, Fille aisnée de Henry Duc de Lorraine et de Bar et de Marguerite de Gonzague.

A Paris chez Daret avec privil. du Roy 1652.

Le duc Charles IV.

D'APRÈS RETZ

pectée de tout l'univers, et le tout se passa en rencontres de partis et en petits combats de cavalerie, qui ne décidèrent rien.

M. de Lorraine, qui aimait beaucoup la négociation, y entra d'abord qu'il fut arrivé, et il me dit, en présence de Madame, qu'elle le suivait partout ; qu'il était sorti de Flandres, de lassitude de traitailler avec le comte de Fuensaldagne, et qu'il la retrouvait à Paris malgré lui : « Car que faire autre chose ici, dit-il, où il n'y a pas jusques au baron du Jour qui ne prétende faire son traité à part ? » Ce baron du Jour était une manière d'homme assez extraordinaire de la cour de Monsieur ; et M. de Lorraine ne pouvait pas mieux exprimer qu'il y avait un grand cours de négociation qu'en marquant qu'elle était descendue jusques à lui ; et ce qui lui faisait encore croire qu'elle était montée jusques à Monsieur était qu'il avait remarqué, que depuis quelque temps, il ne l'avait pas pressé de s'avancer, comme il avait fait auparavant. Son observation était vraie et il est constant que Monsieur, qui voulait la paix de bonne foi, craignait, et avec raison, que Monsieur le Prince, se voyant renforcé d'un secours aussi considérable, n'y mît des obstacles invincibles.

Il fut très aise, par cette considération, de voir que M. de Lorraine fût dans la disposition de négocier aussi lui-même ».

RETZ (cardinal de), *Œuvres,* édit. par HIPP (M.-T.) et PERNOT (M.), Paris, 1984 (p. 897-899).

ses actions, et en subir les justes et équitables arrêts ». Malgré la violence du langage, les pourparlers de Charles avec Mazarin n'étaient pas définitivement rompus ; des émissaires allaient de l'un à l'autre.

Après une marche délibérément lente, Charles IV arrivait aux portes de Paris le 2 juin 1652. Il fut accueilli avec faste par les princes et avec enthousiasme par le peuple ; on le logea au palais du Luxembourg. Mais l'euphorie ne dura guère : Charles et Condé, orgueilleux et emportés, ne s'entendirent pas ; les soldats lorrains, malgré les ordres reçus, se comportaient en pays conquis. La popularité de leur chef déclina vite.

Or Turenne assiégeait Etampes où s'était postée une bonne partie de l'armée des princes que Charles IV ne se pressait pas de secourir. C'est que Mazarin s'évertuait à l'attirer dans son camp, lui envoyant l'ancien garde des sceaux, le marquis de Châteauneuf. Le 6 juin, on conclut un accord selon lequel le duc ne ferait intervenir ses troupes contre aucun des deux camps. Il devait jouer un rôle de conciliateur. Turenne se retirerait des murs d'Etampes et l'armée lorraine repasserait la Seine ; une suspension d'armes interviendrait pendant quelques jours ; et les troupes ducales quitteraient le territoire du royaume pour rejoindre la France. Pour les frais de la guerre Charles IV percevrait 500 000 livres comptant et autant six mois après.

Il en fut ainsi, exception faite de l'essentiel de la somme promise : Turenne leva le siège d'Etampes ; Charles IV et son armée quittèrent leur camp le 16 juin 1652. Cette pitoyable expédition s'achevait sans réel combat. Charles IV se dirigea d'abord vers ses états, qu'il escomptait récupérer. Le refus de la garnison française de Bar-le-Duc d'obtempérer à sa mise en demeure suffit pour lui faire reprendre la route de Luxembourg et de Bruxelles.

On se doute de l'accueil que les Espagnols, persuadés de sa trahison, lui réservèrent à son retour. Or à Paris les factions continuaient à s'affronter ; et ce fut le célèbre engagement de la porte Sainte-Antoine le 2 juillet 1652. Mazarin jugea prudent de reprendre le chemin de l'exil, alors que les Frondeurs ne parvenaient pas à s'entendre. Condé, qui avait été sauvé par la Grande Mademoiselle, se trouvait fort démuni à l'intérieur de Paris. Pour garder l'espoir d'une heureuse issue du conflit, il fit de nouveau appel à Charles IV et aux Espagnols. Ainsi au mois d'août Charles IV dut se résoudre à reprendre la route de Paris à la tête d'une armée de 6 000 hommes, rejointe par le duc Ulrich de Wurtemberg et quelques milliers d'Espagnols. Combats, pourparlers ouverts ou secrets, mouvements de foule rendirent la situation très confuse. Turenne et l'armée royale s'étaient postés à Villeneuve-Saint-Georges sous les murs de la capitale ; ils parvinrent à desserrer l'étau hispano-lorrain. Dans Paris où Charles IV était venu le 6 septembre à la demande de Condé, les entretiens qu'ils eurent avec le duc d'Orléans n'aboutirent pas. Et le peuple de Paris, las des promesses non tenues et des exactions de ses soldats, faillit faire un sort au duc lorrain à la porte Saint-Martin alors que Turenne se plaçait hors d'atteinte à Corbeil, puis à Melun.

La fin, peu glorieuse, de l'expédition s'annonçait : le peuple parisien n'aspirait plus qu'à la paix ; et Condé, en accord avec Charles IV, n'allait plus trouver, comme dernier recours, que l'alliance avec l'Espagne. A la mi-octobre, le prince et le duc quittaient Paris, alors que le roi y faisait, le 21, une entrée presque triomphale. La Fronde était terminée et Mazarin, rappelé, prit soin de laisser passer quelque temps avant de rejoindre la Cour au début de l'année suivante.

Charles IV retourna aux Pays-Bas laissant l'armée condéenne s'installer à Clermont et à Rethel. Condé avait formé le projet de prendre ses quartiers d'hiver dans le Barrois. Le siège de Bar-le-Duc, dont les fortifications étaient en piteux état, ne dura que deux journées : le comte de Roussillon, nommé gouverneur de la place par La Ferté Sénectère, capitula le 19 novembre devant Condé et le chevalier de Guise, lieutenant général du duc de Lorraine. Turenne n'eut pas le temps de le secourir. Quant à Condé, il s'était emparé sans grand effort de Void, Ligny et Commercy et menaçait Toul. La Ferté, pour mieux protéger la ville, fit démolir le faubourg Saint-Mansuy et exécuter quelques travaux de fortifications ; en fait le danger s'était éloigné, Turenne et Guise ayant repris le chemin du Luxembourg. Pendant ce temps et avant son retour à Paris, Mazarin en personne avait fait de la reprise de Bar une affaire personnelle ; les troupes royales s'emparèrent de la ville le 19 décembre après vingt-deux jours de siège, puis de Ligny le 24. Charles IV perdit devant Bar son meilleur capitaine, le sieur de Fauge, d'origine savoyarde. Mazarin attacha du

Cliché G. Friderich.

La place de Hombourg-Haut.

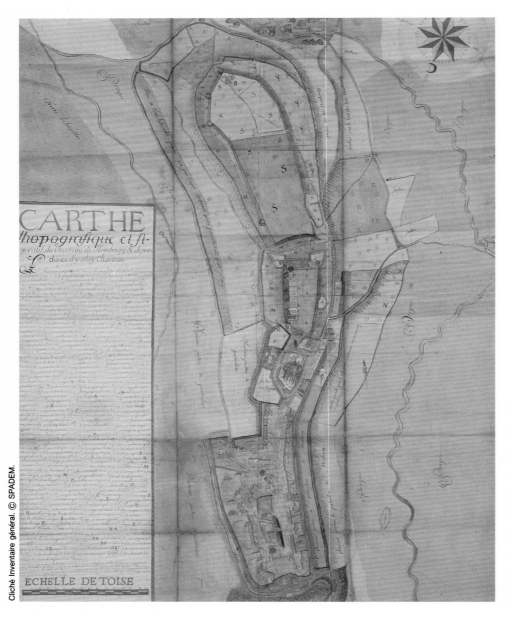

Cliché Inventaire général. © SPADEM.

Carte du château de Hombourg-Haut et de ses dépendances (1736). Arch. dép. M.-et-M., B 11798.

prix à ces victoires qu'il magnifiait en triomphes, faisant imprimer des plaquettes et frapper des médailles à sa propre gloire.

Dans les mêmes moments Condé recevait le titre de généralissime de l'armée espagnole. Quant à Charles IV, il réglait ses comptes avec Béatrix de Cusance, soupçonnée d'infidélité, et avec sa propre sœur, Henriette de Phalsbourg, coupable d'avoir convolé, sans son assentiment, en quatrièmes noces avec son banquier, le marquis génois Joseph-François de Grimaldi.

La lente reconquête française

En 1653 quelques opérations militaires affectèrent encore la Lorraine. Au début de l'année un conseil de guerre réunit Condé, Fuensaldaña pour les Espagnols, et le chevalier de Guise pour Charles IV. L'attitude versatile de ce dernier avait suscité, chez ses alliés, plus que de la méfiance. Le duc promit une nouvelle fois le concours de ses troupes, mais sans se rendre sur les champs de bataille. Ainsi les Lorrains réoccupèrent pendant quelque temps les places barroises de Saint-Mihiel, Void et Commercy. La riposte vint en juillet avec la reprise par l'armée royale de Rethel et de Commercy dont les deux châteaux tombèrent l'un après l'autre. Condé, avec l'appoint des cavaliers lorrains commandés par Ligniville, obtenait difficilement la reddition de Mouzon et de Rocroi (30 septembre) au siège duquel Charles IV avait fait une brève apparition. Puis Sainte-Menehould était investie par les Français à partir du 22 octobre. Charles IV fit mouvement vers Stenay (il fit halte au château de Charmois) et son infanterie entra à Montmédy. Or les renforts promis par Fuensaldaña n'étaient pas au rendez-vous. Montal, gouverneur de la place de Sainte-Menehould, n'était plus en mesure de résister et capitulait le 26 novembre.

La situation en Lorraine et en Alsace restait confuse : Ligniville effectuait des raids depuis les confins luxembourgeois jusqu'à Saint-Mihiel ; les régiments lorrains faisaient de même dans la région messine depuis leurs camps de Bitche, Hombourg et Landstuhl. De plus, une grave menace pour l'autorité royale était apparue en Alsace et dans les Vosges méridionales. Henri de Lorraine, comte d'Harcourt et descendant des Guise, gouverneur de Haute et Basse-Alsace depuis 1649, menait une politique personnelle. Gaspard de Champagne, comte de La Suze, investi par le roi en 1636 des seigneuries de Belfort et Delle, agissait en maître et levait des contributions. D'Harcourt signait un traité secret avec l'Espagne et tentait de créer sur le Rhin, avec Brisach comme capitale, une principauté sinon totalement indépendante, tout au moins liée, dans le cadre impérial, à l'Espagne et à la Lorraine. Mais la victoire de Mazarin sur les Frondeurs permit la réduction de la rebellion. La Ferté entama l'expédition en pays montagneux et en plein hiver, ce qui n'était pas l'usage. Les unes après les

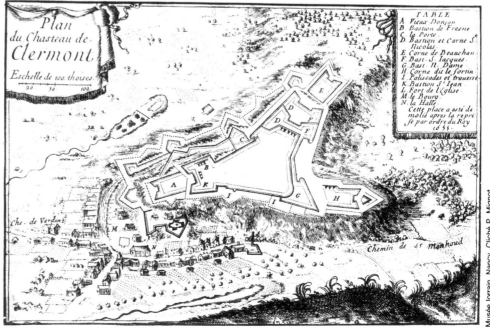

La place de Clermont-en-Argonne (1655).

Musée lorrain, Nancy. Cliché P. Mignot.

autres tombèrent les places de Belfort, Thann, Ensisheim. L'heure était à l'apaisement : la paix épargna le comte d'Harcourt rétabli dans ses titres et charges en mai 1654.

Quelques mois plus tard Condé perdait ses dernières positions : Stenay le 5 août et Clermont-en-Argonne le 23 novembre après un long siège et grâce à la venue décisive de La Ferté.

Charles IV, prisonnier des Espagnols

A Bruxelles les rapports s'étaient envenimés entre Condé, Charles IV et les Espagnols. Le duc lorrain s'empêtrait dans ses négociations secrètes, ses projets, ses volte-face ; en toute occasion il raillait publiquement les décisions du comte de Fuensaldaña, commandant des troupes espagnoles.

Charles IV parvint à empêcher la jonction entre les régiments d'Abraham Fabert, gouverneur de Sedan, en route vers Cologne et les troupes hétéroclites, campées dans le pays liégeois ; il était de retour à Bruxelles au courant du mois de février 1654.

L'arrestation

Entre temps, Fuensaldaña s'était résolu à éliminer le duc lorrain qui ne s'entendait plus avec Condé et pouvait à tout instant passer dans le camp adverse. Fuensaldaña obtint le consentement de l'archiduc Léopold et du roi d'Espagne Philippe IV, longtemps réticents. Le 26 février 1654 Charles IV était convoqué

MAZARIN À NICOLAS-FRANÇOIS
1654

« L'accident qui est arrivé à M. de Lorraine est si inouï, et toutes les circonstances dont il est accompagné en rendent les auteurs si odieux, qu'encore que la conduite qu'il a toujours tenue à l'égard de cette couronne, le peu de cas qu'il a fait des bontés que Leurs Majestés ont eues pour lui n'oblige pas le roy à s'intéresser fort sensiblement en ce qui le touche, S. M. n'a pu néanmoins apprendre son malheur sans le plaindre, et sans que sa générosité eût été touchée de voir qu'un prince qui a rendu des services si considérables à l'Espagne, et à qui chacun sait qu'elle est principalement obligée de la conservation des Pays-Bas, eût été si indignement traité, et que sa fermeté pour ce parti-là, qui lui a fait refuser tant d'offres avantageuses que la France lui a faites pour l'en détacher, ne soit payé que d'une prison avec le séquestre de tout ce qu'il a conservé en Flandre. J'ajouterai seulement, Monsieur, que l'on a eu de l'étonnement, et quelques inquiétudes du bruit qui court que M. de Ligniville semble adhérer aux volontés des Espagnols et vouloir servir avec les troupes qui sont sous son commandement, comme il faisoit avant la détention de son maître. Le roi a beaucoup de peine à croire qu'un gentilhomme de sa naissance, et qui s'est acquis jusques ici tant d'estime, soit capable d'une semblable pensée, n'y ayant point de raisons qui puissent colorer la lâcheté qu'il commettrait de demeurer attaché aux intérêts et au service de ceux mêmes qui viennent de faire un si grand outrage à son Prince, à son général et à son bienfaiteur. Car il serait ridicule qu'il prétendit se justifier sur la lettre que l'on dit que l'Archiduc et Fuensaldagne lui ont envoyée de M. de Lorraine par laquelle il lui ordonne de continuer à servir comme auparavant, tout le monde sachant assez que des écrits de ceste nature étant faits par un homme en prison ne doivent avoir aucune force, parce qu'on pense bien qu'ils peuvent être extorqués, n'étant guère vraisemblable que si M. de Lorraine étoit en état de pouvoir s'expliquer avec liberté, il voulût continuer à agir à l'avantage de ceux par qui il vient d'être emprisonné.

Du reste, l'intention du roy dans cette conjoncture est de joindre ses troupes à celles de M. de Lorraine pour aller conjointement contraindre l'Archiduc à le mettre hors de prison. On a déjà envoyé les ordres nécessaires là dessus à M. le marquis de Fabert, et S. M. agit en cela par un principe si noble et si généreux qu'elle ne veut acheter son assistance pour M. le Duc par aucunes conditions ; mais en cas qu'elle lui puisse procurer sa liberté, elle lui laissera celle de prendre ensuite tel parti et telle résolution que bon lui semblera, et V. A. étant un des princes de la première branche de la maison de Lorraine, se trouve par conséquent un des plus intéressés à en soutenir l'éclat, et à témoigner du ressentiment de l'injure qu'elle a reçue en la personne de son chef, et S. M. ne doute point que par votre naissance et votre mérite, vous ne soyez fort accrédité dans les troupes lorraines, et elle a d'ailleurs toute confiance et toute affection pour cet état ; elle serait fort aise si vous vouliez aller dans l'armée lorraine pour tâcher de s'en rendre le chef, et s'entendre là dessus avec M. le marquis de Fabert qui aura ordre de faire entièrement ce qu'ils désirent de lui, et par ce moyen vous servant de l'assistance d'un grand roi, pour aller délivrer un prince qui vous est si proche, du moins de ceux qui ont fait une violence si injuste, vous vous acquitteriez en même temps d'un devoir de bienséance et de proximité ; et vous acquerriez une gloire qui couronnerait tout ce que vous avez pu faire jusqu'à présent... »

HAUSSONVILLE, *Histoire de la réunion..., op. cit.,* t. II (p. 501-503).

N. 86.   685

ORDONNANCE DV ROY,

pour rappeller les Lorrains au ſervice de Sa Majeſté :

Autre Ordonnance contenant le traitement qui ſera fait aux Colonels, Capitaines, Officiers & Soldats des troupes d' l'armée de Lorraine, en cas qu'ils viennent ſervir Sadite Majeſté :

Et l'Inſtruction donnée au ſieur de Corberez, pour aller trouver, par ſon ordre, le Comte de Ligneville.

Ordonnance du Roy, pour rappeller au ſervice de Sa Majeſté les Lorrains, & à faute de c', eſtre procédé contr'eux par les peines y contenu's.

DE PAR LE ROY.

S A Majeſté ayant appris que pluſieurs Chefs, Officiers, ſoldats & autres gens de guerre, originaires des païs de Loraine & Barrois, au préjudice de leur propre honneur & devoir, & du ſentiment auquel ils ſont obligez ſur la détention de la perſonne du Duc Charles de Lorraine, & ſur le traitement indigne, injuſte & côtre le droit des Gens qu'il reçoit des Eſpagnols, ont pris parti & ſe ſont engagez avec eux, ayans mépriſé les offres avantageuſes qui leur ont eſté faites, pour obliger les Eſpagnols à le mettre en liberté : Et conſiderant que ſi Elle côtinüoit envers eux la meſme bonté dont Elle a vſé depuis que leſdits païs de Lorraine & Barrois ſont en ſon obeïſſance (n'ayant pas voulu qu'il fuſt fait aucun châtiment contre ceux d'entr'eux qui ont quité leur païs & ſont demeu-

L 8

Cliché G. Cabourdin.

au palais gouvernemental de Bruxelles et arrêté par le duc d'Arschot et le comte de Garcies. Le lendemain il était transféré à la citadelle d'Anvers. On s'empara de ses papiers, de son argent et de ses bijoux et on arrêta également son secrétaire Raulin.

La nouvelle de la captivité de Charles IV surprit les Cours européennes : emprisonner un prince souverain allié de la veille était un acte grave contraire aux règles les plus élémentaires du droit international. L'archiduc publia un manifeste où il stigmatisait l'attitude du duc : nul ne prit ouvertement sa défense. Seule la Cour souveraine de Lorraine et Barrois, qui continuait à siéger à Luxembourg, dénonça le procédé sur la demande du procureur général dès le 5 mars 1654. Par arrêt du 15 mai elle s'éleva aussi contre le traité de Liège conclu le 17 mars entre le roi d'Espagne, l'archiduc Léopold, l'électeur de Cologne et le pays de Liège, qui, profitant de « l'emprisonnement sacrilège » de Charles IV, faisait tomber sur lui la responsabilité de « tous les maux et désordres arrivés au dit pays de Liège » au moment des quartiers d'hiver, et le contraignait à leur réparation. La Cour déclara que « ce traité prétendu est de soy nul et de nul effet à cet égard comme fait sans l'intervention de Sadite Altesse tyranniquement captivé » par des personnes qui n'avaient pas autorité pour le faire.

Dès l'arrestation l'archiduc Léopold ordonna à l'armée lorraine de servir l'Espagne, d'obéir au comte de Ligniville en attendant la venue du duc Nicolas-François, résidant alors à Vienne. Des gratifications furent distribuées : et les soldats ne bougèrent pas. Ligniville prétendit par la suite ne pas avoir reçu à temps les missives de Charles IV. Malgré l'intervention de Fabert, lui et ses troupes prêtèrent serment à Philippe IV.

Quant à la duchesse Nicole, épouse légitime du duc, elle lui écrivit pour dire sa compassion et s'inquiéter du sort des valeurs et des bijoux saisis par les Espagnols. En avril elle dépêcha, pour rencontrer Ligniville, le sieur Dordal qui rendit compte de sa mission... à Mazarin. Dans le même temps Rome se prononçait enfin, le 23 mars, en faveur de Nicole contre Béatrix de Cusance, dont le mariage avec Charles IV était définitivement cassé.

Après dix-huit années de résidence à Vienne, Nicolas-François, accompagné de ses fils Ferdinand et Charles, quittait la ville impériale pour Bruxelles. Partout où il passait, on lui réservait les honneurs dus aux souverains. Dès son arrivée en mai 1654, il publia une déclaration par laquelle il ordonnait à son armée et à ses sujets de ne recevoir d'ordres que de lui. Autour de sa personne, il réunit un Conseil avec Raulin qui avait été libéré, Thomas, Mouzay de Failly et le père jésuite Maillard, divisés, comme le reste de son entourage, sur la conduite à tenir vis-à-vis des Français et des Espagnols.

Pour les belligérants l'enjeu était constitué par les troupes lorraines dont l'appoint n'était pas négligeable. L'ordonnance de Louis XIV, en date du 2 juillet 1654, contraignait les Lorrains, qui avaient pris parti pour l'Espagne, de se retirer sur les frontières du royaume ou de rentrer chez eux, après avoir juré de ne plus porter les armes contre la France. Mesure inopérante, les régiments lorrains, avec Nicolas-François, son fils aîné Ferdinand et Ligniville, participèrent aux côtés des Espagnols, au siège d'Arras. Le désaccord sur la tactique à suivre entre l'archiduc Léopold, Fuensaldaña, Condé et Ligniville et l'arrivée de Turenne à la tête d'une forte armée firent échouer l'entreprise en août 1654. Les Lorrains perdirent de valeureux capitaines, tués comme Pulnoy, blessés comme Fournier ou prisonniers comme Trancstorff.

Charles IV et l'action de Nicole

Dans le même temps, Charles IV après cinq mois de détention dans la citadelle d'Anvers, fut conduit à Dunkerque, puis en Espagne. On lui donna à choisir le lieu de sa détention ; à Grenade et Ségovie, il préféra Tolède où il arriva le 5 septembre 1654. Il fut emprisonné dans trois pièces incommodes situées dans une tour. Il se récria en vain contre les conditions anormalement sévères de sa détention.

Le duc recevait quelques lettres de Bruxelles et essayait de faire parvenir ses ordres à ses troupes, leur enjoignant notamment de veiller à conserver les rares places encore en leurs mains comme Bitche, Hombourg et Landstuhl. Charles IV espérait aussi obtenir des Espagnols sa libération, prêt à leur donner ses troupes et de l'argent. A sa demande Nicolas-François lui avait envoyé deux négociateurs habiles et représentatifs : le marquis du Châtelet, qui commandait une partie de l'armée, et Du Boys, conseiller à la Cour souveraine et intendant des armées.

Or la duchesse Nicole, toujours en résidence à Paris, se démenait pour obtenir la libération de son instable époux, dépêchant lettres et députés à Rome, Venise, et Vienne. Il est évident que Mazarin misait sur Nicole. Au printemps de l'année 1655, les événements semblèrent lui donner raison. Charles IV remit à Nicole l'administration de ses états. Elle en informa le chef de l'armée, Ligniville, en y joignant l'ordre de quitter le service de l'Espagne jusqu'à la libération du duc légitime. Le traité qu'elle signa avec Mazarin allait encore plus loin : les troupes lorraines devaient rejoindre celles du roi qui aurait le commandement suprême ; les places, restées aux mains des soldats du duc, Bitche, Hombourg, Landstuhl, Mussy près de Longuyon, bénéficieraient d'une suspension d'armes.

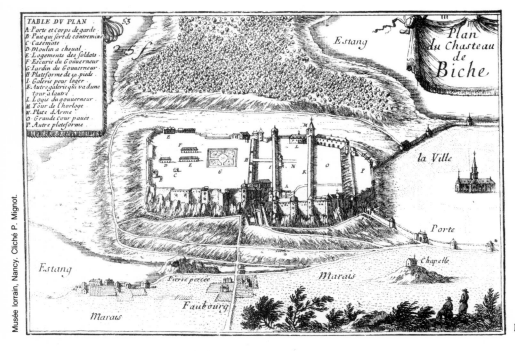

Musée lorrain, Nancy. Cliché P. Mignot.

La place de Bitche.

Mais Ligniville déclara qu'il n'obéirait qu'à un ordre exprès de Charles IV ; les commandants des places firent de même. Et la Cour souveraine de Lorraine et Barrois estima en septembre 1655 que ni Charles IV, ni même Nicole n'étaient libres de leurs personnes.

Nicole voulut hausser le ton et ordonna au président Gondrecourt et aux membres de la Cour souveraine de quitter Luxembourg, place espagnole, pour Bitche, ville restée lorraine. Par crainte, semble-t-il, de l'intervention ou des réactions des Espagnols, ils n'obéirent point. Mais, peu après, prétextant le désir de manifester leur piété en allant prier devant « la Robbe de Nostre Seigneur » exposée aux fidèles, ils parvinrent à se retrouver tous à Trèves, sur les terres de l'électeur. Là, ils ne firent aucune difficulté pour reconnaître Nicole régente des duchés. Devant cette menace Nicolas-François choisit de rester fidèle à l'Espagne.

Pendant ce temps Châtelet et Du Boys étaient arrivés en Espagne, où le roi, irrité par l'attitude de Charles IV et l'action de Nicole, tergiversa avant de proposer l'achat des troupes lorraines et de promettre la libération du prisonnier. Celui-ci, après avoir fait des contrepropositions, signa le traité le 9 octobre 1655 en y ajoutant de sa main qu'il serait de nul effet si quatre régiments ne lui étaient accordés. Curieuse situation de l'armée lorraine, vendue à l'Espagne par son duc et promise à la France par la duchesse !

CHARLES IV
A SON ÉPOUSE, NICOLE

« J'ai tardé tant que j'ai pu pour vous donner quelque lumière de ce que l'on voulait faire de moi ; mais me voyant pressé de tous côtés de ceux de la Maison [de Lorraine] avec quelque reproche de ne leur laisser, dans cette misère, au moins ce qui reste pour procurer à l'Etat et à la Maison quelque soulagement, je serais indigne du nom que je porte, si je ne sacrifiais toutes [choses] pour cet effet. Mon seul regret est de me voir en état que je ne puis donner sang et vie pour preuve de cette vérité. Dieu, qui par sa grâce m'avait établi pour leur soin, permet que je sois réduit à ce point. Il semble qu'il veuille que vous avec la maison en disposiez au plus grand bien et repos de l'Etat. Vous le pouvez faire avec leurs avis et consentement, promettant d'agréer le tout. Et bien que Monsieur le duc François, mon frère, se soit oublié, et en Flandre et passant en France, néanmoins s'il est vrai qu'il soit dans la reconnaissance de sa faute, entièrement résigné à nous reconnaître et obéir, vous le pouvez appeler à toutes les affaires pour prendre son sentiment et avis et en faire le cas qu'il est à propos, vous exhortant, et lui aussi, de vous entendre et qu'il ne se laisse aller si facilement au sentiment de valets et domestiques. Je sais que l'on lui a fait croire que je voulais lui faire tort et à ses enfants, mais le ciel et tant de gens savent le contraire qu'il s'est fait grand tort de le croire et à moi injustice ; car, si j'eusse pu, il y a longtemps qu'il serait duc de Lorraine et la Lorraine en paix. C'est une vérité que j'assure sur tout ce qui m'est le plus cher au monde et dont j'ose prendre le Ciel à témoin. Il m'a bien mal récompensé, m'ayant achevé de ruiner en Flandre, donne prétexte de continuer ma prison par sa retraite ; Dieu lui pardonne ! Je ne doute pas qu'il ait regret de me savoir traité comme je suis et que vous et tous les Lorrains ne contribuent ce qu'ils peuvent pour m'en tirer. J'ai tant de preuves des bontés que continuellement vous avez pour moi que je perds la mémoire de moi-même, pour souhaiter une occasion où je puisse vous faire connaître que rien ne peut être jamais tant à vous que moi, qui se déclare dans la dernière obligation de tous les soins que vous prenez. Faites-moi donner de vos nouvelles et croyez qu'étant bonnes que c'est le meilleur remède pour me consoler dans ce château enchanté où je suis à vous et en tous lieux, où je serai jamais. »

(14 janvier 1657)

Arch. nat., K 1688, n° 137, cité par JACOPS, *La captivité de Charles IV à Tolède et le traité des Pyrénées (1654-1659)*, Nancy, s.d. (p. 135-136).

Depuis la fin de 1654 à la suite de la coûteuse expédition d'Arras, des soldats lorrains avaient fait défection ; en janvier 1655 Remenécourt et Mauléon de La Bastide passèrent en France avec leurs régiments ; en novembre le marquis de Haraucourt agit de même avec quatre régiments. L'archiduc Léopold en fit le reproche à Nicolas-François, mais s'opposa à son arrestation, suggérée par Fuensaldaña.

En application du traité signé par Charles IV, Nicolas-François, sur injonction de l'archiduc Léopold, fit prêter serment aux troupes lorraines sous la condition que le duc fût libéré. Fuensaldaña refusa d'en dispenser les quatre régiments déjà passés à la France avec Haraucourt.

Le ralliement
de Nicolas-François
à la France

Devant cette situation Nicolas-François réunit ses conseillers et les chefs de l'armée qui furent tous d'accord — même Ligniville richement pensionné par l'Espagne — pour passer en France avec armes et bagages. Vingt-trois régiments parvinrent ainsi, après trois jours de marche, à rejoindre les places françaises de Landrecies et de Guise en décembre 1655. L'armée lorraine fut dispersée pour ses quartiers d'hiver en partie à Troyes, Châlons-sur-Marne, Reims et Beauvais et en autre partie dans les places, toujours ducales, de Bitche, Hombourg, Landstuhl et Mussy.

Le duc Nicolas-François (1609-1670), *souvent appelé le duc François.*

Nicolas-François fut rejoint à Paris par ses fils Ferdinand et Charles, qui dut effectuer un invraisemblable périple pour s'enfuir à Bruxelles, passant par Anvers, Berg-op-Zoom, Bréda, Cologne, Coblence, Trèves, bien accueilli par l'électeur et par la Cour souveraine de Lorraine et Barrois, avant d'être conduit à Paris par Henriette de Phalsbourg. Nicolas-François fut reçu aimablement par Louis XIV qui lui restitua les biens sequestrés en Lorraine : le comté de Chaligny, la baronnie de Ruppes, la seigneurie de Joinville, Gondrecourt, Autrey, Thelod, Ubexy, Vaubexy et l'hôtel de Salm à Nancy. Mais la situation apparaissait délicate puisque Nicole estimait être la seule régente. Les branches cadettes de la Maison de Lorraine se divisèrent, prenant parti pour l'un ou l'autre camp.

Dans sa prison espagnole Charles IV fut indigné d'apprendre le ralliement de Nicolas-François qui contrariait les perspectives de sa libération. Il tenta de s'évader, mais échoua dans son entreprise. Quant à la duchesse Nicole, qui avait refusé d'accueillir Nicolas-François à Paris dans son Hôtel de Lorraine, elle redoubla d'activité pour obtenir la libération de son mari, sans plus de résultat. Peu après, le 23 février 1657, la duchesse Nicole mourait à l'âge de quarante-neuf ans, après avoir subi, au cours de sa vie, beaucoup d'affronts et montré une constante dignité. Béatrix de Cusance crut l'occasion venue, mais Charles IV, auprès de qui elle avait dépêché son secrétaire Claude-François Pelletier, estima qu'avant tout il fallait travailler à lui procurer sa liberté.

Depuis 1654 la guerre s'était, pour quelque temps, éloignée de la Lorraine à l'exception de raids sans grande gravité : celui des cavaliers de Bitche jusqu'à Mirecourt ; l'attaque du château de Mussy, l'un et l'autre en août 1655.

Par ailleurs La Ferté fut appelé à combattre chaque été hors des frontières de son gouvernement. En 1655 il s'emparait de Landrecies. L'année suivante, Turenne et lui-même, avec l'appoint des régiments lorrains passés à la France, firent en vain le siège de Valenciennes où La Ferté fut fait prisonnier. Remis en liberté il vint avec Turenne assiéger, le 12 juin 1657, la place-forte luxembourgeoise de Montmédy qui se rendit le 6 août au jeune roi Louis XIV. Les troupes lorraines avaient participé activement au siège, comme elles le firent l'année suivante à celui de Dunkerque et à la bataille des Dunes qui contraignit l'Espagne à demander l'ouverture des pourparlers de paix en novembre 1658.

Cliché G. Cabourdin.

Les remparts de Montmédy.

La place de Montmédy (état actuel).
Elle tomba après le siège du 12 juin au 6 août 1657.

Musée de la Meuse. Cliché P. Pagnotta.

16

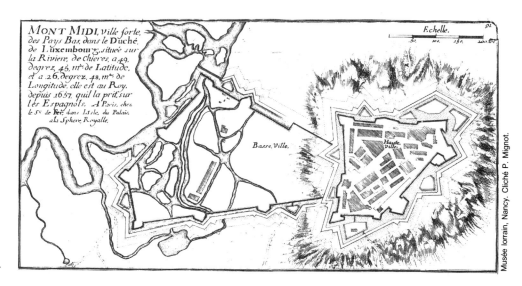

La place de Montmédy.

Musée lorrain, Nancy. Cliché P. Mignot.

Les traités de 1659-1661

Les négociations ne furent entamées qu'en août 1659. En dépit de l'incertitude concernant le sort de la Lorraine et du Barrois, il était évident que l'Espagne allait devoir libérer Charles IV. On le fit graduellement : autorisation de circuler à Tolède et dans les environs ; puis reconstitution de son entourage avec des Lorrains accourus en Espagne, les marquis de Haraucourt et de Bassompierre, le chancelier Le Moleur, le conseiller d'Etat Claude-François Labbé, député par la Cour souveraine qui continuait à siéger à Trèves. Mais on n'autorisa pas Charles IV à participer aux conférences pour la paix, alors que la proposition, faite par Nicolas-François d'intervenir en commun, ne recevait pas l'agrément du prisonnier.

La paix des Pyrénées

La paix se fit donc sans la participation des Lorrains le 7 novembre 1659 : on l'appela « la paix des Pyrénées ». Dans les dix-huit articles consacrés à la Lorraine, il était dit qu'après avoir au préalable fait démolir les fortifications des deux villes de Nancy, retirer l'artillerie et les munitions, Charles IV était remis dans la possession du duché de Lorraine, exception faite de Moyenvic, « lequel quoiqu'enclavé dans ledit Etat de Lorraine, appartenait à l'Empire et a esté cédé à Sa Majesté Très Chrétienne par le traité fait à Munster ».

En second lieu le duché de Bar n'était pas restitué à Charles IV « dans la partie qui est mouvante de la Couronne de France, comme celle qu'on peut prétendre n'en être pas mouvante ».

Le comté de Clermont, les places de Stenay, Dun et Jametz, ainsi que la partie barroise de Marville étaient « à jamais unis et incoporez à la Couronne de France ». Charles IV devait renoncer solennellement à tous ces territoires, avant toute restitution en sa faveur, et licencier ses troupes.

L'armée française pourrait librement passer par la Lorraine pour aller en Alsace, à Brisach ou Philippsbourg. Elle serait, contre rétribution, logée et approvisionnée en vivres.

Charles IV devait s'engager à fournir le sel nécessaire aux Trois Evêchés, au duché de Bar, au comté de Clermont et aux places de Stenay, Jametz et Dun, sans augmentation de prix : le sel proviendrait des salines de Rosières, Château-Salins, Dieuze et Marsal.

Une série d'articles prévoyait de ne pas inquiéter les Lorrains qui avaient combattu pour la France, ni les titulaires de bénéfices ; de plus n'étaient pas remis en cause les confiscations ou les jugements rendus par les hommes du roi.

Enfin Louis XIV s'engageait à rétablir le duc dans ses états dans un délai de quatre mois après l'échange des ratifications.

LE TRAITÉ DES PYRÉNÉES ET LA RÉGION DE THIONVILLE

« Les articles 38 et 41 du traité donnaient au roi de France, en toute souveraineté, la moyenne Meuse luxembourgeoise avec Montmédy, Yvoi, Stenay, Damvillers, Chauvency, et sur la Moselle le pays de Thionville, prévôtés (mal définis)... et annexes, avec tous les liens d'hommage et fidélité des sujets civils, laïcs ou clercs, irrévocablement et héréditairement. Un coup d'œil sur la carte montre que ces territoires avaient avant tout une énorme valeur stratégique, ils donnaient à notre frontière le rempart que la France n'avait pas depuis longtemps.

Toutefois, *la fixation du détail* (le traité est fort vague en effet) serait faite par des commissions et conférences : à la conférence de Metz en 1662, l'Espagne parut tenir à conserver les fameuses seigneuries « esclissées » qui ne dépendaient pas de Thionville, mais la France entendait au contraire que la paix des Pyrénées englobât tout le pays de Thionville, y compris les seigneuries vassales directes du Luxembourg, parce que, stratégiquement, tenir Rodemack, Preisch, Roussy, etc., est le complément naturel de la place de Thionville ; en fait, les séquelles de la paix des Pyrénées vont durer au moins un siècle, et ce sont les Habsbourg d'Autriche, revenus au Luxembourg en vertu de la paix d'Utrecht en 1713, qui traiteront définitivement la question avec la France. Ainsi, on a mis un siècle au moins à fixer les frontières au nord de Thionville ; en 1662, l'Espagne revendique la justicerie de Cattenom ; en 1671, le maréchal de Créqui rase le château de Volkrange ; en 1718, la partie barroise de Knutange devient française ; en 1769, le ruisseau de Frisange est pris comme frontière pour annexer Gandern et Beyren (traité de Versailles en 1769) ; Preisch est occupé en 1680 ; la forteresse de Rodemack est occupée par Créqui en 1668 ; en 1673, les Espagnols reprennent la place, puis les Français la reprennent en 1678 ; le Parlement de Metz ordonne l'annexion en 1683, mais légalement, l'affaire n'est close qu'au traité de Versailles en 1769. Roussy est occupé en 1680 ; Richemont annexé en 1668 ; Distroff, dès 1662 ; la prévôté de Florange devient française à la mort d'Adolphe de Kronberg en 1693 ; l'édit de Compiègne en 1769 annexe Mandern et la seigneurie de Raville. »

STILLER (G.), *Un siècle d'histoire thionvilloise, 1559-1659*, Metz, 1959 (p. 216-217)

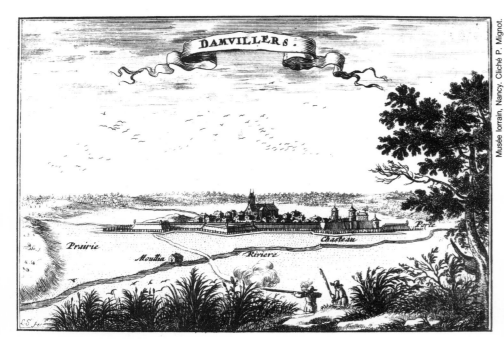

Musée lorrain, Nancy. Cliché P. Mignot.

La place de Damvillers.

D'autres articles (38 et 41) du traité octroyaient au roi des territoires luxembourgeois, donc espagnols : d'une part Thionville et sa région, mal définie, d'autre part les pays de la moyenne Meuse avec Montmédy, Yvoi, Stenay, Damvillers, Chauvency et la partie luxembourgeoise de Marville. Des commissions devaient fixer les limites de ce territoire. Plus d'un siècle sera nécessaire pour y parvenir.

Six années de captivité n'avaient pas eu de prise sur le tempérament instable de Charles IV, prêt de nouveau à reprendre sa vie aventureuse. Libéré, il rencontra à Irun le négociateur espagnol don Luis de Haro et lui reprocha l'ingratitude de son roi. Mazarin le reçut fort civilement, mais ne promit rien. Il ne restait plus à Charles qu'à protester contre le sort qui lui était fait dans le traité. Puis il gagna Blois où il revit la famille princière : Nicolas-François, très éprouvé par la mort, l'année précédente, de son fils aîné Ferdinand ; son

Médiathèque, Metz.

Charles V à l'âge de 17 ans (1660).

deuxième fils Charles qui allait devenir Charles V ; Gaston d'Orléans et son épouse Marguerite, la sœur cadette de Charles IV et de Nicolas-François. Ce fut elle qui s'entremit pour réconcilier les deux frères, tout au moins en apparence.

Puis de Blois, Charles IV rejoignit Paris où il fut bien accueilli par les princes de la Maison de Lorraine, et ensuite Avignon où il rencontra Louis XIV et Mazarin. Charles IV leur exposa ses doléances ; on se mit d'accord pour en discuter. Les pourparlers occupèrent toute l'année 1660 ; il s'y mêlait des intrigues matrimoniales avec Marie Mancini, propre nièce du cardinal, Anne de Lorraine, fille de Béatrix de Cusance, Charles, fils de Nicolas-François, et même Charles IV, en situation de veuvage. Finalement neuf jours avant sa mort, Mazarin réglait le problème lorrain par le traité signé à Vincennes le 28 février 1661.

Le traité de Vincennes

La nouvelle convention différait sensiblement sur certains points des clauses du traité des Pyrénées. L'essentiel était pour Charles IV de récupérer le duché de Bar, mais sur d'autres points les dispositions du traité de Vincennes lui étaient moins favorables. Le roi obtenait non seulement la confirmation de la cession de Moyenvic, du comté de Clermont, de Stenay et de Jametz, de la partie barroise de la prévôté de Marville, mais il annexait aussi la place de Sierck et de trente villages en dépendant (il y en eut trente-sept). En conformité

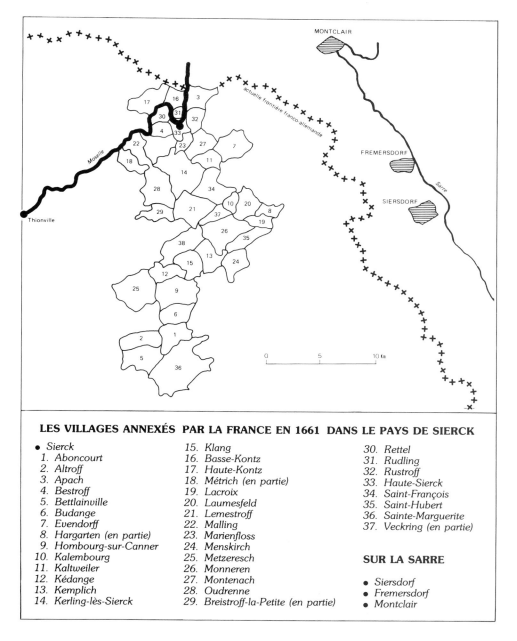

LES VILLAGES ANNEXÉS PAR LA FRANCE EN 1661 DANS LE PAYS DE SIERCK

- • Sierck
- 1. Aboncourt
- 2. Altroff
- 3. Apach
- 4. Bestroff
- 5. Bettlainville
- 6. Budange
- 7. Evendorff
- 8. Hargarten (en partie)
- 9. Hombourg-sur-Canner
- 10. Kalembourg
- 11. Kaltweiler
- 12. Kédange
- 13. Kemplich
- 14. Kerling-lès-Sierck

- 15. Klang
- 16. Basse-Kontz
- 17. Haute-Kontz
- 18. Métrich (en partie)
- 19. Lacroix
- 20. Laumesfeld
- 21. Lemestroff
- 22. Malling
- 23. Marienfloss
- 24. Menskirch
- 25. Metzeresch
- 26. Monneren
- 27. Montenach
- 28. Oudrenne
- 29. Breistroff-la-Petite (en partie)

- 30. Rettel
- 31. Rudling
- 32. Rustroff
- 33. Haute-Sierck
- 34. Saint-François
- 35. Saint-Hubert
- 36. Sainte-Marguerite
- 37. Veckring (en partie)

SUR LA SARRE

- • Siersdorf
- • Fremersdorf
- • Montclair

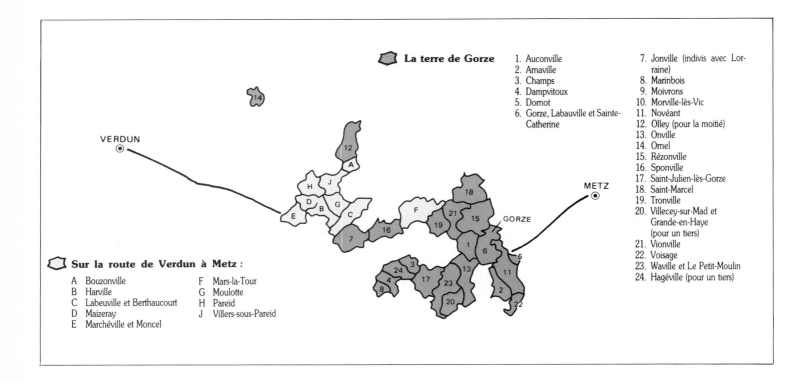

La terre de Gorze

1. Auconville
2. Arnaville
3. Champs
4. Dampvitoux
5. Dornot
6. Gorze, Labauville et Sainte-Catherine
7. Jonville (indivis avec Lorraine)
8. Marinbois
9. Moivrons
10. Morville-lès-Vic
11. Novéant
12. Olley (pour la moitié)
13. Onville
14. Ornel
15. Rézonville
16. Sponville
17. Saint-Julien-lès-Gorze
18. Saint-Marcel
19. Tronville
20. Villecey-sur-Mad et Grande-en-Haye (pour un tiers)
21. Vionville
22. Voisage
23. Waville et Le Petit-Moulin
24. Hagéville (pour un tiers)

Sur la route de Verdun à Metz :

A Bouzonville
B Harville
C Labeuville et Berthaucourt
D Maizeray
E Marchéville et Moncel
F Mars-la-Tour
G Moulotte
H Pareid
J Villers-sous-Pareid

avec les clauses des traités de Westphalie et « pour la particulière affection que Sa Majesté a pour la Maison des comtes de Nassau-Sarrebruck », Charles IV ne devait plus lui contester le château de Hombourg, le comté de Sarrewerden et la prévôté d'Herbitzheim pas plus que le poste avancé de Landstuhl au baron de Sickingen. Sur un autre plan, la saline de Moyenvic allait au roi qui promettait, pour le présent, de ne pas l'exploiter ; en échange le bail des salines consenti par le roi à un sieur Cervizier serait continué ; et, ainsi que le traité des Pyrénées le prévoyait, il serait délivré à la France « la même quantité de sel et au même prix qu'il avait accoutumé de le fournir aux sujets du roi des Trois Evêchés en temps de paix ».

L'accroissement du territoire et la fourniture de sel n'étaient certes pas négligeables, mais l'essentiel était la réalisation d'une liaison avec le Rhin et l'Allemagne : les Lorrains l'appelèrent *la route de France* puisqu'elle appartenait au roi ; et les Français *la route d'Allemagne* (rarement *la route d'Alsace*). Il s'agissait de permettre aux troupes françaises de gagner sans encombre les régions rhénanes.

Afin de créer un corridor français entre les terres évêchoises de Verdun et de Metz, étaient annexées trente-trois localités, de Marchéville-en-Wœvre à Mars-la-Tour jusqu'à Gorze et Dornot. L'essentiel était ainsi formé par les vingt-quatre villages, dépendant, dans cette région, de l'abbaye de Gorze. Il fut procédé de la même façon pour le chemin du pays messin jusqu'à Sarrebourg et Phalsbourg, villes-clés de l'accès à l'Outre-Vosges, elles aussi annexées : selon l'article 14 « est convenu en outre que le chemin cy-dessus commencera depuis le dernier village du pays messin, entre Metz et Vic jusques à Falsebourg inclusivement, et appartiendra en toute souveraineté à Sa Majesté sans aucune interruption pour la longueur ; et aura de largeur demie-lieue de Lorraine en tous endroits, dont les limites pour ladite largeur seront posées de bonne foy par des commissaires à ces députés de part et d'autres ».

Les commissaires, nommés le mois suivant, furent, pour le roi, Colbert de Saint-Pouanges, intendant en Lorraine, Barrois et Trois Evêchés, et le président Colbert ; et pour le duc, Gondrecourt, conseiller d'Etat, et le colonel d'Allamont. Dès la première réunion à Nancy début août apparut un obstacle important : on ne put se mettre d'accord sur la mesure exacte de la demi-lieue de Lorraine, variant, en effet, d'un endroit à l'autre. L'entente n'intervint qu'en octobre : la demi-lieue vaudrait 2 000 toises (à six pieds de Roi chacune, soit 6 × 0,3248 mètres = 1,948 m), donc 3 896 mètres. Le passage d'une demi-lieue serait donc à peu près de deux kilomètres de chaque côté de la route. Les procès-verbaux des travaux de la commission relatent les discussions sur la

DE VERDUN À PHALSBOURG : LE « CHEMIN D'ALLEMAGNE »

Territoires annexés par la France en 1661

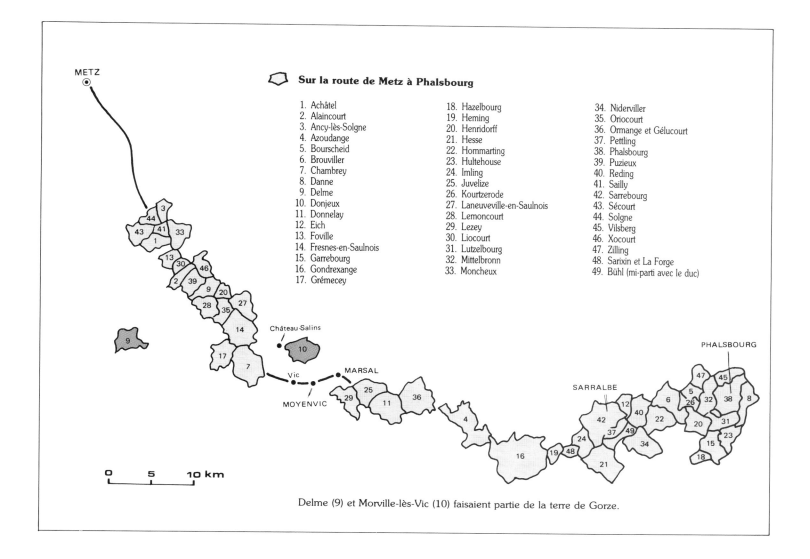

Sur la route de Metz à Phalsbourg

1. Achâtel
2. Alaincourt
3. Ancy-lès-Solgne
4. Azoudange
5. Bourscheid
6. Brouviller
7. Chambrey
8. Danne
9. Delme
10. Donjeux
11. Donnelay
12. Eich
13. Foville
14. Fresnes-en-Saulnois
15. Garrebourg
16. Gondrexange
17. Grémecey

18. Hazelbourg
19. Heming
20. Henridorff
21. Hesse
22. Hommarting
23. Hultehouse
24. Imling
25. Juvelize
26. Kourtzerode
27. Laneuveville-en-Saulnois
28. Lemoncourt
29. Lezey
30. Liocourt
31. Lutzelbourg
32. Mittelbronn
33. Moncheux

34. Niderviller
35. Oriocourt
36. Ormange et Gélucourt
37. Pettling
38. Phalsbourg
39. Puzieux
40. Reding
41. Sailly
42. Sarrebourg
43. Sécourt
44. Solgne
45. Vilsberg
46. Xocourt
47. Zilling
48. Sarixin et La Forge
49. Bühl (mi-parti avec le duc)

Delme (9) et Morville-lès-Vic (10) faisaient partie de la terre de Gorze.

LA PRISE DE POSSESSION DES VILLAGES PAR LA FRANCE

« Les procès-verbaux des réunions des commissaires relatent la prise de possession des villages par la France. Les notables, curé, maire, greffier, échevins et quelques habitants comparaissent. La formule des procès-verbaux est toujours la même : "lesquels, tant en leurs noms, que comme ayant charge et pouvoir des autres habitans dudit lieu, ont prêté le serment de fidélité au Roi ès mains de nous, Commissaire de Sa Majesté, après qu'ils ont été déchargés de celui qu'ils avoient pu prêter à Son Altesse par nous, Commissaires de Son Altesse, ensemble des sujétions et obéissances esquelles ils lui étoient obligés et attenus".

Le nombre des comparants varie de un à huit. Cependant, la formule employée ("tant en leurs noms, que comme ayant charge et pouvoir des autres habitans") ne permet pas de porter un jugement certain sur la densité de la population. Celle-ci paraît plus forte de Solgne à Sarrebourg : il est vrai que l'on nous signale deux censes ruinées, Bazoncourt et Kraffetel, des villages actuellement disparus : Hublange, Sarixin, Bettleng ; on nous dit que Fresne, "inhabité quantité d'années pendant les dernières guerres", retrouve seulement ses habitants, mais cette mention est la seule de son genre et on compte six cures. A partir de Sarrebourg, au contraire, on n'en cite plus aucune, et les textes laissent entrevoir la misère : Buhl est "présentement inhabité", Niderviller ne compte que deux habitants, Garrebourg, cinq, Vilsberg se compose de trois masures, Kourtzerode, de "deux portions de maisons pour mettre à couvert quelques pauvres gens", trois en tout !

Un seul seigneur, le Sr de Lutzebourg, assiste à l'arpentage de son territoire, les autres seigneurs haut-justiciers et fonciers des lieux, dont la commission s'informe dans chaque village, seront avertis qu'ils sont "à reprendre, et faire les foi et hommages à Sa Majesté, pour ce qui leur appartient, et ce, dans trois mois prochains, à compter de ce jourd'hui, sur les peines portées par les ordonnances".

Les populations sont également informées qu'elles auront à se pourvoir au Parlement de Metz en cas de crimes. Pour les causes civiles, les villages du pays messin recourront au bailliage de Metz, les autres villages, à partir de Donjeux, au bailliage de l'Evêché de Metz à Vic, "le tout par provision jusqu'à ce qu'il en ait été autrement ordonné par Sa Majesté". »

BARTHELEMY (J.), « La route de France d'après les procès-verbaux d'abornement, 1661 », A.S.H.A.L., 1965, p. 27-47 (p. 30-31).

souveraineté et la propriété des villages, sur le tracé du chemin de Héming à Phalsbourg et l'emplacement des bornes ; ils font aussi mention de la prise de possession des villages par le roi et du serment des habitants. Dans l'ensemble les litiges étaient résolus au profit de la France. Ainsi Niderviller et son finage furent annexés sur l'argumentation du commissaire royal « non pas pour prendre un chemin, ni le passage que le Roi s'est réservé, en Lorraine, de ce côté-là, mais pour aider au logement et à la subsistance des troupes, lorsqu'elles passeraient pour aller en Alsace ».

Les travaux de la commission, commencés le 10 octobre, furent achevés le 26. Sur la route de Metz à Phalsbourg étaient ainsi annexés Sarrebourg, Phalsbourg et quarante-sept villages qui s'appuyaient souvent sur les terres depuis longtemps dépendantes de l'évêché de Metz.

Les préoccupations stratégiques l'emportaient sur les autres considérations : route sûre de Verdun à Phalsbourg, consolidation des confins septentrionaux de la Lorraine avec le contrôle des pays de la Meuse moyenne (de Verdun à Sedan), de la Moselle moyenne (régions de Thionville et de Sierck) et même avec l'installation sur la Sarre moyenne à Siersdorf, Fremersdorf et le château de Montclair. Ces progrès de la France étaient liés à son installation en Artois et Hainaut, à la main-mise sur les places fortes de Philippeville et Marienbourg sur la route Charleroi-Namur-Dinant, et aussi à son acharnement à conserver Pignerol, porte du Piémont.

1661 marqua pour l'histoire de la Lorraine une étape importante. Les clauses du traité de Vincennes provoquaient une irrémédiable désorganisation du système de défense des duchés, qui s'appuyait sur un réseau cohérent de places fortes et sur une armée mobile et opérationnelle. A tout moment les soldats du roi pouvaient intervenir depuis les bases qu'ils possédaient et qu'ils allaient améliorer.

Musée lorrain, Nancy. Cliché P. Mignot.

Le roi d'Espagne est contraint par le roi de France à rendre gorge. *Gravure satirique éditée en France, à l'occasion de la prise de Montmédy en 1657.*

2.

LA DIFFICILE RESTAURATION 1661-1670

En 1661 Charles IV s'apprêtait à rentrer dans ses états profondément atteints par les épreuves subies pendant un quart de siècle. Certes la situation apparaissait moins dramatique qu'au lendemain de la guerre de Trente ans, mais il fallait reconstruire le pays, restaurer l'autorité ducale, redonner vie aux institutions.

La situation politique et économique en 1661

Un peu plus d'une décennie avait séparé la conclusion de la paix de Westphalie en 1648 de celle de Vincennes en 1661. La conjoncture internationale et les conflits internes n'avaient pas permis aux Français de tirer profit des occasions favorables pour régler la question lorraine : il leur avait manqué le temps et les moyens pour contrôler réellement l'ensemble des duchés.

La Cour souveraine

La plus haute instance institutionnelle, la Cour souveraine de Lorraine et Barrois, s'était installée à Luxembourg en territoire espagnol ; elle fut l'âme de la résistance à la présence française en Lorraine, jugeant en appel malgré l'ordonnance royale selon laquelle seul le Parlement — siègeant à Toul jusqu'en novembre 1658 — devait avoir connaissance, en dernier ressort, des affaires de la Lorraine. Ainsi la Cour souveraine et le Parlement cassaient réciproquement les arrêts rendus. Les rivalités apparaissaient surtout dans le sud du pays : en 1651 le Parlement dut renouveler ses défenses en raison des multiples appels à la Cour de Luxembourg pour des procès qui s'étaient déroulés à Neufchâteau, Epinal, Arches, Bruyères, Remiremont et surtout à Mirecourt. Lorsqu'elle s'installa à Trèves, la Cour continua de recevoir les appels : le 4 novembre 1652, le Parlement cassa et annula un arrêt « donné par les Gens se disant la Cour souveraine à Trèves ». La Cour ne cessa à aucun moment d'envoyer, dans le pays, ses représentants aux fins d'« exercer la justice ducale ». Ainsi, par une ordonnance du 4 mars 1653, elle nommait un procureur général au bailliage du Bassigny. Partout où cela était possible la Cour s'évertuait à posséder dans les bailliages des juridictions à sa dépendance. On note l'activité des tribunaux ducaux à Mirecourt et à Vaudrevange.

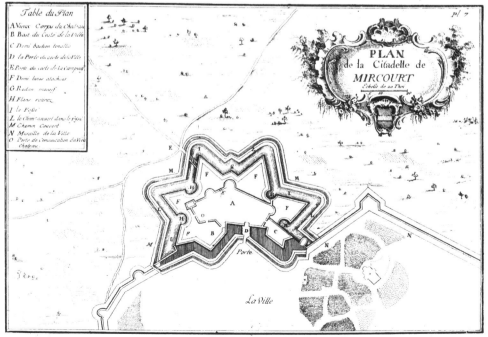

Plan de la citadelle de Mirecourt.

L'EXERCICE DE LA JUSTICE DUCALE EN BASSIGNY - 1653

« Les président et conseillers de la Cour souveraine de Lorraine et Barrois, désirant faciliter aux sujets de son Altesse de proche en proche, l'administration de la justice souveraine où ils puissent plus librement aborder, et avec moins de frais et incommodités qu'au lieu où est présentement ladite Cour, elle a trouvé bon et utile à leur soulagement de commettre au lieu de Bourmont et bailliage du Bassigny, quelque personne capable et de probité pour cet effet. A ces causes, étant pleinement informée et cognoissante de la probité, intégrité, fidélité, capacité et diligence qui se rencontrent en la personne du sieur Claude Plumeret, procureur général audit bailliage du Bassigny, demeurant audit Bourmont, elle l'a commis et commet, sauf à recuser, pour, audit lieu, audiencer les causes qui luy seront par elles renvoyées, ou

que les partyes intenteront par devant luy, soit par requeste ou commissions, qu'il pourra décréter et décerner, recevoir les contestations, escriptures et productions desdites partyes, régler et instruire les procédures jusques à jugement exclusivement ; recevoir aussy leurs preuves, tant vocales que littérales, au cas qu'icelles aient pris appointement entr'elles de prouver ou qu'elles y soient admises par la Cour, et lesdites procédures instruites, les fermer en présence desdites parties et les envoyer vers elle, pour y faire droit, ayant ladite Cour nommé et commis pour greffier es-dites causes, Mᵉ Claude d'Illoud, greffier audit bailliage, lequel sera obligé de tenir registre des causes qui s'audienceront et des appointements qui se rendront par devant ledit sieur commissaire qui debvra suivre le stil de la Cour, avec deffences à tous

de les troubler en l'exercice de ceste commission. »

« Expédié à Luxembourg, le quatrième de Mars mil six cent cinquante-trois, sous le grand scel de ladite Cour, signé par la Cour Bailly, avec paraphe, scellé d'un scel en placard sur cire rouge, portant pour empreinte un double X, au milieu desquels se voyent les armes de Lorraine, portant *trois alèrions en bande, et en principal deux barbeaux adossés* qui sont les armes de Bar, et aux deux côté du double C, deux croix de Lorraine, le tout, surmonté d'une couronne ducale non fermée, et pour suscription à l'entour, ces mots : *Sig. supremœ curiœ, Carolo IIII, Lot. et Bar. duce regnante.* »

DU BOYS DE RIOCOUR, *Relation des sièges et du blocus de La Mothe*, Chaumont, 1861 (p. 80-81).

La levée des impôts

La Cour veillait aussi à lever les contributions. Les comptes de Charles Souart, receveur général du domaine de Charles IV, indiquent qu'en 1652 trente receveurs acquittaient les contributions, alors que vingt-et-un ne versaient rien. Le contrôle lâche exercé par les Français sur les duchés explique la relative importance des ressources qui allaient, pour l'essentiel, au prince exilé. Le calme revenu, La Ferté Sénectère publiait le 22 janvier 1655 une ordonnance par laquelle il était interdit de verser la moindre somme aux ennemis du roi. Plus la domination française s'affirmait, plus grandes devenaient les difficultés à faire rentrer l'argent dans les caisses ducales. En 1659, seules sept recettes (Bitche, Bouquenom, Sarreguemines, Blâmont, Badonviller, Remiremont et Sainte-Marie-aux-Mines), relativement favorisées par leur position marginale, apportaient quelques fonds.

Les prélèvements

En fait, la population ployait sous les charges excessives des diverses redevances et des prélèvements de toute nature. La Ferté Sénectère a laissé une réputation d'insatiable avidité. Nancy fut certainement la ville qui en souffrit le plus : jetons d'or ou d'argent, à son arrivée, comme le voulait la coutume, pratique des étrennes et de divers cadeaux réclamés par le bénéficiaire. Les comptes de la ville énumèrent par le menu la nature des présents et leur coût. En 1650 on paya 4 200 francs au peintre nancéien « Claude des Ruetz » [Deruet] pour un tableau représentant *Le ravissement des Sabines,* « par lui vendu et délivré pour le service de la ville, à ce d'être satisfait à la résolution prise en l'assemblée faite, le vingtième décembre de l'année du présent compte, de Messieurs les gentilshommes, nobles, personnes de condition et des maîtres des corps de maîtrises, appelés en la chambre dudit Conseil de ville, audit jour, où il fut résolu de faire offre et présent dudit tableau à Monseigneur le marquis de La Ferté, suivant ce qu'il avait témoigné le désirer, et qu'il fut trouvé raisonnable de lui offrir, de la part de ladite ville, pour remerciement des soins qu'il a eus et témoigné vouloir continuer pour le bien et conservation de ladite ville ». Après avoir, en février 1653, demandé et obtenu cent cinquante pistoles d'Espagne en espèces, valant 3 600 francs, La Ferté exigeait, pour le cadeau du Nouvel an 1654, cent boutons d'or ; il fallut emprunter 4 000 francs. Cela ne suffit pas puisque La Ferté avait besoin de six boutons supplémentaires, qu'il fit faire : « son intention était que mesdits sieurs lui en fissent le paiement », soit 272 francs.

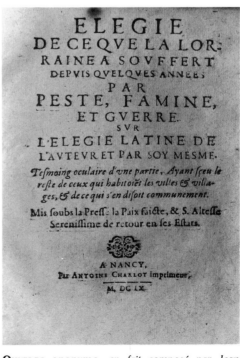

Ouvrage anonyme, *en fait composé par Jean Héraudel, avocat à Nancy.*

Toute occasion était bonne pour exiger de la vaisselle, des serviettes de lin, des nappes, des chandeliers, du vin... En 1655, le marquis devenu maréchal et veuf depuis peu se remariait avec Madeleine d'Angennes : il obtint une entrée triomphale, qui coûta 3 004 francs 7 gros.

Les armées

Les autres villes du duché ne furent pas épargnées et toutes durent s'endetter. En effet, au poids de la fiscalité ordinaire et aux exigences des représentants du roi, s'ajoutaient les frais provoqués par la présence des armées. Les villes où l'on avait placé de petites garnisons devaient les entretenir avec souvent l'aide des villages voisins : c'était le cas à Mirecourt, Pont-à-Mousson, Epinal, Remiremont, Châtel-sur-Moselle, Château-Salins, Neufchâteau, Rosières. Sans les officiers, chaque garnison comprenait quarante à soixante hommes, à l'exception de Mirecourt qui accueillait cent hommes. D'autres places étaient défendues par des « garnisons particulières » avec des gouverneurs liés au roi par une convention, comme Vaudrevange, Marsal, Dieuze, Moyenvic et Sierck ; elles étaient entretenues par des fonds généraux normalement issus des ressources centrales. En fait la population n'était pas épargnée : ainsi en 1653 les habitants du comté de Vaudémont durent verser 3 000 francs par trimestre « pour les contributions de la garnison de Marsal ».

Les charges les plus lourdes provenaient de la pratique des quartiers d'hiver. A l'époque il était exceptionnel de faire campagne pendant la période hivernale, en général de décembre à février. Aux troupes étaient dévolus des quartiers : sur les lieux mêmes étaient levées, dans le but de les entretenir, des contributions temporaires, qui constituaient, pour la population, des surcharges souvent intolérables. En 1659, 1 200 francs furent levés par ordre de La Ferté sur les habitants du bourg de Lamarche pour subvenir à l'entretien de la compagnie des dragons du sieur de La Fay établie en quartiers d'hiver. Mirecourt surtout eut à supporter chaque année la présence de troupes en quartiers. Ainsi en 1654, 7 504 francs furent donnés au capitaine Renaulmont de la compagnie de La Ferté pour ses quartiers d'hiver. Pour obtenir une réduction de ces charges, on donnait de l'argent au gouverneur de Mirecourt : en novembre 1652 ce même gouverneur, le sieur de Massièges, reçut dans ce même but 400 francs.

Les besoins en chevaux posaient aussi de très graves problèmes à la fois à l'armée et à la population rurale. La remonte était difficile, mais indispensable pour la nombreuse cavalerie, pour le transport des bagages de l'infanterie et, de plus en plus, pour la traction des lourdes pièces d'artillerie. D'un autre côté les paysans lorrains n'avaient recours, en temps normal, qu'aux chevaux pour tirer leurs charrues. Il fallut que des fournisseurs, souvent juifs, en fassent venir, parfois de loin et à prix élevé, sans pouvoir satisfaire la totalité de la demande.

Il reste aussi les exactions perpétrées par des troupes souvent mal contrôlées. Certaines régions frontalières furent particulièrement touchées, comme le Bassigny ou la vallée de la Saulx (le prieuré Notre-Dame à Dammarie ; Jovilliers, incendié en 1652 par des luthériens allemands). Les gens de guerre saccagèrent « l'auditoire » (salle du tribunal) de Saint-Mihiel, brûlant portes de fenêtres. Beaucoup de corps incontrôlés sillonnaient le pays, cherchant à piller et à trouver des cantonnements qui leur paraîtraient agréables. Il n'est pas étonnant que l'on cherchât à éloigner le danger : les édiles de Vézelise envoyaient des présents aux officiers allemands, pour lors à Vicherey, afin d'éviter leurs incursions.

Les exigences des armées régulières étaient presque aussi redoutables. Lorsqu'en mars 1650 le colonel Streff arriva à Quevilloncourt, petit village près de Vézelise, il ordonna la fourniture de 4 000 rations de pain pour son régiment. La même année Richard, capitaine de cavalerie au service de Charles IV, forçait le receveur à verser 3 500 francs destinés au prince ; en 1652, le sieur Despilliers, lui aussi envoyé par le duc, contraignit le receveur à lui verser 2 000 francs « pour le service de Son Altesse ».

Hors d'état de satisfaire à ces lourdes charges, beaucoup choisirent de fuir leurs habituelles résidences. On signale, en août 1654, que trente-neuf chefs de familles avaient quitté leur ville, Vézelise, au cours de la dernière année ; ceux qui restaient voyaient leurs charges s'accroître. D'autres, insolvables, ne payaient pas ; on confisqua leurs meubles ; puis on décida, en raison de la pauvreté des habitants, de conduire à Nancy les meubles saisis et de les vendre aux enchères.

Un handicap majeur : l'endettement

L'endettement des particuliers et des communautés d'habitants affectait, certes à des degrés divers, tous les milieux sociaux. Pour faire face aux échéances, il fallait vendre, souvent à très bas prix. Dans le village meusien de Laheycourt, force fut de se démunir des bois, des paquis et des usages. A quelque distance, Lignières avait 20 000 francs de dettes. Les villes n'étaient pas mieux loties. Nancy devait en 1653 payer les intérêts à 6,25 % ou 7 % des 163 130 francs de capitaux empruntés depuis 1612.

Des répits furent accordés aux débiteurs : Louis XIII avait toléré dès 1639 un moratoire et d'autres mesures avaient autorisé la prorogation des échéances, revisé les taux usuraires et supprimé la contrainte par corps. Il est évident que l'endettement généralisé avait permis à quelques-uns de profiter de la situation pour accroître leurs biens et améliorer leur rang dans la société. A Rambluzin, près de Benoîte-Vaux, un noble, Charles de Lisle, avait acheté à vil prix les biens communaux. Le maire de Villotte-devant-Louppy avait profité des guerres pour acquérir la plus grande partie des biens des habitants ; il obtint des lettres d'anoblissement, mais ne put éviter un conflit qui l'opposa à eux en 1662.

La désorganisation du pays

En 1661 la Lorraine apparaissait comme un pays ravagé par les épidémies, heureusement disparues, et par les guerres. Les villes et davantage les bourgs avaient perdu beaucoup d'activités artisanales et industrielles ; leur ravitaillement posait de graves problèmes, en raison de l'insécurité des transports et de la baisse de la production rurale.

Le paysage présentait des aspects anarchiques, provoqués par l'abandon d'une grande partie des terres cultivées. Le sol, en se tassant, avait progressivement fait disparaître les anciennes limites des parcelles ; par ailleurs beaucoup de terres, autrefois mises en valeur, étaient envahies par la végétation sauvage. Les règles de l'assolement triennal n'étaient plus respectées.

Les survivants et ceux qui étaient revenus, après avoir abandonné leurs villages pendant un temps plus ou moins long, n'avaient que peu tenu compte des anciennes limites, se bornant à travailler les meilleures terres et les plus accessibles : sur le terrain, l'ancienne répartition des propriétés n'était plus visible. Tout un énorme travail de remise en ordre était nécessaire : restauration des limites des finages et des propriétés, de la répartition des soles et des quartiers, de la superficie des bois ; reconnaissance des droits seigneuriaux.

L'apaisement

Avant même la signature du traité de Vincennes et le retour de Charles IV dans ses états, le calme était revenu en Lorraine. Il en résulta sur son sol une sensible diminution des troupes et, par là-même un allégement considérable des charges, subsistances et quartiers d'hiver. Lorsqu'en janvier 1655 deux régiments lorrains abandonnèrent la cause espagnole à la suite de l'arrestation de leur duc, on leur assigna des quartiers d'hiver assez excentrés : le Clermontois et la terre de Gorze ; on leur versa une solde, si bien que les habitants n'étaient astreints qu'à fournir le couvert et le fourrage. Plus tard l'armée de Ligniville, qui se trouvait dans une situation identique, fut envoyée dans le pays de la Sarre, où elle devait être pourvue en subsistances par les places de Hombourg, Bitche et Landstuhl.

L'heure était à l'apaisement, malgré le peu d'intérêt que Mazarin témoignait à la Lorraine, destinée à recouvrer sa liberté. D'une manière générale, les exactions militaires devenaient rares, à l'exception des méfaits de la garnison de Verdun entre 1655 et 1659.

Les mesures prises dès 1654 par La Ferté et l'intendant Le Jay témoignaient de la volonté de pacifier le pays et de remettre l'économie en marche. L'ordonnance la plus importante concernait le relèvement de la valeur du gros, monnaie de Lorraine, à la satisfaction des petits commerçants (30 avril 1654). D'autres mesures visaient à assainir le problème fiscal, avec remise de toutes les contributions jusqu'alors impayées, annonce d'un prélèvement régulier par conduits, et restriction des exemptions.

LE PROBLÈME DES LIMITES DES PARCELLES

« Il faut se souvenir que, dans les anciens titres, en l'absence totale de croquis et à plus forte raison de cartes, la situation des parcelles se définissait, au mieux, dans chaque canton ou quartier (cette dénomination, pour géographique qu'elle soit, n'étant pas utilisée dans ce sens en Lorraine) par l'indication des tenants et aboutissants ; voire même très souvent, par tenants seulement : " X d'une part... Y de l'autre ".

A la suite des guerres, par la disparition d'un grand nombre de possesseurs de terres, " par une infinité de ventes, exchanges et alliénations " les tenants et aboutissants étaient " devenus incertains ". Même en possession de titres réguliers, les héritiers qui, bien souvent, n'avaient aucune connaissance du ban, étaient incapables de faire entendre raison à ceux qui, les premiers, avaient repris la charrue. Ceux-ci, usurpateurs ou non, s'étaient " placés à leur volonté " d'autant plus facilement qu'ils étaient moins nombreux. Parfois, en faisant disparaître ce qui restait des « anciennes rayes » c'est-à-dire des anciennes planches de labour. Parfois même en déplaçant les limites de cantons ou en changeant leur dénomination. Ainsi de nombreux titres étaient-ils devenus inutiles pour situer exactement une pièce de terre. Tout au plus pouvaient-ils servir à " en faire le calcul " (de la surface). Beaucoup d'entre eux étaient en droit devenus caducs par suite de vente ou d'échange. En fait, ils avaient toujours cours. A lire les déclarations ou " répétitions " des possesseurs de terre en cette fin du XVIIᵉ siècle, on s'étonne de l'ampleur du mouvement de la propriété pendant et après les guerres.

De cette confusion générale des structures anciennes, aussi bien de la parcelle que de l'exploitation, beaucoup cherchent à tirer profit. Ceci ralentira notablement la remise en ordre, étalée sur une centaine d'années dans certains secteurs, mais ne l'empêchera pas, finalement, d'atteindre une exceptionnelle ampleur. Elle est concrétisée par une foule de documents d'archives et notamment par des documents fonciers connus sous le nom de " terriers de remembrement ". Plus de deux cents sont attestés dans l'actuel département de la Moselle, quelque quatre-vingts en Meurthe-et-Moselle, une dizaine seulement dans les deux autres départements réunis ».

PELTRE (J.), *Recherches métrologiques sur les finages lorrains*, Lille, 1975, multig. (p. 176-177).

Médaille *frappée à l'occasion de l'hommage prêté à Louis XIV par Charles IV pour le Barrois mouvant.*

Musée lorrain, Nancy. Cliché P. Mignot.

La Lorraine, peu à peu, reprenait vie. Dans les villages parfois désertés quelques paysans étaient revenus et de nouveau travaillaient la terre. Malgré la permanence de la charge fiscale en raison du maintien des garnisons, l'activité artisanale se développait. Sur les routes, dorénavant plus sûres, les denrées essentielles pouvaient circuler. Mais les tâches qu'exigeait la reconstruction du pays restaient immenses aux yeux de tous.

Le surprenant traité de Montmartre

Libéré de sa geôle espagnole, Charles IV ne voulut pas revenir de suite dans ses états, préférant attendre le moment où ils seraient débarrassés de la présence de l'armée française.

Les manœuvres des Guise

Il vécut donc à Paris et on le vit souvent à la Cour, préoccupé par le désir de trouver une alliance flatteuse et profitable pour son neveu, le prince Charles, héritier de la couronne ducale. Il fut, un instant, question de Marie Mancini, la nièce de Mazarin, puis de la Grande Mademoiselle (Mademoiselle de Montpensier) et enfin de la fille du duc de Nemours, Marie-Jeanne. L'accord sembla se faire sur ce dernier projet, mais il se heurta à l'hostilité des Guise, qui parvinrent à en reporter indéfiniment l'issue. D'ailleurs les rapports s'étaient sérieusement envenimés entre Charles IV et son neveu.

Les princes de la Maison de Guise, notamment Henri II (1614-1664) et sa sœur Marie (1615-1688), eurent assez d'influence sur leur cousin, Charles IV, fort préoccupé de consolider sa liaison avec une roturière Marianne Pajot, pour le pousser à envisager l'abandon de ses états ou tout au moins à en devenir le souverain viager. Les Guise y virent surtout l'occasion d'accéder au rang de « princes du sang » qui, depuis l'édit de 1576, avaient préséance sur tous les autres princes. En 1581 ils avaient déjà obtenu de Henri III le privilège de marcher immédiatement après les princes de sang et devant les « ducs et pairs ». La promotion enviée les aurait situés au premier rang de la société de Cour.

Avec beaucoup de légèreté Charles IV laissa entendre qu'il pourrait se débarrasser de ses états. Hugues de Lionne, l'habile négociateur du traité des Pyrénées, vit aussitôt le parti que la royauté pouvait tirer de cette disposition d'esprit. Il mena avec célérité les négociations au cours desquelles, à maintes reprises, intervinrent Colbert et les Guise. Le duc Henri écrivait à sa sœur : « Il faut faire instance pour que nous puissions porter les armes de France et les fleurs de lys, et le faire mettre dans le traité, cela est de conséquence ». Informés un peu tardivement, Nicolas-François et son fils le prince Charles vinrent le 5 février 1662 avec deux notaires à l'Hôtel de Lorraine pour obtenir de Charles IV un engagement à ne pas porter préjudice à leurs droits ; le duc promit ce que l'on voulut.

Le traité

Mais le lendemain il signait le traité de Montmartre par lequel il cédait ses états au roi pour en jouir après son décès et « demeurer unis et incorporés à la Couronne de France à jamais ». Charles IV garderait ses droits de souveraineté sa vie durant ; il se bornait à laisser mettre immédiatement une garnison française dans Marsal. En considération de cette cession « Sa Majesté... déclare dès à présent tous les princes de la Maison de Lorraine, habiles et capables de succéder à la Couronne, les aggrégeant sa Famille Royale, et les adoptant à cet effet ; veut qu'ils y soient appellez selon leur rang de mâle en mâle après l'auguste Maison de Bourbon... qu'ils marchent devant tous les autres Princes issus de Maisons souveraines, étrangers ou enfans naturels des Rois et leurs descendants, et jouissent des privilèges et prérogatives des princes de son sang. » Il était prévu aussi que le duc aurait le droit de prendre, sa vie durant, 700 000 livres par an sur les revenus des duchés ; et qu'il ne serait fait aucune nouvelle imposition « pour donner moyen aux peuples et habitants desdits duchés, de réparer les pertes et se redîmer des malheurs dans lesquels une si longue guerre les a engagés ».

Le mécontentement général

A l'exception des Guise qui voyaient leurs ambitions satisfaites, le tollé fut général. On comprend l'irritation de Nicolas-François, du prince Charles et de l'ensemble de la société lorraine. A Saint-Nicolas-de-Port, où elle s'était réunie, la Cour souveraine, qui avait été si fidèle à Charles IV dans les heures les plus tragiques, déclara le traité de Montmartre « nul et de nul effet et valeur » par un arrêt du 18 février ; il était interdit de le publier, de le lire ou de s'y référer. Quant au prince Charles, dès le 7 février, il demandait aux gouverneurs des places fortes de s'opposer à l'entrée des troupes françaises ; et le même jour, il s'engageait à donner satisfaction aux demandes de l'ancienne chevalerie. Mais il ne resta pas en Lorraine, regagnant finalement Vienne.

A Paris et Versailles, le traité de Montmartre fut aussi très mal accueilli par tous ceux que l'ascension des Guise irritait ou gênait. Or pour être reconnu valable, le document devait être enregistré par les Parlements. Louis XIV contraignit les parlementaires parisiens à l'approuver par le lit de justice du 27 février.

L'imbroglio devenait inextricable. Le 14 février 1662 Charles IV signait le contrat de mariage de son neveu, Charles, lui garantissant la succession des duchés ; et le 22, le jeune prince épousait, par procuration donnée à son père Nicolas-François, Mademoiselle de Nemours. Lorsqu'à son tour, le 18 avril 1662, Charles IV mettait son nom au bas du contrat de mariage qui devait le lier à Marianne Pajot, il déclarait son neveu, son « successeur immédiat et incommutable ». Mais Louis XIV, informé, donna l'ordre d'enfermer Marianne dans un couvent et obtint du Parlement la cassation du mariage.

Alors que le roi de France menait une campagne diplomatique pour que les autres nations acceptassent l'annexion des duchés, le duc envoya des émissaires à la diète de Ratisbonne, le comte de Ligniville, le chancelier Le Moleur et deux conseillers d'Etat, pour demander l'annulation du traité de Montmartre. Mais ni l'empereur, ni les princes germaniques ne se soucièrent d'affronter Louis XIV sur cette question ; et l'accueil des autres Cours fut très mitigé vis-à-vis des deux antagonistes.

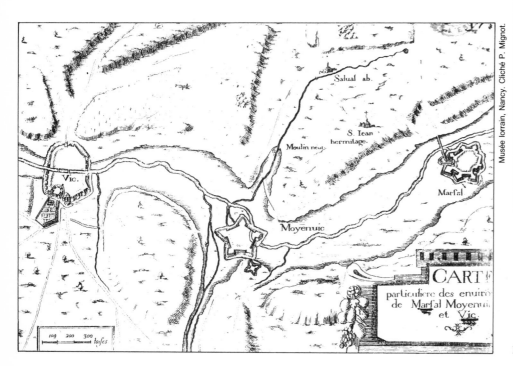

Musée lorrain, Nancy. Cliché P. Mignot.

Le pays des salines : *Vic, Moyenvic et Marsal.*

LETTRE DU PRINCE CHARLES A MM. DE L'ANCIENNE CHEVALERIE

« Messieurs de l'ancienne chevalerie, le rang que vous tenez en Lorraine et l'honneur que vous avez conservé dans vos familles par les preuves signalées de vostre fidélité et de vostre valeur pendant les guerres dernières, ne me permettent pas de douter que vous n'agissiez avec la mesme générosité dedans la malheureuse occasion que le traité prétendu avec S. M. très-chrétienne et S. A. monsieur mon oncle vous en a fait naistre. Le temps et le lieu, et les personnes qui y sont intervenues, et toutes les circonstances qui l'accompagnent le rendant nul, vous font assez connoître la surprise qui a emporté Sa dite Altesse à un excez si extraordinaire et par conséquent vous doit persuader le gré que l'on vous aura d'avoir résisté par toutes les voyes de déclarations, oppositions et autres qui vous seront possibles à l'exécution dudit traité où se trouvent ensevelis avec le nom et la gloire de notre maison les advantages de vostre ordre, le mérite de vos belles actions, le repos et la félicité publique. C'est pourquoi je vous invite de toutes mes forces, et afin de faire éclater avec plus de démonstration votre zèle, je crois qu'il seroit à propos que vous députassiez quelqu'un de vostre ordre pour en venir faire vos remontrances à Sa Majesté très-chrestienne et à Sadite Altesse et vous asseurant, en foy et parole de prince, qu'en vous y comportant de la bonne sorte et telle que je dois me promettre des personnes de vostre condition vous trouverez en ma reconnoissance toutes les satisfactions que vous pourrez souhaiter, lesquelles vous seront des marques éternelles du plus grand et du plus important service que vous sçauriez rendre à l'Estat et qui m'obligera toute ma vie à vous témoigner que je suis en général et en particulier, Messieurs... »

(1662)

HAUSSONVILLE (comte d'), *Histoire de la réunion... op. cit.*, Paris, 1857, t. 3 (p. 416-417).

Louis XIV et la prise de Marsal (1663).

Musée lorrain, Nancy. Cliché P. Mignot.

Devant cette situation Louis XIV estima bon d'appliquer, sans plus tarder, les clauses de Montmartre. Il donna commission à l'intendant d'Alsace et des Evêchés, le propre frère de Colbert, de s'occuper des comptes et des impôts de Lorraine et dans ce but l'envoya à Nancy. Charles IV ne réagit pas, mais par un acte promulgué à Mirecourt le 14 avril, il ordonnait à tous ses officiers de reconnaître le prince Charles comme son successeur, ce qui était contraire aux dispositions du traité de Montmartre.

En définitive, le seul profit que Louis XIV tira de cet épisode fut la prise de Marsal dont le démantèlement avait été prévu par le traité de Saint-Germain en 1641, mais jamais entrepris. Les troupes françaises, commandées par le maréchal de La Ferté, se réunirent en 1663 à Metz et dans les environs pour aller investir Marsal. Avec sa Cour Louis XIV arriva dans la vieille cité lorraine le 30 août ; le lendemain, il se rendait à Nomeny où son armée s'était installée. Charles IV se rendit vite compte de la disproportion des forces ; par le traité, dit « de Nomeny » du 31 août, il s'engageait à livrer la place ; de son côté, le roi restituait les revenus domaniaux qu'il avait confisqués. Le 3 septembre les deux souverains se rencontrèrent à Metz ; sans que cela fût dit expressément, le traité de Montmartre était devenu caduc.

Selon les dispositions du traité, qui livrait la place de Marsal au roi, celui-ci s'engageait à retirer toutes ses troupes stationnées dans les états ducaux « par le chemin le plus court et sur les terres de Sa Majesté autant que faire se pourra ».

B.M. Nancy. Cliché R. Carton.

Arc-de-triomphe *édifié pour le retour de Charles IV dans ses états.*

Le gouvernement des duchés

Charles IV, qui ne souhaitait pas rentrer dans ses pays encore occupés, avait séjourné du 14 avril 1661 au 22 mai à Bar-le-Duc, où il procéda à l'échange des ratifications du traité de Vincennes. Il ne reprit la route de Nancy qu'au cours de l'été 1663. Or, dès le 1er juin de la même année, un nouvel intendant, Jean-Paul de Choisy, s'était installé à Nancy. Il profita de l'absence du duc pour procéder à une mise en ordre des comptes et envoyer les receveurs royaux encaisser les arrérages en suspens. La tension allait être permanente entre Charles IV et Choisy. Le premier conflit éclata en 1664 à propos du marquisat de Nomeny, où l'intendant installa une garnison française.

Les institutions En l'attente de son entrée officielle, Charles IV prit, depuis Bar-le-Duc ou Paris, les mesures nécessaires pour restaurer son autorité et rétablir les mécanismes institutionnels. Dès le 26 mars 1661, il procédait au dédoublement de la Cour souveraine de Lorraine et Barrois : le sieur de Gondrecourt et douze conseillers administreraient la justice souveraine pour le duché de Lorraine et siégeraient à Lunéville ; le sieur Gervaise et six conseillers, réunis à Saint-Mihiel à partir du 17 avril 1661, feraient de même pour le Barrois non mouvant. En fait la Cour lorraine ne s'installa pas à Lunéville, mais à Saint-Nicolas-de-Port à partir du 10 mai suivant ; puis en 1662, elle siégea à Epinal, à Pont-à-Mousson et enfin à Nancy. Par la suite ces deux chambres de la Cour souveraine furent de nouveau réunies, par ordonnance du 8 août 1667, afin que ses membres fussent « tousjours près de nostre personne pour nous y servir aux occurences ». Entretemps dans un souci d'améliorer l'administration de la justice, Charles IV abolissait les *épices* des membres de la Cour et leur octroyait des gages plus élevés. Il instituait aussi une nouvelle Chambre des comptes, chargée du contrôle de la comptabilité publique. Il fallait aussi pourvoir de leurs offices ceux qui en avaient été chassés par les Français. Ainsi le 10 mai 1661 le duc donnait commission au conseiller d'Etat, le sieur de Maimbourg, pour se transporter dans les bailliages de Bassigny, de Vosge, d'Epinal, de Châtel-sur-Moselle et de Vaudémont afin d'y rétablir les anciens officiers et, si besoin était, en commettre de nouveaux.

Charles IV créa de nouveaux hauts fonctionnaires dont la compétence s'étendait aux deux duchés, renforçant les liens qui les unissaient. Aux côtés des anciens responsables des grands services (grand-maître de l'Hôtel, grand-maître

L'abbaye bénédictine de Saint-Mihiel *reconstruite au XVIIe siècle par dom Hennezon et attenante à l'église abbatiale Saint-Michel.*

LA VAISSELLE DU DUC

« ... Les meubles de Son Altesse ont esté perdus et divertis pendant son absence en sorte qu'il n'y en a plus ou peu au chasteau et ne luy reste point de vaisselle d'argent ».

La Chambre des comptes de Lorraine et les échevins de Nancy estiment qu'il est du devoir de la ville de faire un présent à Son Altesse. Il fut résolu, le 29 avril 1661, que ce serait « un service de vaisselle d'argent poinçon de Paris du poids de 300 marcqs » que l'on irait chercher à Paris.

Pour la dépense, il serait levé 30 francs par chef de famille et 15 francs par chaque veuve.

Arch. mun. Nancy, BB 7.

de l'artillerie, prévôt des maréchaux, trésorier général), il nomma le grand gruyer, chargé de l'administration forestière, le grand voyer qui, à l'aide de cinq voyers, avait la lourde tâche de diriger la remise en état des routes, le surintendant des postes, le grand maître de la louveterie. De plus le duc fit du procureur général du Barrois le substitut du procureur général de Lorraine. Les plus importants de ces hauts officiers pouvaient être appelés, selon les occasions, à constituer le Grand Conseil avec quelques membres de la chevalerie. Quant à la Cour, elle s'était reconstituée avec les grands dignitaires habituels. Le Palais ducal, une fois effacées les blessures des guerres, fut de nouveau le cadre de fêtes brillantes, écho lointain des splendeurs de l'avant-guerre.

Pour ranimer les échanges, Charles IV usa de son droit régalien dans le domaine monétaire. Presque tout l'ancien numéraire en métal précieux avait disparu. Les règlements en espèces étaient faits en monnaies de tous les pays d'Europe centrale et occidentale. Charles IV conserva comme monnaie de compte légale le franc barrois, qui valait $3/7^e$ d'une livre tournois, soit 69 % seulement par rapport à la situation de 1630. Abandonnant les anciens types lorrains (écu, florin, tallard) et gardant les pièces d'appoint (teston, gros, liard), il fit frapper des pièces de monnaie qui eurent parité — pour peu de temps — avec celles du système français : au louis correspondait le carolus. En 1662-1663, l'Hôtel de la Monnaie fabriqua des carolus d'or (valant 25 francs 8 gros), des carolus d'argent (7 francs), des testons (2 francs) et des gros (16 deniers).

Les griefs des nobles

Une mesure de Charles IV suscita de vives réactions : il modifia l'ancienne forme du bailliage de Nancy, en donnant au lieutenant du bailli la qualité de « lieutenant civil, criminel et particulier » et aux échevins le nom de conseillers-assesseurs avec le droit d'administrer la justice. C'était porter atteinte à l'ancienne juridiction des Assises et préjudice à la noblesse lorraine.

L'ancienne chevalerie tenta d'obtenir le rétablissement des Assises et des Etats généraux. Plusieurs réunions rassemblèrent les mécontents, mais Charles IV obtint de la Cour souveraine la condamnation d'un de ses meneurs : le baron de Saffre devait, avec sa famille, quitter les duchés dans les quarante-huit heures et vendre ses biens « à personne agréable à Son Altesse dans trois mois » ; un exempt des gardes ducales recevait l'ordre de le conduire « hors de ses états par le chemin de Bassigny, vers Chaumont et Langres » (30 juin 1661). Charles IV marquait ainsi, avec fermeté, son refus de conserver les Assises et les Etats généraux susceptibles de limiter son pouvoir. Selon le marquis de Beauvau, « le duc avait conçu le dessein depuis longtemps de supprimer les privilèges de la noblesse et de gouverner avec une autorité absolue ». Il accepta toutefois une réunion des nobles qui désignèrent des délégués pour le rencontrer à Pont-à-Mousson et discuter avec des conseillers d'Etat : mais les entretiens, par la mauvaise volonté de Charles IV, n'aboutirent pas. De nombreux nobles lui en tinrent rigueur et songèrent à l'accession de son neveu Charles au trône ducal. On pouvait redouter en effet son mariage avec Béatrix de Cusance et la légitimation de ses enfants naturels, Anne, épouse du prince de Lillebonne, et Charles-Henri « le prince de Vaudémont » qu'il aurait souhaité avoir comme successeur. En fait, inconstant et infatigable amoureux, Charles IV, qui songeait surtout à la belle chanoinesse Isabelle de Ludres, ordonna à Béatrix de rester à Besançon, sa résidence habituelle. Seule la maladie fit plier Charles IV qui l'épousa le 29 mai 1663 ; elle mourut quelques jours plus tard le 5 juin. L'héritier naturel restait le prince Charles.

Les contraintes de la guerre et les malheurs du temps n'épargnèrent pas les nobles lorrains. Ceux de Nancy remontrèrent au duc qu'ils avaient dû loger des officiers et des soldats de la garnison. Ils obtinrent en novembre 1663 la restauration du privilège d'exemption de cette charge. Certains étaient restés fidèles à la Maison ducale, d'autres étaient passés au service du roi de France ou d'autres souverains. Certaines familles s'étaient éteintes, comme les Fains, dont le dernier descendant était tué en 1652 dans l'armée française. Les fiefs vacants allaient, selon le droit de deshérence, au duc. Une autre menace inquiétait les nobles : « Depuis de longues années par la licence des temps », des roturiers s'étaient attribués, de leur propre chef, « les titres et qualité de noble »,

Arch. dép. M.-et-M.

Sceau de Charles IV, *appendu à des « lettres de noblesse » (anoblissement) datées de 1664.*

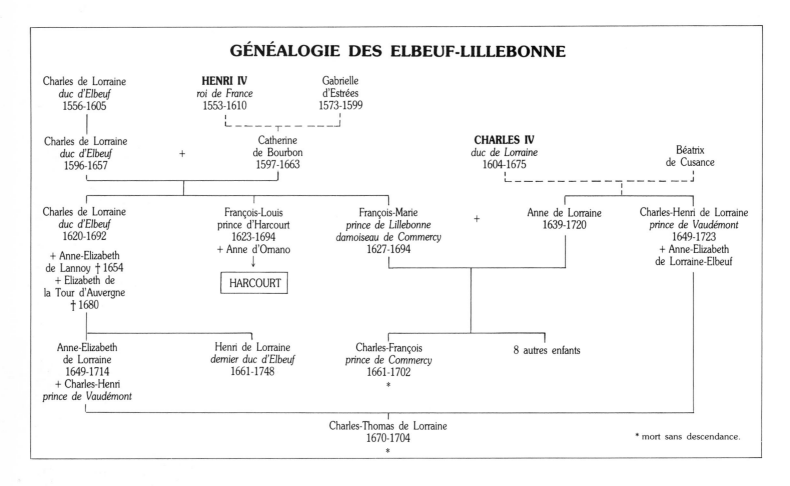

GÉNÉALOGIE DES ELBEUF-LILLEBONNE

Charles de Lorraine
duc d'Elbeuf
1556-1605

HENRI IV
roi de France
1553-1610

Gabrielle
d'Estrées
1573-1599

Charles de Lorraine
duc d'Elbeuf
1596-1657

+

Catherine
de Bourbon
1597-1663

CHARLES IV
duc de Lorraine
1604-1675

Béatrix
de Cusance

Charles de Lorraine
duc d'Elbeuf
1620-1692

François-Louis
prince d'Harcourt
1623-1694
+ Anne d'Omano

François-Marie
prince de Lillebonne
damoiseau de Commercy
1627-1694

+

Anne de Lorraine
1639-1720

Charles-Henri de Lorraine
prince de Vaudémont
1649-1723
+ Anne-Elizabeth
de Lorraine-Elbeuf

+ Anne-Elizabeth
de Lannoy † 1654
+ Elizabeth de
la Tour d'Auvergne
† 1680

HARCOURT

Anne-Elizabeth
de Lorraine
1649-1714
+ Charles-Henri
prince de Vaudémont

Henri de Lorraine
dernier duc d'Elbeuf
1661-1748

Charles-François
prince de Commercy
1661-1702
*

8 autres enfants

Charles-Thomas de Lorraine
1670-1704
*

* mort sans descendance.

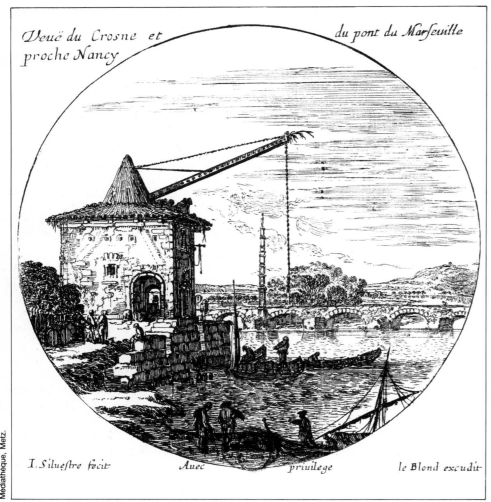

Veuë du Crosne et ... du pont du Marseville
proche Nancy

I. Siluestre fecit   Auec   priuilege   le Blond excudit

Médiathèque, Metz.

Nancy : le Crosne.
En 1616, Henri II installa un petit port entre Nancy et Malzéville sur les rives de la Meurthe. On y construisit une grue (en allemand : Krahn) pour charger et décharger les marchandises.

DÉMOLITION DES FORTIFICATIONS DE NANCY - 1661

« Bien que par le traité fait et conclu le dernier febvrier de présente année 1661, entre Sa Majesté et M. le duc de Lorraine, il soit porté par le second article d'yceluy que Sa Majesté fera démolir les fortifications des deux villes de Nancy, et que la garnison françoise qui y est en sera tirée présentement, à la réserve de 400 hommes qui y demeureront pendant le temps de la démolition des fortifications et seront entretenus pendant le temps de la démolition des fortifications aux dépens du païs, en la manière jusques icy pratiquée, outre lesquels 400 hommes, Sa Majesté y enverra d'autres troupes pour la seureté et avancement de ladite démolition, qui seront entretenues aux frais et dépens de Sa Majesté, et a esté néantmoins en exécution dudit article, et sans rien déroger audit traité pour les autres choses convenues et accordées par cet article particulier qui aura la même force et vigueur que le traité même, et sera pareillement ratifié par ledit sieur Duc, à son arrivée dans ses Estats ; que la garnison françoise qui est en ladite ville en sera présentement tirée, et ledit sieur Duc déchargé du payement et entretenement des 400 hommes, auquel il étoit obligé par ledit article. Au lieu de laquelle garnison, Sa Majesté y enverra telles autres troupes qu'elle avisera pour la seureté de ladite place en avancement de ladite démolition, lesquelles seront entretenues aux frais et dépens de Sa Majesté. En considération de quoy ledit sieur Duc promet à Sa Majesté de fournir par jour le nombre de 3 000 personnes de ses sujets valides et capables de servir, qui seront pris tant dans ladite ville qu'ès environ dans les villages voisins et ailleurs, si besoin est, pour travailler sans interruption à ladite démolition et faire les deux tiers du travail, Sa Majesté se chargeant de faire démolir l'autre tiers desdites fortifications, et donnera, ledit sieur Duc, les ordres nécessaires à cet effet toutes fois qu'il en sera requis, faisant venir effectivement audit travail le nombre de 3 000 personnes par jour ; à défaut desquels ordres, ou de leur exécution, ledit sieur Duc consent dès à présent que Sa Majesté use de toutes voies et contraigne mesme par force tant les habitants dudit Nancy que ses autres sujets jusqu'à concurrence du nombre de 3 000 personnes par jour, sans que pour ce Sa Majesté puisse estre censée contrevenir en aucune manière audit traité du dernier febvrier 1661. »

Fait à Paris le 31 mars 1661, signé par Hugues de Lionne et Charles de Lorraine.

Cité par HAUSSONVILLE, *Histoire de la réunion...*, Paris, 1854-1859, (tome III, p. 329-330).

alors que d'autres anoblis avaient omis de faire enregistrer leurs « lettres de noblesse » dans le livre du hérault d'armes de Lorraine, Jean Callot. Ce dernier obtint, le 11 octobre 1661, une ordonnance par laquelle « tous ceux qui ont obtenu, depuis trente ans, lettres de noblesse [devaient] les porter dans six mois pour tout délai au... hérault d'armes pour les enregistrer dans le livre et registre de la Hérauderie, ainsi que d'ancienneté » ; sinon, l'anoblissement serait déclaré nul.

Quant aux usurpateurs de noblesse, le 12 août 1662, Charles IV chargeait Antoine Pichon de les retrouver et de « faire rompre et lacérer les timbres opposés en leurs armes » et de leur faire payer 1 500 francs d'amende. Il était encore question dans un arrêt de la Cour souveraine du 20 novembre 1666 de « ceux qui s'arrogent des qualités et titres de marquis, comtes et barons, écuyers et autres de noblesse avec des monosyllabes, *la, le, de, du* et pareilles, pour rendre leurs noms plus considérables quoiqu'ils ne soient point de naissance, qualité et degré de noblesse à ce nécessaires » ; tous devaient présenter leurs titres à la Cour dans un délai de six semaines.

Nancy et la vie urbaine

La capitale du duché de Lorraine sortait profondément meurtrie des épreuves d'un conflit multiforme et interminable. La ville comptait 16 000 habitants en 1628, 4 000 à 5 000 en 1645, puis 8 000 environ en 1658. La ruine matérielle accompagnait l'effondrement démographique : production artisanale réduite, manufactures inactives, échanges perpétuellement perturbés. C'était aussi — on l'a vu — le lot des autres villes et bourgs lorrains.

Le traité de Vincennes avait prévu la démolition des remparts fortifiés de Nancy ; un accord ultérieur en précisa les modalités. Le travail serait accompli, pour un tiers aux frais du roi, par huit compagnies de l'infanterie française, et pour deux tiers par les Lorrains. Chaque bailliage dut fournir un certain contingent ; la charge était excessive et l'on adjugea le marché de démolition à des entrepreneurs, dont Charles Belanger, sieur de La Fontaine, probable prête-nom de Vauban. Au début d'août les fortifications de la Ville-Neuve étaient rasées. Les démolisseurs attaquèrent alors celles de la Ville-Vieille ; la tâche, ralentie par la conclusion du traité de Montmartre, ne fut achevée qu'à l'automne 1662. Il ne restait des célèbres fortifications de Nancy que les portes. Sur place, le spectacle était désolant avec les monceaux de pierres et de briques sur l'emplacement ou à proximité des remparts. On sait que les plus belles pierres furent amenées sur 644 chariots jusqu'à Bosserville où elles servirent à la construction de la Chartreuse.

Ce fut dans une ville éventrée, mais libre, que Charles IV fit son retour solennel le 6 septembre 1663 après trois décennies d'absence. Il logea à l'hôtel de Salm sur la Carrière, puis fit de Plombières sa résidence jusqu'au début de 1664, date à laquelle le Palais ducal fut enfin en état de l'accueillir.

Pour redonner vie aux activités économiques, Charles IV entreprit de repeupler la ville en accordant la dispense du droit d'entrée (droit de « bourgeoisie ») et, pendant six années, de toute imposition pour les marchands et artisans qui viendraient s'installer en Ville-Vieille « demeurée à demi-déserte » ; ceux qui bâtiraient ou restaureraient une maison bénéficieraient de cette franchise leur vie durant. De plus, tout artisan désireux de s'établir fut dispensé de réaliser le chef-d'œuvre ordinairement requis et de payer les frais de réception. Ainsi des exemptions d'impôts furent accordées à un orfèvre-ciseleur, à un blanchisseur de peaux et parcheminier, à un Parisien « qui fabriquait des pierreries fausses et déguisées ».

Un important effort fut aussi entrepris pour restaurer l'activité manufacturière. En 1664, Humbert Husson fut chargé de créer « une faciende de draps façon d'Angleterre et autre ». La ville était associée à des marchands pour exploiter une grande manufacture de soie que dirigeait le marchand nancéien Didier Humbert ; la production fut diversifiée avec les draps d'or et d'argent.

Insensiblement, Nancy se repeupla : en 1672 on peut estimer que la ville abritait 11 000 à 12 000 habitants. De leur côté, Epinal et, dans une moindre mesure, Lunéville avaient accentué leur « domination » sur la campagne proche, alors que d'autres villes et bourgs avaient mal résisté aux épreuves du temps et

Musée lorrain, Nancy. Cliché P. Mignot.

aux perturbations des échanges. Dans le Barrois on rencontrait « des cordonniers de Bordeaux, des charpentiers, chaudronniers et maçons auvergnats, des drapiers normands, deux maçons italiens, un tailleur de pierre picard » (Alphonse Schmitt).

Pont-à-Mousson. *On distingue de gauche à droite les tours de l'église abbatiale des prémontrés de Sainte-Marie Majeure, celles de l'église Saint-Martin, et la butte de Mousson.*

La réanimation des campagnes

Le problème essentiel restait la restauration de l'économie rurale et de ses règles. C'était d'abord une question de main-d'œuvre ; il fallait une population apte à assurer la mise en valeur du sol. En fait la lente récupération démographique ne pouvait se faire avec le seul jeu du mouvement naturel, aux effets décalés sur le volume de la population active.

Pour faciliter le repeuplement jusqu'alors très faible, mais spontané, Charles IV publiait l'ordonnance du 25 novembre 1666, où il reconnaissait que les tentatives d'attirer des hommes par la promesse de privilèges et exemptions étaient restées sans grand résultat. Donc, en raison de « la désolation et ruine entière de quantité de villages qui sont demeurés déserts et inhabités en plusieurs endroits » et notamment dans le bailliage d'Allemagne, le duc décida que « tous nos colonels, capitaines, lieutenants et cornettes, tant étrangers qu'autres originaires de nos pays, n'y ayant présentement aucun domicile, lesquels voudront s'y retirer et établir leurs demeures. Nous leur ferons don et octroi desdits villages inhabités et de tous les droits de haute, moyenne et basse justice, rentes et revenus qui en dépendent et qui nous appartiennent ». Des commissaires seraient désignés pour en faire la répartition, mais il fallait que les bénéficiaires fussent au moins six dans chaque village abandonné « et non moins ». Chacun d'entre eux serait mis en congé de son service militaire avec trois mois de solde ; les étrangers obtiendraient la franchise de toutes charges pendant dix années, alors qu'elle serait limitée à trois années pour les Lorrains d'origine. Les documents manquent pour saisir avec précision les effets de cette importante mesure pour redonner vie aux villages désertés. Ici et là on trouve la trace d'immigrants : des Savoyards employés comme manœuvres à Pierrefitte-sur-Aire ; un « essarteur de haies » venu du Dauphiné ; dans la région de Dieuze, des Picards et des Vermandois dès 1663 ; des Suisses dans le pays de Bitche.

LA REMISE EN CULTURE DES BIENS ABANDONNÉS

Après avoir constaté que les campagnes sont « présentement presqu'entièrement cultivées », il est indiqué que « les propriétaires de gagnages [exploitations agricoles] ont peine à trouver des fermiers qui en rendent la moitié du canon [fermage] qu'ils en recevoient en temps de paix ; parce que les laboureurs, accoutumés d'en rendre fort peu ou rien du tout pendant les désordres des dernières guerres, s'efforcent malicieusement d'en user de même encor aujourd'hui par une monopoleuse intelligence qu'ils ont entre eux, de ne présenter de la ferme desdits héritages [biens] que ce qu'ils veulent et qu'ils ont résolu dans la croyance que, par cette voye, ils nécessiteront les propriétaires de leur laisser à vil prix, faute de trouver personne qui en offre davantage, quoiqu'ils labourent quasi autant qu'ils faisoient pendant la paix... »

« Savoir faisons que tous nos sujets propriétaires des gagnages sis dans les pays de notre obéissance, après avoir fait publier trois fois aux prosnes pendant les messes parochialles des lieux ou lesdits gagnages sont situés, qu'iceux sont à laisser pour la moitié de ce qu'ils rapportoient pendant la paix ; »

« Si aucun ne se présente pour les prendre à ce prix, puissent amener, de dehors nos états, des fermiers, lesquels seront reçus francs et exempts de toutes tailles, contributions, prestations ordinaires et extraordinaires, logement de gens de guerre, et généralement de toutes impositions pendant quatre années... »

Ordonnance ducale du 10 juin 1666, FRANÇOIS de NEUFCHÂTEAU, *Recueil authentique des anciennes ordonnances de Lorraine...*, Nancy, 1784 (p. 144-145).

Dans l'économie villageoise le rôle des biens communaux était primordial ; leur usage permettait aux plus démunis de survivre. Tout amenuisement leur portait un très grave préjudice. Or — on l'a vu — les communautés d'habitants, toutes endettées, avaient vendu ou engagé une part plus ou moins importante de ces biens. Ainsi à Rambluzin, village meusien, un noble avait acheté à un prix dérisoire les bois communaux. Pour y apporter de la clarté, le 7 octobre 1663, il fut donné ordre aux créanciers des communautés de remettre dans les deux mois leurs titres entre les mains du procureur général du bailliage. La mesure importante fut prise le 23 mai 1664. Le duc y rappelait que les bois avaient été laissés aux communautés d'habitants « pour leur bien commun, à titre d'usage et d'usufruit seulement » et que, par suite des guerres, de l'endettement, de la « négligence ou de la connivence », beaucoup de bois avaient été coupés et même vendus sans l'autorisation ducale. L'ordonnance rétablissait les communautés dans la possession et la jouissance effective de ces bois, malgré les contrats de vente conclus antérieurement, mais cassés par le duc.

Afin de permettre aux paysans de récupérer des biens fonciers qu'ils avaient été contraints de vendre lors des moments difficiles, la faculté de leur rachat fut prorogée le 13 avril 1665. Mais l'endettement pesait trop lourd sur la paysannerie. Depuis 1646, il avait été prescrit de réduire de moitié (c'est-à-dire 3,5 % au lieu de 7 %) le montant de l'intérêt pour les rentes établies du 1er janvier 1635 jusqu'à trois années après la fin de la guerre ; de nouvelles prorogations intervinrent en 1664, 1665, 1666 ; en novembre 1667, le taux de l'intérêt fut fixé à 5 % à compter du 1er janvier suivant.

Pendant les périodes de guerres les survivants restés sur place avaient profité de l'anarchie générale pour occuper et cultiver les meilleures places sans en avoir la propriété. L'éloignement ou la disparition de nombreux seigneurs facilitèrent les usurpations. Lorsque la paix put faire sentir ses effets, les cultures occupèrent de plus grandes surfaces, mais les propriétaires de la ville ou de la campagne se plaignirent des pratiques des fermiers qui réglaient mal leurs fermages. L'ordonnance du 10 juin 1666 autorisa la fixation des fermages à la moitié de leur montant d'avant guerre ; et, s'il s'avérait impossible de trouver des preneurs, on pourrait faire venir des fermiers étrangers qui seraient exemptés de toutes charges et impositions pendant quatre années.

Au retour de Charles IV dans ses états, la réoccupation des sols restait limitée. Afin de remettre les terres en mesure d'être cultivées, il fallait les débarrasser des « haies, buissons et épines » qui les avaient envahies. En tenant compte de la rareté de la main-d'œuvre disponible, le moyen le plus simple parut être d'y mettre le feu : méthode dangereuse, car « ce feu ayant été transporté par le vent dans les bois voisins, y a causé tel incendie qu'il s'en est trouvé une très grande quantité de brûlés et totalement gâtés, qu'il est impossible de pouvoir en faire aucun profit ». Malgré l'ordonnance ducale du 17 mars 1664, qui interdisait cette pratique, il fallut le 10 avril 1668 réitérer l'interdiction, surtout dans les Vosges, où le feu gagnait de proche en proche et menaçait les villages.

Laissés à l'abandon, parfois pendant une longue période, les sous-bois devenaient difficilement pénétrables et perturbaient la croissance des arbres. En 1667-1669 les habitants de Châtillon-sur-Saône furent contraints de nettoyer les bois situés sur leur territoire et « d'en extraire les épines et autres buissons ».

Presque partout les anciennes règles de l'assolement triennal n'étaient plus observées. Ceux qui restaient dans les villages cultivaient « telles terres que bon leur sembloit, sans observer l'ordre des saisons » (soles). Il en résultait une confusion généralisée et de grandes difficultés pour le pâturage des bestiaux, puisque n'apparaissait plus la part du finage affectée — dans la rotation des soles — à la vaine pâture. Un arrêt tardif (18 avril 1670) de la Cour souveraine de Lorraine et Barrois ordonnait que « les terres labourables seront remises en leurs saisons et cultures ordinaires et accoutumées comme auparavant les guerres » ; on ne pouvait plus cultiver hors des saisons.

Dans les duchés la remise en ordre a donc été entamée entre 1661 et 1670 avec un arsenal de mesures indispensables, mais la tâche était immense, entravée par l'acharnement des profiteurs à garder leurs avantages. Retrouver les limites des biens collectifs ou privés n'était pas aisé, et les témoignages des plus anciens habitants restaient, en général, approximatifs. Plusieurs décennies allaient être nécessaires pour retrouver au XVIIIe siècle les structures et l'activité d'autrefois.

La religion   Le retour de la paix favorisa la multiplication et l'éclat des grandes fêtes religieuses, auxquelles s'associèrent toutes les couches de la société lorraine. A Nancy, les processions de la Fête-Dieu revêtirent une ampleur considérable. Dans la forte tradition des ducs lorrains, grands défenseurs de la chrétienté, Charles IV rejoignait dans la dévotion mariale les conseillers de la ville de Nancy qui, à la tête d'une grande foule, avaient en 1663 fait une procession solennelle à la colline de Sion, en exécution d'un vœu prononcé en 1646. Or Charles IV, veuf depuis juin 1663, épousa en troisièmes noces, le 4 novembre 1665, Marie-Louise, fille du comte Charles d'Apremont : la jeune épouse n'avait que treize ans et Charles soixante-et-un. Cette union renforça la piété mariale du couple puisque la duchesse portait elle-même le nom de Marie. Charles IV voulut qu'un cérémonial particulier fût observé lors de la fête de la Conception de la Vierge ; en 1669, il faisait de la Vierge Marie la souveraine de ses duchés, lui prêtant hommage public.

Les guerres avaient amené en Lorraine beaucoup de soldats protestants, favorisant des résurgences de l'hérésie si vivement combattue pendant plus d'un siècle par les ducs. Une fois de plus l'infiltration des idées réformées fut particulièrement sensible aux frontières orientales du duché de Lorraine, notamment dans la région de Bitche. Dans un premier temps en 1663 les protestants furent contraints de vendre « leurs biens de fief et de roture ; sinon ils seraient confisqués ». Puis il fut décidé de recenser tous les hérétiques : tout suspect devait indiquer aux procureurs des bailliages son nom, sa qualité et sa religion (28 septembre 1664). En 1666 les mesures prises à leur encontre devenaient plus dures : rapport, au profit du duc, des fruits et rentes des biens de toute nature, appartenant aux hérétiques (arrêt de la Chambre des comptes du 16 septembre) ; saisie de ces biens (arrêt de la Cour souveraine du 20 novembre).

Dans le cadre lorrain la guerre et les épreuves avaient peu atténué la confrontation des idées avec les pays voisins, particulièrement avec la Champagne. Toutefois la pénétration du jansénisme fut, jusque vers 1670, lente et limitée : le principal foyer était Saint-Mihiel, sensible aux influences venues de Paris et de la Champagne. Mais Charles IV, foncièrement attaché à l'orthodoxie de la foi, l'interdisait dès septembre 1664.

Pièce maîtresse de la défense du catholicisme, l'université de Pont-à-Mousson n'avait jamais, au cours des guerres, cessé complètement ses activités, en particulier la faculté de théologie. Mais le nombre des professeurs et des étudiants s'était fortement amenuisé. Les occupants français avaient eu conscience du rôle que jouait cette institution, non seulement dans le domaine de la foi mais aussi dans ceux de la médecine et du droit. L'intendant Jean-Baptiste Colbert de Saint Pouanges confirmait le 22 février 1658 les professeurs de ces deux disciplines dans leurs franchises et exemptions, ce qui fut réitéré en 1662 et 1664 pour tous les enseignants. La renaissance de l'université permit la réouverture de nombreux cours. Les jésuites du collège étaient au nombre de cinquante-huit, lorsqu'ils signèrent sans hésiter « le formulaire de foi dressé contre la doctrine de Jansénius ».

L'accession d'André du Saussay au siège épiscopal de Toul en 1657 facilita la restauration des paroisses rurales, souvent laissées à l'abandon, et l'observance de la discipline ecclésiastique.

Toutefois des conflits juridiques opposèrent les officialités (tribunaux épiscopaux) siégeant à Metz, Toul et Verdun et la Cour souveraine qui leur refusait le droit de juger les affaires concernant les clercs résidant dans son ressort. Les dissensions, aux formes multiples, entre les deux institutions ne cessèrent pas pendant la totalité du règne de Charles IV. La Cour souveraine, attentive à maintenir l'autorité du duc et à contenir toute influence provenant des Trois Evêchés, devenus français, multiplia les arrêts : annulation d'une ordonnance du vicaire général de l'évêché de Metz (1666) et des procédures faites en l'officialité de Toul (1668) ; obligation, pour les ordonnances ecclésiastiques, d'obtenir un visa de cette même Cour (1669).

De nouvelles maisons religieuses furent installées dans les duchés : la congrégation de Notre-Dame essaima à Ligny, Neufchâteau et Gerbéviller. La congrégation des chanoines réguliers de Notre-Sauveur introduisit sa réforme à Autrey et Chaumouzey. A Nancy, Charles IV concéda de nouveaux terrains aux augustins réformés et aux carmélites. Les premiers, établis d'abord à Montaigu,

André du Saussay, *évêque de Toul (1656-1675).*

Musée lorrain, Nancy. Cliché P. Mignot.

Musée lorrain, Nancy. Cliché P. Mignot.

La chartreuse de Bosserville.
On distingue la majestueuse façade (130 mètres) ordonnée de chaque côté du portail de l'église. Autour du grand cloître carré, les vingt cellules autonomes des chartreux.

occupèrent leur nouveau couvent sur le terre-plein de l'ancien bastion de Vaudémont en 1666. Les carmélites abandonnèrent, deux années plus tard, leur demeure incommode située à l'entrée de la rue de l'Eglise (rue des Quatre-Eglises) pour de nouveaux bâtiments, entre les deux villes (emplacement délimité actuellement par les rues Stanislas, de la Visitation, Gambetta et des Carmes).

La grande réalisation fut l'édification de la grande et belle chartreuse de Bosserville. De 1633 à 1657, les chartreux étaient installés dans le domaine de Sainte-Anne, près de Laxou puis ils s'étaient dispersés. Charles IV leur concéda le fief de Bosserville le 23 janvier 1666. Sur des plans dressés par l'ingénieur nancéien Collignon, Giovanni Betto, architecte milanais établi à Nancy, dirigea

Cliché G. Cabourdin.

la construction de 1669 à 1715. La première messe fut célébrée dans une chapelle provisoire le 7 décembre 1669 en présence de Charles IV et de la Cour. Ce furent des pierres de taille provenant — on l'a vu — de la démolition des remparts de Nancy et des châteaux de Condé (Custines) et de Pont-Saint-Vincent qui fournirent les matériaux pour construire l'édifice. Charles y fut très attaché et il voulut y être enterré. Ses restes déposés en 1675 au château d'Ehrenbreitstein près de Coblence ne trouvèrent place à Bosserville qu'en 1717.

Charles IV et ses voisins

Les dispositions du traité avec la France contraignaient Charles IV à congédier ses troupes qui restaient « le grand objet de ses inclinations et la principale ressource de ses espérances » (dom Augustin Calmet). Il fournit à ses officiers et à ses soldats des emplois dans son administration, dans sa garde et dans sa Cour. A d'autres il offrit la possibilité de participer au repeuplement des villes et des campagnes. Mais cette perspective ne passionnait guère des hommes habitués à se battre, à piller et à vagabonder. Charles IV, lui-même, ne désirait pas renoncer à son armée et aux aventures.

Les interventions en Rhénanie

La révolte des habitants d'Erfurt contre leur souverain, l'électeur de Mayence, Philippe de Schönborn, lui fournit l'occasion de renouer avec les expéditions militaires. Avec l'accord de Louis XIV, ses troupes placées sous le commandement de son fils, le prince de Vaudémont, participèrent à la soumission d'Erfurt qui se rendit le 5 octobre 1664.

Les Lorrains furent aussi concernés par un différend entre l'électeur de Mayence et l'électeur palatin ; ils s'emparèrent de quelques places. Mais l'échec ultérieur du prince de Vaudémont conduisit Charles IV à confier le commandement de son armée et de celle de Schönborn, à son gendre, François-Marie de Lorraine, fils du duc d'Elbeuf et prince de Lillebonne. Les hostilités, entrecoupées de trêves, furent marquées par un raid meurtrier dans le Palatinat en 1666. Louis XIV, préoccupé par la perspective de la guerre de Dévolution qui allait l'opposer à l'Espagne en 1667, mit les adversaires en demeure de suspendre les hostilités. Les troupes lorraines regagnèrent le duché, mais le roi fit pression sur Charles IV. Il envoya d'Aubeville à Nancy pour obtenir l'appoint des troupes lorraines dans la campagne des Flandres.

La « panique de Nancy »

Le duc lorrain, qui finalement dut obtempérer, choisit de dramatiser la situation en feignant de croire à une invasion imminente des Espagnols, cantonnés au Luxembourg. Il leva des troupes et donna des ordres pour que les paysans puissent apporter leurs grains, leurs vins et même leurs mobiliers à l'abri des localités fortifiées. Le plus surprenant épisode fut la « panique de Nancy ». La Cour commença à transporter ses meubles à Epinal et, à son exemple, beaucoup de Nancéiens quittèrent la ville. L'effroi se répandit de proche en proche au point d'affecter l'ensemble des duchés.

On s'interroge encore sur les véritables motifs de cette attitude du duc. Qui espérait-il abuser ? Louis XIV ? ou le roi d'Espagne ? Or le gouverneur des Pays-Bas espagnols lui avait garanti la neutralité en échange d'une importante contribution qu'il fallait lever sur les nobles, les clercs et les personnes jusqu'alors franches. L'annonce de ce nouveau prélèvement et les rumeurs qui lui furent associées déclenchèrent des désordres à Nancy vers la Pentecôte 1667. Des fermiers des revenus de la ville firent des requêtes invoquant « le faux bruit qui court que l'on allait remonter l'imposition du franc par résal de blé qui se moud aux moulins banaux, à cause desquels désordres presque les deux tiers des bourgeois sortirent de la ville, notamment les princes et princesses... La ville demeura comme désolée, et le commerce cessa entièrement. » Des habitants partirent, souvent pour ne plus revenir, en Allemagne et en France. La panique

LA « PAIX DE FAMILLE »

« Les marques de valeur que le prince de Vaudémont avoit données dans la guerre du Palatinat et le tendre amour que Charles avoit toujours eu pour lui, l'engagèrent à le combler de ses bienfaits. Il lui avoit assuré dès le 19e de Mars 1667, le Comté de Falkestein ; ensuite il lui donna, le 13e de Novembre de la même année, le Comté de Bitche, et deux jours après le Comté de Sarverden, et la Baronie libre de Fenétrange... Il résolut de lui former un Etat Souveraineté par le démembrement de quelques Terres de la Lorraine. Guinet, un des plus célèbres Avocats de son temps, en dressa le projet, sous le titre de *Projet de Paix de Famille*...

Après la mort du duc Charles, la couronne appartiendroit de plein droit au Duc Nicolas-François, et à Charles son fils, et à ses enfans mâles, suivant les règles de la succession masculine et graduelle ; laquelle venant à finir, Charles-Henry de Lorraine, Prince de Vaudémont, et ses enfans mâles, hériteroient immédiatement des Duchez, à l'exclusion de toute autre ligne ; et que pour seureté de cette institution, on feroit ratifier par l'Empereur ce Pacte de famille.

Mais comme il étoit de la bienséance de donner au Prince de Vaudémont les moyens de subsister selon sa dignité et son rang, on démembra à son profit la Communauté de Lixin [Lixheim], les Comtez de Bitche, de Sarverden, de Falkenstein, la Baronnie de Fenétrange, Marmoutier, Sarek et Saralbe, pour être érigez en Duché, et en principauté de Sar-Land et de l'Empire. Le Duc Nicolas-François s'imagina d'avoir fait le meilleur marché du monde, en sauvant à son fils le titre et la plus considérable partie des Duchez de Lorraine et de Bar. Il en écrivit sur ce ton au Prince son fils ; mais soit que les Princes Lorrains de France, s'y fussent opposez, soit que le Prince Charles, qui étoit alors à Vienne, eût refusé d'y souscrire, il demeura sans ratification jusqu'en l'année 1670 ».

CALMET, *Histoire... de la Lorraine*, tome III, Nancy, 1728 (col. 643-644).

Musée lorrain, Nancy. Cliché P. Mignot.

François de Créqui, duc de Lesdiguières (1624-1687) *par Vaillant, 1658.*

ralentit sérieusement la renaissance de la capitale ducale ; elle gagna aussi les autres villes lorraines, comme Bar-le-Duc, sans toutefois provoquer d'aussi funestes effets.

Dans ces conditions le poids de la fiscalité était durement ressenti. De nouveaux impôts s'ajoutaient aux anciens ; le duc et sa famille continuaient à recevoir d'onéreux cadeaux comme avant eux l'exigeaient les gouverneurs français.

Au mécontentement que ces mesures provoquèrent s'ajouta la manœuvre à laquelle se livra Charles IV dans le dessein de fournir à son fils naturel, le prince Charles de Vaudémont, une principauté : mais le projet n'aboutit pas.

La victoire sans profit

En l'absence de ses troupes, qui combattaient en Flandre pour le roi de France, Charles IV ne restait pas à court d'idées. On le vit rechercher, sans succès, son adhésion à la Triple Alliance (Angleterre, Provinces-Unies et Suède), puis promettre au pape de secourir, avec des régiments récemment levés, la ville crétoise de Candie, assiégée par les Turcs. Pour plus de sécurité, Louis XIV contraignit Charles IV à licencier en juillet 1668 la plus grande partie de ses troupes qui prirent la route des Flandres.

La Lorraine désarmée parut une proie facile à l'électeur palatin qui rassembla ses troupes et s'empara de quelques châteaux. Charles IV s'empressa de rappeler ses soldats congédiés depuis peu et reforma une petite armée qui, sous le commandement des princes de Lillebonne et de Vaudémont, remporta de belle manière la bataille de Bingen. Mais en raison de la date tardive (septembre 1668), Lillebonne ne tira pas grand profit de sa victoire et il ramena ses régiments en Lorraine.

Charles en fut fort mécontent et résolut de mettre sur pied, au cours de l'hiver 1668-1669, une armée plus nombreuse et mieux structurée. Louis XIV, que ces préparatifs inquiétaient, chargea Créqui de préparer depuis Metz une expédition dans les duchés et mit Charles IV en demeure de licencier ses troupes. Après de nombreuses péripéties et l'occupation de Pont-à-Mousson en février 1669, ce dernier finit par céder. Il en conçut un vif ressentiment et ne songea plus qu'à prendre sa revanche. Dans ce but il entama des travaux pour fortifier Longwy et multiplia les contacts diplomatiques avec la Triple Alliance, l'Empire et l'Espagne, sans réel succès.

Pendant ce temps de grandes réjouissances marquèrent à Bar en avril 1669 le mariage du fils de Charles IV et de Béatrix de Cusance, Charles, prince de Vaudémont et d'Anne-Elizabeth de Lorraine-Elbeuf, et le 5 mai l'entrée du jeune couple à Nancy. Quelques mois plus tard le 25 janvier 1670 Nicolas-François, qui fut tour à tour évêque, cardinal, duc éphémère, mourait à Nancy âgé de soixante-et-un ans, loin de son fils Charles qui vivait auprès de l'empereur.

Le conflit larvé avec la France

Dès son retour à Nancy Charles IV avait vu dans l'arme douanière le moyen de rasséréner les activités ducales et aussi la possibilité d'affecter la vie économique évêchoise, délaissée par les grands courants du commerce international. En novembre 1663 il interdisait tout transport de grains et le mois suivant il étendait la mesure à toutes les subsistances, frappant ainsi durement les habitants des évêchés qui possédaient des biens fonciers dans les duchés. L'affaire, vite résorbée, est révélatrice des intentions de Charles IV qui en 1666 tentait de gêner le ravitaillement en sel des trois cités. La détérioration des rapports entre royaume et duchés provoqua, surtout à partir de la fin de 1669, une véritable guerre douanière.

La Lorraine restait toujours sous la menace de l'occupation française. Louis XIV, résolu à mater les Provinces-Unies, républicaines, calvinistes et marchandes, parvenait à disloquer la Triple Alliance et à s'assurer la neutralité de plusieurs états de l'Empire. Restait à couper la route espagnole Italie-Comté-Pays-Bas en neutralisant le duc lorrain, toujours imprévisible et dangereux.

Or Choisy avait informé Colbert en novembre 1669 que les droits perçus par les agents ducaux paralysaient les échanges, particulièrement entre Metz et Verdun. D'Aubeville négocia en vain et fut rappelé à Paris. En représailles le roi en son Conseil défendit à ses sujets le 27 janvier 1670 la fourniture de bois aux salines ducales, mesure qui s'ajoutait à l'établissement, l'année précédente, de nouvelles taxes aux frontières.

Dans sa correspondance l'intendant faisait état du mécontentement populaire et des mouvements séditieux à Metz (avril), à Rambervillers (juin), où une vingtaine de femmes avaient sérieusement molesté des commis et des gardes et à Jouy-aux-Arches (juillet), tous dirigés contre les effets de la multiplication et de la hausse des taxes douanières. Pour aller de Toul à Metz, il fallait subir les péages de Liverdun, Rosières-en-Haye, Pont-à-Mousson, Vandières, Arnaville et Corny. Cet état de fait importunait aussi les pays voisins, particulièrement l'électorat de Trèves.

Il semble bien que Louis XIV laissât la situation se dégrader y trouvant la « justification » de son intervention militaire. Le 11 août 1670 Choisy redisait à Colbert que la guerre douanière perturbait plus les évêchés que les duchés : « Je ne croy pas qu'un ou deux ans de guerre avec le Roy d'Espagne nous eust tant ruiné de villages » (cité par Nicole Kaypaghian). L'occupation de la Lorraine a été probablement décidée au mois de juillet, mais Choisy n'en fut pas aussitôt informé.

La nouvelle occupation française

Le 23 août 1670, Fourille, maître de camp général de la cavalerie française, et l'intendant Choisy reçurent mission d'aller rencontrer le duc en sa ville de Nancy : en termes flous, on se borna à envisager un règlement amiable du problème douanier. Dans la nuit du 25 au 26 août les troupes venues des Trois Evêchés marchèrent sur Nancy devant laquelle ils arrivèrent avec un retard de plusieurs heures. Ce fut suffisant pour que Charles IV en fût averti par le gouverneur de Gondreville, puis par le marquis de Gerbéviller. Le duc put ainsi s'échapper avec les princes de Lillebonne, de Vaudémont et de Lixheim ; tous gagnèrent Epinal.

Quelques jours plus tard, le maréchal François de Créqui commençait, à la tête d'une armée de 25 000 hommes, l'occupation des duchés. Il entrait à Nancy sans difficulté le 1er septembre et il ne lui fallut que sept semaines pour se rendre maître des places fortes lorraines.

Quant à Charles IV il ne put se retirer en Franche-Comté puisque les Espagnols lui en refusèrent l'accès. Il séjourna quelque temps à Hombourg, à Coblence, à Mayence et à Cologne où il demeura pendant deux années. Des gentilshommes, des officiers et des soldats fidèles vinrent l'y rejoindre, ainsi que sa jeune épouse.

3.

LA DOMINATION FRANÇAISE

Après l'occupation des duchés de Lorraine et de Bar, le roi de France était devenu le maître de la totalité de l'ensemble lorrain. Alors que les évêchés possédaient leurs institutions propres, il lui fallait modifier, dans les duchés, les structures administratives, judiciaires et militaires et placer des hommes capables d'y faire régner « l'ordre français ».

L'assimilation

Pour des raisons de conjoncture politique, la réforme des institutions locales dans les cités épiscopales de Metz et de Verdun avait été différée. En effet, avant même que l'annexion ne fût définitive, le roi avait placé des hommes dévoués à la tête des Trois Evêchés.

Les Trois Evêchés

Au gouverneur de Metz était adjoint depuis 1637 un intendant de police, justice et finances, dont le rôle prit rapidement de l'ampleur : après Jean-Baptiste Colbert de Saint Pouanges (1657-1661) et Charles Colbert de Croissy (1662-1663), la charge revint à Jean-Paul de Choisy (1663-1673), qui eut la rude tâche d'affronter Charles IV revenu dans ses états. Le Parlement, créé en 1633 et revenu de son exil toulois (1637-1658), était substitué au président royal.

Quant aux anciens organismes municipaux du Magistrat, dont les Treize et l'ancien conseil, ils disparaissaient en 1640-1641 au profit d'un Tribunal de bailliage et d'une *Chambre de ville*, composée d'un maître-échevin et de dix échevins, choisis par le gouverneur. Le pouvoir royal paraissait ainsi tenir bien en main l'administration municipale.

En fait, la Chambre de ville parvint à obliger les juges du roi à composer. Ce fut possible grâce à une institution négligée par les mesures royales de 1634 et 1640, *l'Assemblée des Trois Etats* que depuis 1404 on convoquait dans les cas graves. « Par leur répétition, les pressions fiscales de Charles Quint accrurent son rôle à partir de 1526 et élargirent sa composition : le Magistrat en exercice, la noblesse des paraiges, quinze députés des chapitres cathédral et collégiaux et des abbayes bénédictines de Metz et deux députés par paroisse soit environ quatre-vingt personnes » (Yves Le Moigne). Les *Trois Ordres* furent reconnus officiellement en 1666 avec désignation précise de leur compétence.

A Verdun la normalisation des institutions municipales, réglées dès 1634, se heurta en 1665 à l'opposition de l'évêque Armand de Monchy d'Hocquincourt.

Metz au milieu du XVIIᵉ siècle.
Autour de la ville, un important vignoble (gravure de Peeters).

METZ.

41

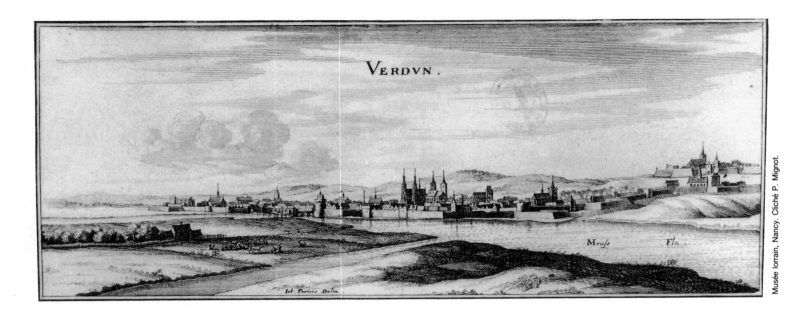

Musée lorrain, Nancy. Cliché P. Mignot.

Louis XIV dut attendre sa mort pour installer la nouvelle municipalité en février 1680. Elle était composée d'un maître-échevin et de quatre échevins nommés par le roi sur une liste établie par trente notables élus par les paroisses.

A Toul l'ancien Magistrat avait disparu en 1641 lorsque l'arrêt royal, qui créait le bailliage, avait supprimé les Dix de la justice. Quatre échevins les remplacèrent.

Pour l'ensemble des Trois Evêchés, dont le nom officiel était, en fait, depuis 1648 « la généralité de Metz », la clef de voûte du pouvoir royal était représentée par le Parlement de Metz. Il fut réellement l'instrument de l'assimilation dans les évêchés et celui de l'impérialisme de Louis XIV. Selon le système en vigueur, les offices des parlementaires étaient vénaux : les titulaires en espéraient des revenus intéressants et des atouts pour leur carrière administrative et judiciaire. Malgré l'absentéisme, il se dégagea à Metz une strate sociale d'autant plus influente que l'aristocratie s'était, avec le temps et les épreuves, fortement amenuisée. On y trouvait des familles d'origine champenoise, bourguignonne et parisienne. Un édit de septembre 1658 consacrait leur rôle en concédant la noblesse transmissible à ceux qui, depuis vingt années au moins, avaient occupé les charges de président, conseiller, avocat, procureur général ou greffier en chef. Avec l'extension du ressort du Parlement au rythme des progrès de la royauté, les revenus de ces offices devinrent importants surtout de 1670 à 1679. Mais par la suite le ressort s'amenuisa. Or des offices supplémentaires avaient été créés à un tel point que la totalité des charges était de 146 en 1633 et de 269 en 1697, selon l'appréciation d'Hélène Goné. Les revenus étaient fortement réduits à la fin du XVIIe siècle.

Verdun au milieu du XVIIe siècle (*gravure de Peeters*).

Toul au milieu du XVIIe siècle. *A gauche, Saint-Epvre ; à droite, Saint-Mansuy (gravure de Peeters).*

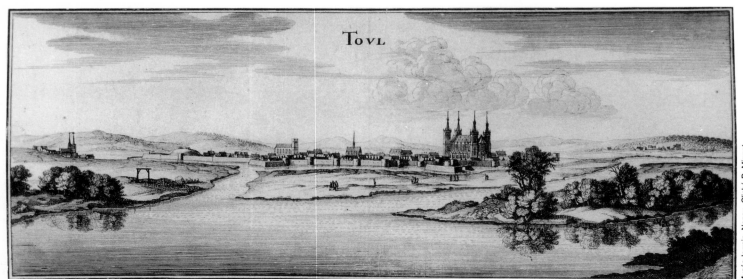

Musée lorrain, Nancy. Cliché P. Mignot.

Eustache Le Noble, procureur général au Parlement de Metz.

Musée lorrain, Nancy. Cliché P. Mignot.

PARLEMENT DE METZ
Variations du ressort et création d'offices de 1633 à 1694

Date	Ressort		Création d'offices
	augmentation	diminution	
janvier 1633	– Trois Evêchés – Villes du bailliage de l'évêché – Mouzon – Château-Regnault – Paroisses dépendant de Langres et Chaumont-en-Bassigny – Clermontois		– Offices du parlement – Offices de la Chancellerie
septembre 1633			– 2 conseillers laïcs
février 1635	– Saint-Avold – Hombourg – Nomeny		
juillet 1637	– Lorraine – Barrois non mouvant		
1659		– Clermontois	
février 1661		– Lorraine – Barrois non mouvant	
novembre 1661	– Landgraviat de Haute et Basse-Alsace – Haguenau - Comté de Ferrette - Belfort - Brisach – Dix villes impériales * – Phalsbourg - Sarrebourg - Sierck - Marcheville ** – Thionville - Yvoy - Marville - Montmédy - Chauvency - Damvillers *** – Sedan - Principauté de Raucourt Hainaut – Linchamps - Avesnes - Philippeville - Marienbourg - Landrecies - Le Quesnoy (30)		– 4 présidents à mortier – 20 conseillers – 2 conseillers chevaliers d'honneur et de nombreux autres offices – 12 officiers pour la chancellerie
1er avril 1662		– Dix villes impériales	
22 décembre 1670	– Lorraine – Barrois non mouvant		
2 septembre 1678		– Hainaut	
1679		– Alsace	
1684	– Duché de Luxembourg – Comté de Chiny		
mai 1691			– 2 présidents à mortier – 4 conseillers et d'autres offices
mars 1694			– Création de 18 offices propres à la Chambre des requêtes

* Territoires cédés au roi de France par les articles LXXIII et LXXIV du traité de Munster du 24 octobre 1648 confirmés par l'article LXI du traité des Pyrénées du 7 novembre 1659.
** Territoires cédés au roi de France par le duc de Lorraine lors du traité de Vincennes.
*** En dehors de Marville, les territoires sont cédés par l'Espagne à la France lors du traité des Pyrénées.

GONÉ (H.), *Charges, revenus et privilèges des officiers du Parlement de Metz, fin XVIIe siècle-1771*, MM. univ. Metz, 1978 (p. 14-15).

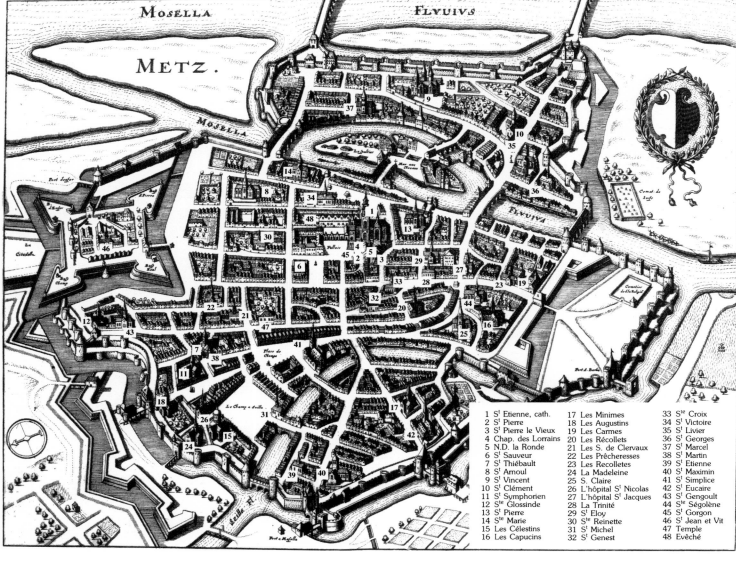

MOSELLA FLVVIVS

METZ.

MOSELLA

FLVVIVS

1 St Etienne, cath.	17 Les Minimes	33 Ste Croix
2 St Pierre	18 Les Augustins	34 St Victoire
3 St Pierre le Vieux	19 Les Carmes	35 St Livier
4 Chap. des Lorrains	20 Les Récollets	36 St Georges
5 N.D. la Ronde	21 Les S. de Clervaux	37 St Marcel
6 St Sauveur	22 Les Prêcheresses	38 St Martin
7 St Thiébault	23 Les Recolletes	39 St Etienne
8 St Arnoul	24 La Madeleine	40 St Maximin
9 St Vincent	25 S. Claire	41 St Simplice
10 St Clément	26 L'hôpital St Nicolas	42 St Eucaire
11 St Symphorien	27 L'hôpital St Jacques	43 St Gengoult
12 Ste Glossinde	28 La Trinité	44 Ste Ségolène
13 St Pierre	29 St Eloy	45 St Gorgon
14 Ste Marie	30 Ste Reinette	46 St Jean et Vit
15 Les Célestins	31 St Michel	47 Temple
16 Les Capucins	32 St Genest	48 Evêché

Musée lorrain, Nancy. Cliché P. Mignot.

Plan de Metz en 1655.
A comparer avec le plan de 1565
(tome précédent, p. 102).

Les duchés occupés

Les premières mesures prises à Nancy par Créqui, qui commandait dans les Trois Evêchés, démontraient la volonté de faire disparaître l'ordre ancien dans les duchés : licenciement de la garde bourgeoise de Nancy ; transport des meubles du Palais ducal à Metz ; enlèvement des canons de l'Arsenal, y compris la fameuse couleuvrine fondue en 1598 par Jean de Chaligny.

Le plus important concernait la suppression des vieilles institutions lorraines. Louis XIV, par un édit daté du 22 décembre 1670, ordonnait au Conseil privé du duc, à la Cour souveraine de Lorraine, à celle du Barrois, et aux Chambres des comptes de Nancy et de Bar de « se séparer incontinent et de se retirer chacun chez soi ». Les officiers des bailliages, prévôtés et seigneuries étaient maintenus dans leurs fonctions, mais l'appel contre leurs sentences devait être porté devant le Parlement de Metz. Les affaires, naguère connues par la Chambre des comptes, étaient dorénavant du ressort d'un intendant, Jacques Charuel, créature du clan Le Tellier-Louvois. Pour les comptes du duché de Bar, ils étaient soumis au jugement sans appel de la Chambre des comptes de Paris.

Aux yeux de Choisy, l'important était de se saisir des archives de la Maison de Lorraine et, d'une manière générale, des titres susceptibles d'apporter la preuve des droits du roi. Il avait déjà procédé à cette recherche en 1663 avant le retour effectif de Charles IV. La plupart des papiers, entreposés à La Mothe, avaient été saisis et envoyés à Paris ; tous ne revinrent pas lors de la restitution de 1665. Dès les premiers jours de l'occupation française, la municipalité de Bar dut fournir cent vingt-quatre tonneaux pour transporter à Metz les chartes et les registres des comptes du duché ; parallèlement, cinquante chariots y amenèrent les archives, déposées à Nancy.

L'INTENDANT JEAN-PAUL DE CHOISY

« Choisy appartient à l'une de ces familles de robins qui ont fourni à la France les grands administrateurs dont elle avait besoin. Du côté paternel, l'ascension est rapide. Issue du négoce des vins, la famille s'enrichit très vite par l'achat d'offices et par son introduction dans les milieux financiers où se recrutent les partisans du roi. Le père de Jean-Paul de Choisy se voit confier des fonctions d'intendant et, enfin, celle de chancelier de Gaston d'Orléans, le frère du roi. Du côté maternel, la lignée est plus ancienne et plus prestigieuse : elle remonte au chancelier Michel de l'Hôpital. La mère de notre intendant, une familière de la Cour, est en relations assez étroites avec Anne d'Autriche. Elle connaît fort bien Turenne, Pomponne, Lionne, le cardinal de Retz,

les reines de Suède et de Pologne... Et surtout, elle a l'oreille du roi qui la reçoit volontiers et lui verse même une pension de 8 000 livres. Elle eut trois garçons et deux filles. Le dernier de ses fils, François Timoléon, est le célèbre abbé de Choisy qui écrivit ses *Mémoires*.

Jean-Paul est l'aîné. Aimant les femmes et les livres, ne s'embarrassant guère de religion, il nous apparaît comme le type de l'honnête homme et du libertin dans l'acception du XVIIᵉ siècle. Sa culture, sa richesse (600 000 livres de biens évalués à sa mort), son rang social, son titre d'intendant, expliquent qu'on le considère, à son arrivée à Metz, comme un personnage considérable. Jean-Paul de Choisy en conçoit, lui aussi, une fierté certaine, et souvent,

l'on sent poindre quelque hauteur, voire une certaine morgue, face aux personnalités locales : magistrats, seigneurs, évêques, princes voisins... A cela, il faut ajouter la fougue naturelle de la jeunesse qui le pousse aux actes d'éclat et aux solutions de force, d'autant qu'il est persuadé qu'il faut "faire le meschant" en cet étrange pays lorrain où les peuples sont des "ivrognes éternels", "fort gueux", mais "dociles" et qui, selon "le genre allemand, sont grands ennemis de tout ce qui est nouveau, très souvent sans savoir pourquoy". »

KAYPAGHIAN (N.), « Le duché de Lorraine et les Trois-Evêchés entre deux occupations (1663-1670) », *C.L.*, 1981, p. 105-122 (p. 106).

« C'est à mon gré une des plus grandes conquêtes que l'on pouvait faire en ce pays-cy », écrivait Choisy qui fit sans tarder procéder au classement et à l'inventaire des documents. Grâce aux comptes, les agents du roi avaient en mains toutes les armes pour tirer parti de la situation fiscale et retrouver les fermiers ou sous-fermiers des revenus lorrains.

En droit les duchés n'étaient pas devenus une province française, mais seulement un état occupé dont le souverain restait *de jure* Charles IV. Des hommes qui lui étaient dévoués cherchaient à lever des troupes. De Francfort il interdisait à ses sujets de faire appel au Parlement de Metz. Des officiers de Lorraine allaient quérir auprès du duc des lettres de provision. Malgré son exil des contributions furent levées : à la veille de sa mort en 1675, alors qu'il avait quitté ses états depuis cinq années, il obtenait encore des Barisiens la somme de 1 500 francs.

Louis-François de Boufflers (1644-1711) *gouverneur pour le roi des duchés de Lorraine et de Bar de 1687 à 1694.*

Musée lorrain, Nancy. Cliché P. Mignot.

Les progrès des institutions françaises

Avec le temps les institutions françaises furent implantées avec plus de rigueur. On rendit la justice au nom de Louis XIV qui fit procéder à des remaniements dans l'administration et la fiscalité. Le 1ᵉʳ juillet 1685 les bailliages de Nancy, de Saint-Mihiel, d'Etain, d'Epinal, d'Allemagne (Vaudrevange) et de Vosge (Mirecourt) étaient supprimés et leurs territoires répartis entre le Barrois mouvant et les Trois Evêchés. Parallèlement un siège présidial était érigé en chacun des bailliages de Metz, Toul et Verdun ; un bailliage avec siège présidial était instauré dans la nouvelle place de Sarrelouis ; Longwy perdait le présidial créé en février 1683, mais obtenait le siège d'un bailliage, destiné à donner vie à la place complètement remaniée.

La vénalité des offices, commune dans le royaume où depuis longtemps elle constituait un important et commode expédient financier, se développa peu à peu. Les officiers de Lorraine et Barrois étaient contraints à se plier aux nouvelles règles et obtenir des provisions du roi ; ils devaient s'acquitter du droit annuel en payant, chacun, le huitième de l'évaluation de la charge. Devenus « propriétaires » des offices, ils pouvaient les transmettre à leurs héritiers. Le monarque intervint à plusieurs reprises pour veiller au règlement de l'annuel : en 1681, il le réclamait pour trois années (1681 à 1683) ; et en 1683, pour neuf années (1684 à 1692). Sinon, les offices étaient déclarés vacants.

Peu à peu, jusqu'à la fin du siècle, furent introduits, sous la pression des besoins financiers, le monopole de la vente du sel et du tabac au profit du roi, l'obligation d'utiliser du papier marqué et timbré pour les actes judiciaires et notariés, la fourniture de contingents pour la milice créée en 1688.

GOUVERNEURS ET INTENDANTS DE LORRAINE ET BARROIS

Gouverneurs

1643-1661 Henri de La Ferté-Sénectère : duchés, puis Metz et Verdun (1656) confirmé Trois Evêchés 1661-1674.

1662-1663 Armand de Gramont, comte de Guiche : duchés.

1670-1671 François de Blanchefort, marquis de Créqui : duchés, mais sans nomination officielle.

1672-1676 Henri-Louis d'Alloigny, marquis de Rochefort : duchés puis 1675 Trois Evêchés.

1676-1687 François de Blanchefort, marquis de Créqui : duchés, puis 1679 Trois Evêchés.

1687-1694 Louis-François, marquis de Boufflers : duchés + Trois Evêchés + Sedan.

1694-1697 Guy de Durfort-Duras, comte de Lorges : duchés.

Intendants

1646-1651 Jacques Hector de Marle.

1651-1657 Charles Le Jay.

1657-1661 Jean-Baptiste Colbert de Saint Pouanges.

1662-1663 Charles Colbert de Croissy.

1663-1673 Jean-Paul de Choisy de Beaumont.

1673-1674 Poncet de La Rivière, comte d'Ablis.

1674-1677 Antoine Barillon de Morangis.

1678-1681 François Bazin de Brandeville.

1682-1691 Jacques Charuel.

1691-1696 Guillaume de Sève (pour Metz et Luxembourg).

1691-1696 Jean-Baptiste Desmaretz de Vaubourg (pour Toul et duchés).

1696-1700 Jacques-Etienne Turgot de Soubsmont.

La fin du XVIIe siècle fut marquée en Europe occidentale par de très graves difficultés financières créées et entretenues par les guerres de Hollande (1672-1678) et de la Ligue d'Augsbourg (1688-1697). Les anciennes impositions des duchés, telles l'aide Saint-Remy, firent place en 1684, comme dans les évêchés, à la subvention, homologue de la taille française, à la fois impôt de répartition et de quotité, que plus tard Léopold allait conserver. La dure crise économique, qui affecta cruellement le royaume pendant la dernière décennie du siècle, ajouta ses méfaits aux exigences de la guerre. La capitation fut établie par la déclaration du 18 janvier 1695 ; elle devait être payée par tous les Français à l'exception du clergé qui se racheta en votant des « dons gratuits ».

En 1692, Louis XIV édicta une réforme municipale qui introduisait la vénalité des offices de maires et de conseillers assesseurs, à l'exception de Paris et de Lyon. L'office de maire de Nancy échut à des étrangers à la Lorraine, Alexandre-Chrétien de Turgis, puis le champenois Jean Dordelu à partir de 1694. Pour obtenir de l'argent, dans les villes lorraines comme ailleurs, la monarchie créa une multitude de petits offices vénaux.

La militarisation

Les enceintes fortifiées avaient beaucoup souffert des aléas des hostilités et de la politique depuis les débuts de la guerre de Trente ans. Dès avant la nouvelle occupation des duchés et dans la perspective d'autres affrontements entre Marne et Rhin, les Français firent dans les places lorraines d'importants travaux d'entretien ou de restauration. La responsabilité de cette tâche était partagée entre Colbert, responsable des Trois Evêchés, et Michel Le Tellier — puis son fils Louvois — qui avait dans son ressort les pays conquis, dont la Lorraine ducale après son occupation.

Les aménagements de 1661 à 1678

A Montmédy on fit quelques remaniements après la paix des Pyrénées, comme à Stenay et à Marsal. Dans cette dernière place, conquise par les Français en 1663, subsiste encore de nos jours la belle porte de France, édifiée vers 1665. Elle porte témoignage de la remise

CLAUDE de Thiard, comte de Bissy, Gouverneur d'Auxone 1670, Lieutenant général des armées du Roi 1677, et Lieutenant g'nal en Lorraine 1679.

Musée lorrain, Nancy. Cliché P. Mignot.

Armes de Claude de Thiard, comte de Bissy, *lieutenant général en Lorraine.*

en état de l'enceinte que plus tard Vauban devait critiquer : « Il y a longtemps que je la considère comme un trou... qui n'est à portée de rien, qui ne s'oppose à rien et qu'enfin n'est bon qu'à raser aussitôt que Nancy sera assuré au Roy et remis sur pied ».

L'occupation de la Lorraine ducale en 1670 relevait de préoccupations stratégiques dans la perspective d'une guerre contre la Hollande (1672-1678) qui dégénéra en un affrontement entre la France et une coalition, réunissant l'empereur, les Provinces-Unies, le roi d'Espagne et le duc Charles IV. Les événements qui suivirent aboutirent à renforcer l'isolement de Louis XIV.

Marsal : la porte de France édifiée vers 1665.

Cliché G. Cabourdin.

Cette politique, génératrice de perpétuels affrontements militaires, provoqua un renforcement de la militarisation de l'ensemble lorrain, en liaison avec les opérations dans les pays voisins, l'Alsace et la Franche-Comté. L'essentiel fut la couverture du pays par un réseau, en partie nouveau et en partie rénové, de places fortes.

A Nancy furent démolis en 1661-1662 les remparts de la Ville-Neuve, puis ceux de la Ville-Vieille. Or Louis XIV, désireux de protéger ses arrières en cas d'échec dans le déroulement de la guerre de Hollande, envoya Vauban en 1672 s'enquérir sur l'opportunité de créer une place forte à Nancy ou à Lunéville. Son avis fut sans équivoque ; il fallait choisir Nancy où subsistaient les fondations des remparts. L'intendant Choisy reçut l'ordre de veiller à la reconstruction des fortifications sur le plan du dispositif ancien. Les travaux furent longs ; il fallut procéder à la réquisition de plusieurs milliers de paysans, qui reçurent l'appoint de 1 200 à 1 400 soldats. Il y eut aussi des problèmes de matériaux, en particulier la confection des briques. Louis XIV en personne vint inspecter les travaux ; il séjourna à Nancy, avec la reine et une partie de la Cour du 31 juillet au 24 août 1673. Malgré l'accroissement de la main-d'œuvre, on dut abandonner provisoirement, en raison de l'importance des travaux, la réalisation de la fortification de la Ville-Neuve ; seule la Ville-Vieille fut mise en état de défense à la fin de 1673. Par la suite, on travailla de façon intermittente aux remparts de la Ville-Neuve achevés seulement en 1679.

L'enquête menée en janvier 1673 provoqua dans les années qui suivirent le démantèlement des places jugées inutiles dans le nord et l'est, selon le vœu de Vauban : « Je ne suis point pour le grand nombre de places. Nous n'en avons que trop et plût à Dieu que nous n'en eussions moins de moitié et qu'elles fussent toutes en bon état ». Ainsi furent rasées les enceintes de Mouzon, Jametz, Damvillers et Ivoi (qui, depuis 1662, s'appelait Carignan puisque le roi l'avait érigé en duché de Carignan en faveur du comte de Soissons, fils de Thomas de Savoie, prince de Carignan en Piémont).

Louis XIV à Nancy, en 1673, dans les jardins du Palais ducal. *A gauche, le dôme de la chapelle ronde des Cordeliers.*

Ce fut à la même époque à partir de 1674 que l'on se mit enfin, après cent-dix années de laisser-aller, à remettre quelque peu en état les remparts de la cité messine. Parallèlement on s'activait à Verdun, hors d'état de résister à une attaque sérieuse : Vauban fit fortifier les moulins, travailler aux écluses du canal des Grandes-Grilles.

Le plan de 1679-1680

La paix de Nimègue, qui mettait fin à une guerre de six années, donnait à Louis XIV la Franche-Comté et douze places de la Flandre. Dès lors les données de la stratégie défensive étaient modifiées ; ainsi Metz était protégée à l'est et au sud par les pays annexés. Pour remodeler le système défensif, Louis XIV, en septembre 1679, chargea Louvois et Vauban d'aller inspecter les places qui gardaient la frontière. De cette mission et des avis de l'ingénieur Thomas de Choisy, il ressortait que l'on devait exécuter des travaux à Bitche, à Hombourg, à Sarreguemines, où on releva le château démoli en 1635, et à Sarrebourg en 1681.

On recourut aussi à la défense par l'eau, si bien illustrée par les Néerlandais dès les débuts de la guerre de Hollande. La technique de l'inondation, déjà utilisée à Marsal, permettait de protéger des villes menacées d'investissement. La place de Marsal gardait l'étang voisin de Lindre où la Seille prenait sa source. Les eaux retenues par deux barrages pouvaient être libérées et inonder la vallée de la Seille jusqu'à Metz en deux journées seulement.

A Verdun qui en raison « de l'éloignement de la frontière » n'était plus qu'une place de second plan, Vauban établit un plan de travaux, réalisés de 1680 à 1687 : il prévoyait trois écluses (Saint-Amand, Saint-Nicolas et Saint-Airy). Le premier essai d'inondation eut lieu en présence du roi.

LOUVOIS, VAUBAN ET LES PLACES LORRAINES

LONGWY

« Vous scavez ou vous ne scavez pas que le Roy a résolu de faire bastir une place à Longwy. Le sieur de Choisy a receu ordre d'aller visiter un lieu où on la pourroit construire. Il a aporté les mémoires et les plans cy-joints, lesquels le Roy m'a commandé de vous envoyer afin que vous luy donniez vostre advis. Son intention n'est point de s'atacher à fortifier le poste où est présentement la ville de Longwy, et S.M. incline au party de construire la place toute neuve sur la hauteur qui en est voysine, laquelle n'estant commandée de rien laisse la liberté de faire la place telle que l'on jugera plus à propos ».

(Louvois à Vauban, 28 octobre 1678)

PHALSBOURG

« La scituation en estant fort heureuse, la place que l'on y construira ne sera commandée d'aucunes hauteurs et verra parfaitement bien autour d'elle. Une armée qui la voudra attacquer sera obligée de se camper dans les grands bois, en un pays où il n'y a aucun fourage et quasy point d'eaue ; en sorte que, pourveu qu'elle soit en estat de tenir pendant dix ou douze jours, l'armée qui l'attacqueroit seroit obligée de se retirer faute de subsistance, estant absolument impossible que des chevaux chargés de fourage puissent monter la montagne de Saverne ».

(Louvois au roi, 17 juin 1679)

MARSAL

« ... aussy bonne qu'elle estoit meschante il y a quatre ans... Les trois quarts de ses ouvrages sont environnés de plus de sept pieds de profondeur d'eaue sur 80 thoises de large au moindre endroit et une grande lyeue et demye de longueur. Cette inondation sera non seulement utile à la conservation de cette place, mais elle rendra encore le siège de Metz impossible, puisqu'en ouvrant les escluses de cette ville on formera les inondations de Metz en deux fois 24 heures de temps ».

(Louvois au roi, 17 juin 1679)

Arch. min. Guerre, 579 et 621.

Les grandes places Le plan Louvois-Vauban prévoyait de s'appuyer en Lorraine sur trois places, véritables clefs du dispositif défensif : Phalsbourg, Longwy et Sarrelouis.

Puisque les duchés restaient, après Nimègue, dans les mains du roi, il fallait améliorer l'enceinte de Phalsbourg et équiper la place pour abriter une garnison de 1 200 à 1 500 hommes et de vastes magasins. La décision fut prise le 16 juin 1679 et les travaux commencèrent le mois suivant. A l'intérieur on y édifia l'Arsenal, des casernes, un hôpital militaire et de très importants magasins où devaient être déposés grains, fourrages et toutes sortes de denrées. Les deux portes sont conservées, celle d'Allemagne vers l'est et celle de France mieux décorée vers l'ouest, symbole de la majesté royale.

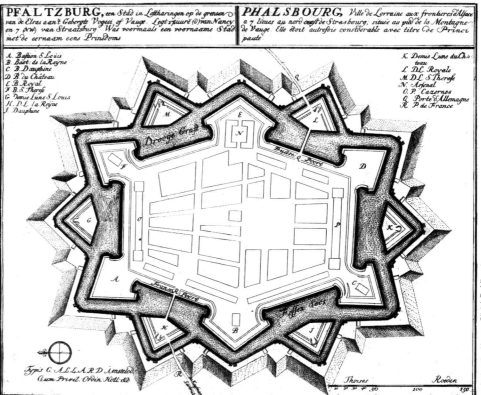

Plan de la place de Phalsbourg.

Phalsbourg : la porte de France. *Vue générale.*

Phalsbourg : la porte de France. *Au sommet à gauche, des armes et l'emblème du Roi-Soleil.*

Faire une place neuve à Longwy, dont l'enceinte avait été rasée en 1671, était depuis 1678 une idée de Louvois et de Choisy, et non de Vauban en l'occurrence simple exécutant. On attendit l'issue de la guerre et la cession, à Nimègue, de Longwy par la Lorraine à la France. L'objectif était de contrebalancer le rôle joué dans la région par l'imposante forteresse de Luxembourg. Selon les plans de Vauban, la construction de la nouvelle place de Longwy, dominant l'ancienne ville, commença en août 1679. Louis XIV y porta intérêt et vint inspecter les travaux en 1681 et 1687. A l'abri d'une enceinte composée de six bastions en étoile et percée de deux portes (porte de France et porte de Bourgogne), l'espace urbain était, pour sa plus grande part, fortement militarisé. Au centre, la vaste place d'Armes, l'église Saint-Dagobert (1683-1690), les casernes, les magasins de l'armée, l'hôpital et l'hôtel du gouverneur.

La fondation de Sarrelouis. *Médaille de la Monnaie frappée sur ordre du roi Louis XIV en 1683.*

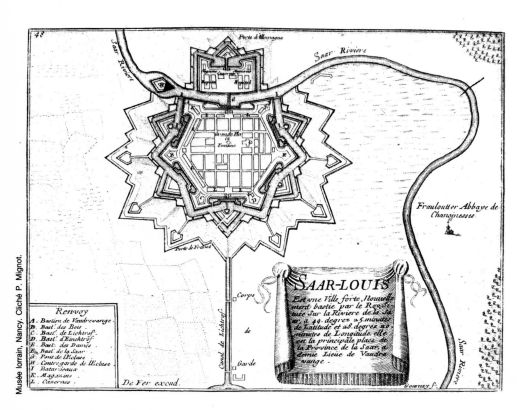

Plan de la place de Sarrelouis *édifiée de 1680 à 1683.*

Cliché R. L.

Longwy : la porte de France, *avec les attributs guerriers.*

Le déroulement des opérations au cours de l'année 1677 avait révélé la faiblesse des organismes défensifs et des points d'appui sur la Sarre moyenne. Louvois fit part à Créqui des préoccupations du roi et de l'éventualité de « fortifier Vaudrevange et quelque poste vers Sarralbe ou Bouquenom ». Thomas de Choisy, consulté, estima que « Vaudrevange est un bon lieu pour mettre des troupes en quartier d'hiver et si l'on en réparait les murs qu'on a desmolis ». Il suggéra le lieu de Fraloutre (ou Fraulautern, où était une abbaye de chanoinesses) près de Vaudrevange sur la rive droite de la Sarre : « C'est une des plus belles et des plus heureuses scituations que j'aye encore veu, et l'on y peut faire une des meilleures places de France ». Louvois et Vauban se rangèrent à cet avis. Louis XIV décida donc en novembre 1679 la construction, à Fraloutre, d'une place : au mois de février suivant, on annonça qu'elle serait appelée Sarrelouis. La première pierre de la ville fut posée le 5 août 1680. La construction se fit sur le plan d'un hexagone régulier. Le lit de la Sarre fut détourné vers la nouvelle place. L'essentiel fut achevé en 1683, année où fut nommé le premier maire, Ferdinand Heil ; deux récollets parisiens vinrent mettre sur pied la nouvelle paroisse. Sur la rive gauche, la ville de Vaudrevange, chef-lieu du bailliage d'Allemagne, fortement atteinte pendant la guerre de Trente ans, ne put résister à ce voisinage. Les habitants s'installèrent dans la nouvelle place où ils bénéficiaient de sérieux avantages : emplacement pour une maison, un autre pour un jardin, exemption d'impôts pendant douze à quinze ans. Vandrevange n'existait plus en 1687. Quant à la place forte de Sarrelouis, elle avait la possibilité d'abriter 3 500 fantassins et 1 000 cavaliers.

Alors que Louvois et Vauban mettaient en place la grande barrière défensive du royaume, la politique des réunions aboutissait à l'annexion de nombreux territoires, en particulier Strasbourg le 30 septembre 1681, puis Luxembourg et sa puissante forteresse, qui capitula le 7 juin 1684. Sur le plan stratégique, deux verrous essentiels tombaient entre les mains des Français. Convaincu de la valeur de Luxembourg, Vauban entreprit les réparations dès la capitulation ; il écrivait : « Présentement on peut dire que Charleville et le Mont-Olympe ne sont plus nécessaires, que Sedan et Bouillon le sont médiocrement, Stenay encore moins, Verdun et Toul point du tout, Montmédy et Longwy si peu que rien ».

Au moment où commençait la guerre de la Ligue d'Augsbourg (1688-1697) et que, pour couvrir la France, Louvois dévastait le Palatinat, Vauban préconisait un système de « lignes » qui comprenait la démolition des places médiocres ou inutiles. Ainsi la possession de Luxembourg condamna la place de Stenay, démantelée à partir de 1689 ; toutefois le roi fit élever une enceinte, constituée d'une simple muraille sans flancs, ce qui autorisait d'y laisser, le cas échéant, une garnison.

Marsal subit un sort identique. Vauban, dans une lettre à Louvois en date du 19 août 1688, proposait le « rasement » des fortifications : ce fut réalisé l'année suivante.

La logistique

Selon la volonté de Louvois, toutes les places en état de servir tenaient, en plus de leur mission de défense, un rôle capital en tant que bases d'approvisionnement des troupes qu'elles fussent au combat ou, en temps de paix, en garnison. Il en résulte la multiplication et l'extension de bâtiments militaires spécialisés (casernes, magasins, arsenaux, poudrières, hôpitaux).

La logistique incombait à l'intendant. Il fallait veiller à l'entretien des routes et des ponts d'intérêt stratégique, prévoir les chevaux nécessaires pour les relais, assurer les étapes, c'est-à-dire les vivres et les fourrages, et répartir les quartiers d'hiver, soit en 1672-1673 le logement et l'entretien de 12 000 hommes. La cavalerie était placée à cette date dans le bailliage d'Allemagne, l'infanterie dans celui de Nancy et les gardes du corps dans celui de Vosge ; il semble que les Trois Evêchés aient été moins chargés. En 1673 l'intendant Choisy acheta ou fit construire 170 bateaux capables d'emmener depuis Metz hommes et bagages pour la campagne de printemps en Hollande.

D'une manière générale, les nécessités militaires pendant les guerres firent peser sur la Lorraine, victime de sa situation géographique, de très lourdes charges. Les quartiers d'hiver duraient en général cinq mois (décembre-avril) ; les habitants devaient loger et entretenir les troupes, qui recevaient pain, viande

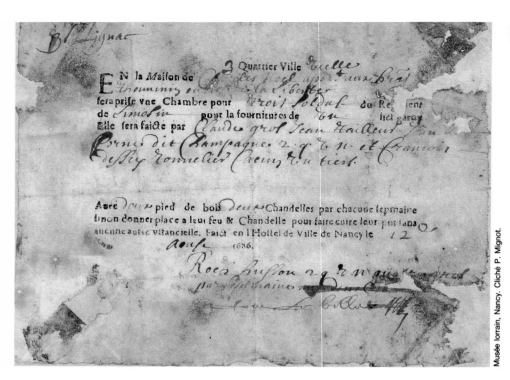

Billet de logement dans la Ville-Vieille de Nancy *daté 12 août 1686.*

et vin pour les hommes, et fourrages pour les chevaux. A partir de 1674 il fut toléré qu'une partie des fournitures puissent être converties en argent. Puis en octobre de la même année prévalut le régime de « l'ustensile ». Le mot servait jusque-là à désigner le droit pour le soldat, de prendre chez l'habitant « le lit, le pot et la place au feu et à la chandelle ». Dorénavant il désigna la contribution propre du pays à l'entretien des troupes, versée en argent.

De plus, il fallait pourvoir dans une certaine mesure à la subsistance des troupes qui opéraient non loin des frontières : l'approvisionnement de l'armée de Turenne fut ainsi une charge très lourde. Sans qu'il y eût à proprement parler exactions graves, les Lorrains furent contraints d'accroître encore leur endettement. De plus, une fois la paix revenue, le roi levait, par une ordonnance du 30 septembre 1680, les surséances accordées jusqu'au 1er octobre de la même année : désormais les créanciers purent intenter des poursuites contre les communautés ou les individus qui n'avaient pas réglé leurs arrérages.

Les conséquences de la guerre de la Ligue d'Augsbourg furent essentiellement fiscales avec l'établissement — déjà évoqué — de la capitation établie en 1695.

L'impérialisme

Depuis longtemps les juristes et *feudistes* avaient vu le parti que l'on pourrait obtenir de la complexité des liens de vassalité et de leur passé souvent confus. Les recherches avaient été grandes au temps de Richelieu, Cardin Le Bret et Chantereau-Lefebvre : or les clauses floues des traités de Munster et de Nimègue offraient la voie à des « réunions », qui n'étaient pas à proprement parler une nouveauté.

La méthode

Charles Colbert de Croissy, conseiller au Parlement de Metz en 1656, intendant d'Alsace en 1658, puis des Trois Evêchés en 1662-1663, rédigea, à sa sortie de fonction l'année suivante, un rapport sur les droits du roi en Alsace et dans les évêchés lorrains. Il y analysait notamment les engagements et aliénations faits par l'évêque de Metz. Par la suite le Parlement de Metz continua les recherches. Informé de ce qui s'était fait dans l'ensemble de l'est de la France, Louvois mit au point la méthode.

Un arrêt du 23 octobre 1679 créa la Chambre royale de Metz, appelée par la suite la *Chambre de réunion,* composée d'officiers du Parlement de Metz choisis par le roi « pour prendre connaissance des usurpations et aliénations faites desdits biens et droits, appartenances et dépendances desdites églises et clergé de Metz, Toul et Verdun, pardevant lesquels il sera loisible auxdits évêques... et à leur clergé de procéder contre ceux qui prétendent être détenteurs desdits biens et droits, cependant ce sursis et sursoit toutes poursuites qui pourraient être faites par ledit procureur général, pour raison desdits aveux et dénombrements jusqu'à ce qu'autrement par elle en ait été ordonné ». On redonnait ainsi vie à une suzeraineté épiscopale sur les temporels : ce fut le biais qui permit les annexions sans porter atteinte aux droits des légitimes seigneurs.

Un président et dix conseillers, tous membres du Parlement de Metz, furent nommés le mois suivant, ainsi que le procureur général, Roland Ravaulx. Par la même déclaration le roi donnait à la Chambre le pouvoir de juger, en dernier ressort et sans appel, tous procès et contestations portant sur les biens temporels des Trois Evêchés qui auraient été engagés ou usurpés et leurs dépendances en quelques lieux qu'elles fussent situées ; et référence était faite au traité de Munster. Une procédure simple fut mise en place : travaux préparatoires sur titres, citation des vassaux concernés, sommation de prêter foi et hommage. En cas de refus ou de manœuvre dilatoires, un procès de type classique se déroulait et l'arrêt définitif était rendu. Le vassal devait alors foi et hommage, fourniture d'aveux et dénombrements ; les habitants concernés étaient aussi dans l'obligation de prêter le serment de fidélité. En cas de refus le vassal risquait la saisie de son fief. Il est certain que la capture des archives lorraines permit, en les sélectionnant, d'étayer l'argumentation des procureurs.

Louvois suivit attentivement les travaux de la Chambre, n'hésitant pas à donner des directives et à prévoir des sanctions contre un rapporteur, auteur d'un mémoire favorable au duc de Lorraine.

Les arrêts de réunion

La Chambre royale prononça au total cinquante arrêts de réunion : quarante en 1680, cinq en 1681 et cinq en 1683. Ils concernaient des lieux très divers situés dans les duchés de Lorraine et de Bar, moins fréquemment dans l'Empire (duché de Deux-Ponts, comté de Sarrebruck, comté de Blieskastel, comté de Veldentz) et aux Pays-Bas espagnols (comté de Chiny, seigneurie de Virton). Les réunions furent décidées sans ordre préconçu, au hasard des opportunités. En 1680-1681, elles dépouillèrent les duchés de villes et de seigneuries importantes dont les seigneuries de Hombourg et Saint-Avold, de Sierck, de Bitche, les comtés de Sarrewerden, de Salm, de Blâmont, de Vaudémont ; les châtellenies de Sarrebourg, de Conflans-en-Jarnisy ; la prévôté d'Hattonchâtel ; les villes et châteaux d'Epinal, de Saint-Nicolas-de-Port, de Commercy...

Pour chaque cas, la Chambre réunissait tous les documents, surtout les plus anciens qui pouvaient mieux asseoir l'argumentation. Ainsi en avril 1680 elle jugeait le cas de la ville, du château et des terres de Commercy. « La ville située sur la rive gauche de la Meuse est à la frontière de la France, de la Lorraine et du Barrois. Elle est donnée au XIe siècle en fief par l'empereur à l'évêque de Metz. En 1070 l'évêque l'échange contre l'abbaye de Bouzonville avec le duc de Lorraine et s'en réserve cependant la souveraineté, de sorte que les vassaux et les seigneurs de Commercy continuent à porter leurs aveux à l'évêque. A l'époque de la réunion toute la seigneurie et son usufruit sont en la possession juridique (mais non en fait) du duc Charles IV de Lorraine. Par les documents produits, les droits seigneuriaux de l'évêché de Metz sont prouvés d'une façon incontestable : on présente la requête d'investiture de la veuve du défunt seigneur de Commercy de 1248 ; des requêtes identiques des années 1376, 1377 et 1383 des comtes de Sarrebruck ; l'acte de 1395, en vertu duquel l'évêque Raoul de Coucy a donné en gage les droits sur l'ensemble de la seigneurie au fils du duc de Bar ; des renouvellements de foi et hommage des comtes de Nassau-Sarrebruck auprès des évêques datant de 1551 et 1557. La Chambre décide que la souveraineté de l'évêque de Metz doit être rétablie moyennant restitution de la somme du gage de 1395 ». (Marie-Odile Piquet-Marchal).

LISTE CHRONOLOGIQUE DES RÉUNIONS
FAITES PAR LA CHAMBRE ROYALE DE METZ

Dates	*Lieux*
12 avril 1680	Château et comté de Veldentz.
15 avril 1680	Terres et châtellenies de Condé-sur-Moselle, et de Conflans-en-Jarnisy.
15 avril 1680	Ville, château et terre de Commercy.
30 avril 1680	Comté de Vaudémont et de Chaligny, et château et châtellenie de Turquestein.
6 mai 1680	Ville et château d'Epinal et ses dépendances.
6 mai 1680	Ville et châtellenie de Sarrebourg.
10 mai 1680	Château, ville et seigneurie de Nomeny, et terre et ban de Delme.
20 mai 1680	Château, ville et appartenances de Hombourg, et villes et dépendances de Saint-Avold.
20 mai 1680	Ville, château, châtellenie et seigneurie d'Albe.
23 mai 1680	Ville, terres et seigneuries de Marsal.
29 mai 1680	Château et seigneurie de Sampigny.
29 mai 1680	Château, ville, châtellenie et prévôté d'Hattonchatel.
6 juin 1680	Terres et seigneuries de Salm et de Langestein autrement dit Pierre-Percée.
12 juin 1680	Ville, château et baronnie d'Apremont.
13 juin 1680	Terre et seigneurie de Mars-la-Tour.
14 juin 1680	Ville de Blamont et terres et seigneuries de Mandre-aux-Quatre-Tours, Deneuvre et Amermont.
21 juin 1680	Château et appartenances de Lutzelbourg.
27 juin 1680	Terre et seigneurie de Briey.
28 juin 1680	Comté de Deux-Ponts.
28 juin 1680	Château, comté et seigneuries de Castres.
4 juillet 1680	Ville et seigneurie de Dieuze.
8 juillet 1680	Château, bourg et comté de Sarbruck et lieux en dépendant.
11 juillet 1680	Seigneuries et comté de Sarrwerden et Bouquenom.
11 juillet 1680	Terre et seigneurie d'Altheim.
11 juillet 1680	Ville, terre et seigneurie d'Otviller.
15 juillet 1680	Terre et seigneurie de Bousseviller et ses dépendances.
15 juillet 1680	Terres et seigneuries de La Marck, Marmoutier et Ochsenstein.
15 juillet 1680	Château et seigneurie de Trognon.
16 août 1680	Seigneurie de Sierck et de la ville de Port appelée de Saint-Nicolas.
16 septembre 1680	Château, terre et seigneurie de Créhange.
24 octobre 1680	Ville, terre et seigneurie de Virton.
24 octobre 1680	Château, terre et seigneurie de Bitche.
7 novembre 1680	Château, terre et seigneurie d'Oberstein.
7 novembre 1680	Terre, seigneurie de Rambercourt-aux-Pots.
28 novembre 1680	Château et bourg de Mussey.
5 décembre 1680	Château, terre et seigneurie de Rechicourt.
9 décembre 1680	Ville d'Etain et ses dépendances.
12 décembre 1680	Comté de Morhange.
23 décembre 1680	Terre et seigneurie de Domèvre.
26 décembre 1680	Ville et seigneurie de Gondreville.
6 mars 1681	Ville et seigneurie du Neufchâteau.
10 mars 1681	Villes et seigneuries d'Arrancy et Saint-Pierre-Villers.
21 avril 1681	Comté de Chiny.
11 septembre 1681	Terre et seigneurie d'Arry-sur-Moselle.
9 décembre 1681	Seigneuries de Chastenoy, Frouart et Montfort.
5 avril 1683	Villes et châtellenies de Longwy, Marville, Arrancy, Longuyon.
13 mai 1683	Comté de Vaudémont, appartenances et dépendances (dont Chastel-sur-Moselle, Chaligny...).
2 juin 1683	Seigneuries et châtellenies de Pont-à-Mousson, Saint-Michel, Foug, La Chaussée, Bouconville, Chastillon, Gondrecourt, Bourmont, Conflans-en-Bassigny, Lavantgarde, Lamothe, Lamarche, Nourroy-le-Sec, Pierrefort, Pierrepont, Sancy, Pierrefitte...
23 août 1683	Villes, châteaux, terres et seigneuries dépendantes du comté d'Aspremont.
10 septembre 1683	Arrêt général réunissant tous les lieux qui ne sont point spécifiés dans les arrêts précédents (Nancy, Rozières, Einville, Lunéville, Saint-Dié et Raon, Amance, Preny, Mirecourt, Darney, Dompaire, Valsrocourt, Bruyères, Charmes, Arches, Valdrevance, Berus, Sirsberg, Mertzicq, Sargau, Schavembourg, Sarguemines, Purlange, Ruttelange, Forbac, Boulay, Faulquemont).

PIQUET-MARCHAL, *La Chambre de réunion de Metz*, Paris, 1969 (p. 171-172). Les noms de lieux sont indiqués selon l'orthographe ancienne.

En 1683 la Chambre ne prononça que quelques arrêts, mais ils concernaient de vastes territoires. Ils aboutissaient en avril à la réunion de la totalité du duché de Bar et en août-septembre à celle du duché de Lorraine. Le procureur général Ravaulx avait, dans ce but, développé l'argumentation selon laquelle, par le traité de Westphalie, les diocèses — aussi bien que les territoires séculiers des évêchés — avaient été cédés par l'Empire et que d'autre part l'Empire avait livré le duché de Lorraine en raison de sa situation à l'intérieur des diocèses.

La même politique animait les travaux du Parlement de Besançon qui réunissait en 1679-1680 le comté de Montbéliard, et ceux du Conseil supérieur de Brisach en Alsace, alors que le 30 septembre 1681 une armée française de 30 000 hommes obligeait Strasbourg à capituler.

Les protestations contre les réunions se manifestèrent surtout dans l'Empire. En juillet 1680, pressé par la Diète, l'empereur écrivit à Louis XIV pour exposer ses plaintes. L'échange de correspondance aboutit à la conférence de Francfort (septembre 1681-septembre 1682). On ne parvint pas à s'entendre. Les entretiens reprirent à Ratisbonne, au moment où l'Empire vacillait sous la menace turque. Finalement une trêve de vingt années était signée le 15 août 1684 : la France gardait Strasbourg, Kehl, Luxembourg et tous les territoires réunis avant le 1er août 1681. L'empereur et le roi d'Espagne ratifièrent les dispositions du traité. Louis XIV était alors parvenu au faîte de sa gloire.

De la Lorraine, il avait été peu question dans les pourparlers en dépit de l'importance des réunions proclamées entre le 1er août 1681 et le 10 septembre 1683. Une déclaration royale du 28 novembre 1686 déclarait dissoute la Chambre de réunion puisque la trêve de Ratisbonne la rendait inutile et que sa mission était terminée. L'évolution de la conjoncture politique et militaire allait démontrer la fragilité de ces annexions réalisées en pleine paix. Finalement le procédé des réunions échoua non parce qu'il pouvait heurter le droit et les consciences, mais parce que sa démesure le condamnait à plus ou moins brève échéance.

François de Lorraine-Chaligny. *Evêque de Verdun de 1622 à 1661.*

Les problèmes religieux

La tâche, à laquelle durent s'attacher les évêques et le clergé au sortir de la guerre de Trente ans et de ses prolongements, était immense. Il fallait restaurer le cadre et la vie des paroisses, former des prêtres, retrouver les formes de la foi, veiller à l'orthodoxie, alors que se posait toujours le problème protestant.

Les évêques

La guerre avait certes apporté son cortège de méfaits, mais la vie religieuse, dans le cadre du catholicisme, avait souffert de la carence épiscopale. Pendant de longues années, les sièges des évêques restèrent abandonnés.

A Verdun, François de Lorraine-Chaligny, pourvu de l'évêché depuis 1622, se heurta aux Français avant de se soumettre pour un temps en 1629 ; six années plus tard il s'exilait. Remis en possession de ses droits par le traité de Munster en 1648, il se retirait dans son château de Koeur en 1654, puis le 19 mars 1661 il se démettait de ses abbayes et de son évêché et, le lendemain, épousait Christine de Massauve. Quelques mois plus tard il mourait à Dieuze.

A Toul il y eut une longue vacance du siège épiscopal entre 1637 et 1657, à l'exception des brefs épiscopats de Paul Fiesqui et Jacques Le Bret pendant quelques semaines de l'année 1675. Le diocèse fut en fait dirigé jusqu'à sa mort en 1653 par l'archidiacre et vicaire capitulaire, Jean Midot, homme de grand mérite, ami de Servais de Lairuels.

La situation était identique à Metz entre 1652 et 1669. L'autorité appartenait alors aux suffragants de 1645 à 1660, dont un ami de Bossuet, le chanoine Pierre de Bédacier qui entra en conflit avec le chapitre.

Ce ne fut qu'au milieu du XVIIe siècle que fut réglé le problème de la nomination des évêques. Jusqu'en 1552 était appliqué le concordat germanique de 1448 selon lequel les chapitres de chanoines élisaient les évêques ; le concordat avait été concédé au diocèse de Metz en 1450, à celui de Verdun en 1519 et enfin à celui de Toul en 1544. Les rois de France estimaient qu'en

Guillaume Egon de Furstenberg. *Evêque de Metz de 1663 à 1668, mais Rome ne confirma pas.*

vertu du concordat de 1516 il était de leurs attributions de nommer les évêques. Les duchés, qui n'avaient pas de siège épiscopal, allaient être contraints de subir une administration au temporel dirigée par des évêques choisis par le roi français. Juridiquement l'affaire était réglée par les mesures pontificales de 1664 et de 1668, par lesquelles Louis XIV se voyait reconnaître le droit de nommer aux trois sièges épiscopaux et à tous les bénéfices relevant du Saint-Siège. « Il n'est pas exagéré de dire que toutes les difficultés de la politique religieuse en Lorraine aux XVIIᵉ et XVIIIᵉ siècles résultent de cette situation » (René Taveneaux).

A Verdun le premier évêque nommé par le pape fut Armand de Monchy d'Hocquincourt (1667-1679) qui s'attacha à améliorer la formation du clergé, œuvre reprise par son successeur Hippolyte de Béthune (1681-1720). A Toul le siège était occupé par André du Saussay (1655-1675), qui avait occupé des fonctions importantes à Paris et avait été aumônier du roi. L'avènement d'un nouveau pape, Alexandre VII, permit l'envoi des bulles requises. Les successeurs furent aussi formés à la Sorbonne et s'entourèrent de collaborateurs français, Jacques de Fieux (1676-1687) et Henri de Thiard de Bissy (1687-1704) qui dut attendre ses bulles pendant cinq années de 1687 à 1692. A Metz, l'archevêque d'Embrun, Georges d'Aubusson de La Feuillade, défenseur de l'orthodoxie et ami des jésuites, fut évêque pendant près de trente années (1668-1697).

Jacques de Fieux. *Evêque de Toul de 1676 à 1687.*

Musée lorrain, Nancy. Cliché R. Carton.

La restauration des paroisses

Aux divers prélats et aux suffragants s'imposa la tâche de restaurer la vie des paroisses. Beaucoup de celles-ci étaient sans prêtre ; ceux qui survivaient étaient souvent âgés et se trouvaient dans l'impossibilité de desservir des annexes. Les visites paroissiales, même après 1680, montrent le délabrement quasi-général des presbytères, le démantèlement des bouvrots (ensemble de biens fonciers dont le curé avait jouissance) et les difficultés de lever les dîmes. Les églises avaient souvent servi de refuge pour les habitants et aussi d'abri pour les troupes de passage ; les soldats luthériens avaient également pillé et détruit les édifices du culte. En 1680, on constatait qu'à Hombourg « l'église a servi à plusieurs usages profanes des garnisons lorraines et allemandes qu'avaient tenu le château » et qu'elle était à cette date utilisée comme hôpital militaire (cité par Jean-Paul Achereiner). Il apparaît que les destructions furent surtout considérables dans le diocèse de Metz au nord et à l'est. Dans le Xaintois, le mauvais état des églises semble résulter surtout du manque d'entretien.

La remise en ordre concernait donc la restauration des immeubles, mais aussi la reconstitution et la formation d'un clergé assez nombreux pour satisfaire les besoins de l'activité pastorale. La situation différait d'une région à l'autre. Une étude faite d'après la visite canonique du Xaintois en 1687 démontre que la réforme du bas clergé était à peu près réalisée sur le plan moral et disciplinaire mais que la formation intellectuelle laissait à désirer (Michel Pernot). Dans le diocèse de Metz, les mesures de l'évêque Georges d'Aubusson de La Feuillade permirent d'étoffer le clergé rural sans couvrir tous les besoins. En 1698 l'intendant Turgot estimait que « Monsieur de La Feuillade a été le premier qui ai pu travailler à y remettre la règle à son diocèse, et il n'eut pas le loisir de finir un ouvrage qui demande bien plus de temps et encore aujourd'hui un grand travail » (cité par Jean-Paul Achereiner). Il semble bien que partout les fidèles avaient perdu, pour une large part, le sens du sacré. Les épreuves avaient durci les individus ; il fallait avec patience et persévérance faire œuvre de rechristianisation par la catéchèse, les pèlerinages, les processions, les confréries, souvent créées sous l'influence des franciscains et des jésuites. Cependant les évêques d'origine française s'élevèrent contre des pratiques populaires qui leur apparaissaient des manifestations superstitieuses.

Les statuts synodaux publiés dans les trois diocèses portent témoignage des efforts déployés pour un meilleur clergé par les évêques réformateurs. Vers la fin du XVIIᵉ siècle, les progrès étaient sensibles même si la tâche restait encore immense.

François Guinet (1604-1681). *Jurisconsulte né à Pont-à-Mousson. A la fin de sa vie, il intervint dans la querelle à propos du prêt à intérêt.*

B.M. Nancy. Cliché R. Carton.

TALES SI MVLTOS FERRENT HÆC SECVLA FERRI
IN FERRI SECLIS AVREA SECLA FORENT

Bibl. Nat.

Paul Ferry (1591-1669) *pasteur et humaniste messin.*

LES ÉVÊQUES DE LORRAINE
1648-1789

METZ	
1612-1652 :	Henri de Bourbon-Verneuil
...	
1668-1697 :	Georges d'Aubusson de La Feuillade
1697-1732 :	Henri-Charles du Cambout de Coislin
1733-1760 :	Claude de Rouvroy de Saint-Simon
1760-1802 :	Louis-Joseph de Montmorency-Laval

De 1652 à 1668 se succédèrent Mazarin (1652-1658), Claude-François Egon de Furstenberg (1658-1663) et le frère de ce dernier Guillaume Egon de Furstenberg (1663-1668), non reconnus par Rome.

TOUL	
1655-1675 :	André du Saussay
1676-1687 :	Jacques de Fieux
1692-1704 :	Henri de Thiard de Bissy
1705-1723 :	François Blouet de Camilly
1723-1753 :	Scipion-Jérome Bégon
1754-1773 :	Claude Drouas de Boussey
1773-1802 :	Etienne des Michels de Champorcin

NANCY	
1777-1783 :	Louis de La Tour du Pin Montauban
1783-1787 :	François de Fontanges
1787-1802 :	Antoine-Henri de La Fare

SAINT-DIÉ	
1777-1802 :	Barthelémy Chaumont de La Galaizière

VERDUN	
1622-1661 :	François de Lorraine-Chaligny
1667-1679 :	Armand de Monchy d'Hocquincourt
1681-1720 :	Hippolyte de Béthune
1721-1754 :	Charles-François d'Hallencourt
1754-1796 :	Aymar de Nicolaï

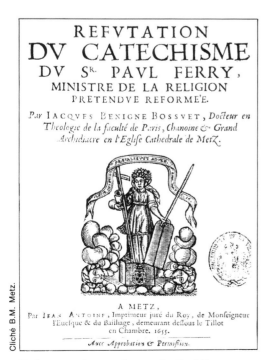

Cliché B.M. Metz.

Réfutation du catéchisme de Paul Ferry par Bossuet (1655).

La question protestante

Depuis le XVIe siècle Metz comptait un nombre important de réformés. Le président Bretagne dénombrait en 1635 12 763 catholiques et 6 329 protestants, ce qui représentait probablement un relatif déclin par rapport à l'apogée du nombre de réformés, situé vers 1570-1590. Frappée par les maux de la guerre de Trente ans, la population protestante ne reçut pas, par la suite, un apport d'immigrants qui lui aurait permis de combler le déficit démographique. En 1684, un *Etat général de la ville* indique 4 380 réformés sur une population de 20 710 habitants, soit 21 %.

Ce déclin, assez sensible, ne peut masquer la place que tenaient les protestants dans la cité messine. La communauté calviniste, étrangère aux institutions nationales de l'Eglise réformée, était riche de pasteurs de qualité, comme Paul Ferry (1591-1669) et David Ancillon (1617-1692). On les trouvait dans toutes les strates de la société locale : parlementaires, officiers du bailliage, échevins, notaires, officiers de l'armée. Ils étaient nombreux dans l'artisanat et le commerce, dans les professions libérales ; certains d'entre eux possédaient des seigneuries dans le pays messin. L'originalité de la communauté réformée provenait aussi de sa situation entre les Pays-Bas espagnols et les duchés lorrains, terres du catholicisme orthodoxe et militant : l'esprit de frontière concernait autant ce groupe calviniste que la majorité catholique.

La vitalité des questions religieuses s'exprimait dans les controverses qui opposèrent des esprits aussi distingués que Paul Ferry et Jacques-Bénigne Bossuet. A l'origine la publication du *Catéchisme général de la Réformation* de Ferry à Sedan (1654) auquel Bossuet répliqua l'année suivante par sa *Réfutation du catéchisme du sieur Paul Ferry*. Des rencontres se déroulèrent dans une atmosphère courtoise, dans le seul souci de convaincre sans imposer. D'une manière générale les protestants ne furent guère inquiétés jusque vers 1679-1680. La fondation du couvent de la Propagation de la foi répondait à un désir d'obtenir la conversion des infidèles : il accueillait les femmes juives et protestantes désireuses d'abjurer. Un établissement similaire, mais masculin, était fondé peu après dans l'espoir de convertir les officiers de l'armée.

CeJourdhuy 21 Septembre 1684 Rachel Estienne aagée de
29 ans natifve de Mets, paroisse St Victor fille de Davi et
Estienne Beaudevivier abjure entre mes mains en la chapelle
des Demoiselles de la Propagation de la foy en présence de tesmoings
a Mets, le 21 Septembre 1684 Elle a amené avec elle
3 enfans, un petit garçon et 2 filles quon esleve en la
Religion Catholique.

CeJourdhuy 22 octob. 1684 Sara Matthieu aagée de 21 an
natifve de Montoye, fille de Paul Matthieu manœuvrier a
a abjuré son heresie entre mes mains en la chapelle des
Demoiselles de la propagation de la foy en presence de tesmoings
a Metz le 22 octob. 1684
marque de la Convertye Sara +

...

Actes d'abjuration à Metz, 1684-1685.

Musée lorrain, Nancy. Cliché P. Mignot.

Sans que l'on puisse parler de persécution, quelques mesures significatives furent prises une fois la paix de Nimègue conclue. Elles marquèrent un durcissement de la politique royale : destruction du temple de la Horgne (1680), exclusion des offices royaux, des maîtrises des métiers, des charges municipales. Le Parlement, fidèle interprète de la volonté royale, surveilla l'application des mesures hostiles aux réformés. Mais, à la différence d'autres communautés du royaume, on n'eut pas recours à la violence ; et les quatre écoles protestantes furent maintenues. Devant cette politique quelques-uns abjurèrent ; d'autres quittèrent le pays, mais la communauté réformée messine restait peu atteinte.

La Révocation de l'édit de Nantes en octobre 1685 frappa avec d'autant plus de force les protestants messins qu'ils avaient été jusque-là relativement épargnés. L'application de la nouvelle politique fut confiée aux gouverneurs et aux intendants, c'est-à-dire, pour les Trois Evêchés au comte Thiard de Bissy et à Jacques Charuel. Le 22 octobre, le Parlement de Metz enregistrait l'édit et ordonnait sans délai la démolition des temples de Metz et de Courcelles-Chaussy. Le même jour, les réformés envoyaient deux députés à Versailles auprès de Louvois qui les chassa sans ménagement.

Dans une première étape (octobre 1685-août 1686), on n'eut pas recours à la force, mais le culte fut suspendu. Les registres paroissiaux protestants, devenus en principe inutiles, furent saisis. Très vite certains choisirent de fuir, ce qui était relativement aisé grâce à la situation frontalière, à l'abondance des forêts et des rivières et à la solidarité des pays voisins. En application des règles édictées, les quatre pasteurs, nantis de passeports, quittèrent la cité mais sans leurs enfants ; ils s'installèrent à Francfort.

Devant les difficultés à parvenir aux objectifs recherchés par le roi, on se décida à recourir aux moyens violents déjà pratiqués dans d'autres villes. Les directives en furent données par Louvois le 20 août. Ainsi vint le temps des dragonnades, confiées surtout au colonel Pinsonnel et à son régiment de dragons, qui s'étaient fait une terrible réputation en Guyenne et en Languedoc. On recensa 1 200 abjurations à Metz en quelques semaines : officiellement il n'y avait plus de protestants mais des « nouveaux convertis ». Ceux qui voulaient rester dans la foi réformée étaient poursuivis, condamnés ; les fugitifs étaient envoyés aux galères.

La persécution s'affaiblit en 1688 avec l'imminence de la guerre, mais le prix de la Révocation était exorbitant. Après la guerre de Trente ans, ce fut au cours du XVIIᵉ siècle un second choc d'une rare gravité qui frappait la cité messine. En premier lieu, ce fut une catastrophe démographique : Metz perdit, en quelques mois, 17 % de sa population. Le nombre des fugitifs fut environ de trois mille ou un peu plus. La plus grande partie (41 % de la population protestante) partit naturellement vers les pays germaniques, où des souverains, comme le landgrave de Cassel et surtout le grand électeur de Brandebourg, Frédéric-Guillaume, étaient disposés à les accueillir et à leur consentir des exemptions et des avantages. Berlin reçut 426 familles messines, dont le pasteur

David Ancillon (1617-1692), *pasteur messin.*

Coll. part.

Charles Ancillon, fils de David Ancillon (1659-1715). *Il se réfugia au Brandebourg.*

B.M. Nancy. Cliché R. Carton.

LA RÉVOCATION DE L'ÉDIT DE NANTES
À METZ

« A Versailles ce 20ᵉ aoust 1686

Monsieur

En execution du commandement que vous verrez par la lettre du Roy cy jointe que sa Maᵗᵉ ma fait de vous explicquer ses intentions, je vous diray que Sa Maᵗᵉ ne jugeant pas a propos de laisser plus longtemps des religionnaires dans la ville de Metz, desire que vous les obligiez tous à se convertir par les mesmes voyes par lesquelles tous ceux qui estoient respandus dans le Royaume ont embrassé la religion catholique. Pour cela sa Maᵗᵉ veut que vous vous rendiez diligemment a Metz, avec Mʳ Charuel, que vous conviez Mons. l'Evesque de Metz de s'y rendre en mesme temps, que vous fassiez assembler les principaux des religionnaires de lad. ville, et leur explicquiez que Sa Maᵗᵉ voulant contribuer a leur salut, et en mesme temps pourvoir au bien de son service dans la ville de Metz, desire qu'ils se fassent instruire auplustost, et embrassent la religion catholique, vous faisant entendre que Sa Maᵗᵉ veut estre obeyë, et que ceux qui ne le feront pas de bonne grace rece-

vront promptement la punition de leur desobeissance, surquoy vous leur donnerez vingt-quatre heures pour se determiner, pendant lesquelles vous ferez toutes les diligences possibles pour les porter a prendre une resolution unanime dobeir a Sa Maᵗᵉ, essayant de gaigner ceux que vous croirez les plus capables de déterminer les autres, apres que le temps que vous leur aurez donné sera expiré. Sa Maᵗᵉ desire que vous chargiez de logement ceux qui n'auront pas voulu obeir et envoyez assez de troupes chez eux pour que la charge qu'ils en souffriront puissent les porter a se soumettre le plustost que faire se pourra,

Les troupes que vous logerez ainsy chez les opiniastres religionnaires devront subsister a leurs despens, et vous devez mesme leur permettre dexiger dix sols par fantassin, vingt-trois sols par dragon, et trente sols par cavalier par jour, Il sera de vostre prudence, pendant ce temps-la, de prendre les précautions necessaires pour qu'aucun religionnaire n'en puisse sortir...

S'il arrive que des religionnaires se distinguent a vouloir exhorter les autres

a ne pas obeir a Sa Maᵗᵉ, vous devez les faire mettre dans de dures prisons, laissant toujours la garnison chez eux pour y vivre a leurs despens.

Si les femmes et les filles ne veulent pas suivre lexemple de leurs maris, ou de leurs peres, vous devez, de concert avec Mons. lEvesque de Metz, les faire mettre dans des convens ou elles puissent estre instruittes, et demeurer enfermées jusques a leur conversion, Sa Maᵗᵉ desire que vous conviez Mons. lEvesque de Metz a faire pendant ce temps la tous les devoirs qui despendent de son ministere pour faire que lon reçoive l'abjuration de ceux qui demanderont a se convertir, et qu'ils soyent instruits des principes de la religion que Sa Maᵗᵉ les obligera dembrasser. »

Lettre de Louvois au comte de Bissy, commandant en chef dans les Trois-Evêchés. Arch. dép. de Saône-et-Loire, fonds Thiard, F 578/4.

Citée par PERNOT (M.), « La révocation de l'édit de Nantes à Metz et dans le pays messin », *A.E.,* 1967, p. 355-386 (p. 368-370).

Cliché Musées de Metz.

Aiguière de Courcelles-Chaussy.

David Ancillon et son fils Charles (1659-1715) qui allait devenir conseiller de l'électeur de Brandebourg. D'autres se rendirent dans le Palatinat et à Deux-Ponts ; quelques-uns enfin s'installèrent dans les Provinces-Unies et à Maastricht dans les Pays-Bas. Les activités économiques furent, pour longtemps, fortement affectées par le départ définitif d'industrieux Messins, particulièrement dans la draperie. Il reste encore à mesurer l'ampleur des mutations foncières et leurs répercussions sociales provoquées par cet exode : les bénéficiaires furent en ville les abbayes et chapitres, et, en campagne, les parlementaires et les officiers du roi. Les « nouveaux convertis » l'étaient superficiellement. C'était l'avis de Louvois : « Il faudra du temps en cette ville pour disposer les nouveaux convertis d'aller à la messe ».

En comparaison, la Révocation de l'édit de Nantes affecta peu les autres pays lorrains occupés. On nota que cinq ou six familles champenoises, de religion réformée venues s'installer dans le Barrois, avaient quitté le pays après 1685. La poursuite des protestants s'effectua aussi sur les frontières orientales de l'espace lorrain, notamment dans le comté de Sarrewerden et dans la principauté de Lixheim, autrefois créée pour accueillir les protestants francophones. On y relevait les mêmes procédés qu'à Metz : destruction de temples, pasteurs chassés, baptêmes à l'église catholique des enfants nés de parents protestants, menaces de poursuites et de galères, confiscation des biens et bannissement pour les relaps. A Lixheim, il y eut pour l'année 1686 cinquante-neuf abjurations ; les fugitifs passèrent par Bischwiller pour s'exiler dans l'Empire, notamment dans la région de Cassel.

Un texte en allemand a été gravé sur le pichet : « Le 21 octobre 1685, l'ancien temple des huguenots de Courcelles-Chaussy a été fermé puis détruit. Les émigrants emportèrent cette aiguière et une autre du même modèle vers leur nouveau lieu de résidence à Ludweiler. Une de ces aiguières a été rendue à la paroisse-mère à l'occasion et en souvenir de l'inauguration du temple de l'empereur Guillaume, le 17 octobre 1895 ».

La poursuite du relèvement

Le principal problème, auquel furent confrontés les responsables politiques et les administrateurs des pays lorrains, fut le relèvement du peuplement et des activités économiques.

Le repeuplement La politique, qui tendait à retrouver un bon niveau démographique, avait porté ses premiers fruits. On a vu les efforts de La Ferté Sénectère entre 1643 et 1661, souvent perturbés par les troubles intérieurs ; à son tour Charles IV avait cherché à attirer des étrangers. Les résultats furent très inégaux d'un bailliage à l'autre. Les zones orientales — particulièrement touchées par la dépopulation — attirèrent nombre de germanophones.

En Europe centrale, la Suisse et le Tyrol, pays de montagne, essaimaient depuis longtemps leur trop plein démographique vers des pays plus avenants et demandeurs de main-d'œuvre. Il n'est donc pas étonnant de relever, dès 1655-1660, la présence de Suisses en Alsace et en Lorraine. A la suite des traités de Westphalie, les mercenaires avaient dû regagner leurs villages où ils créèrent un surcroît de la demande d'emplois. De plus, d'inopportunes mesures douanières et monétaires aggravèrent une mauvaise situation économique et provoquèrent des troubles dans les cantons occidentaux. La révolte fut écrasée en 1653 et la sévère répression qui suivit suscita un important exode. Il semble que l'on effectua des démarches en Suisse pour attirer les colons, promettant la liberté du culte. Dans le comté de Sarrewerden, sur 165 Suisses installés entre 1657 et 1685, 69 % venaient du canton de Berne (selon Robert Greib). Dans la prévôté d'Insming, on relève la présence de Suisses, d'Allemands, de Savoyards et d'Auvergnats. De même le comté de Bitche accueillait à partir de 1662 des Suisses et des Tyroliens, particulièrement des artisans du bâtiment. Mais des Picards s'y installaient aussi, encouragés par les administrateurs français désireux de ne pas assister à une poussée de la germanophonie.

En fait les Picards et les Vermandois arrivaient un peu partout en Lorraine de langue française. On les trouve dès 1663 dans le Saulnois. Il est à signaler que vers 1670 une trentaine de familles d'origine espagnole s'installait chaque année dans la région de Montmédy.

La création ou l'agrandissement des principales places fortes posaient des problèmes de peuplement. Des mesures furent donc prises pour attirer des immigrants. A Phalsbourg, qui ne comprenait plus que vingt-cinq à trente maisons en 1679, les besoins de la nombreuse garnison et des administrateurs civils provoquèrent l'essor de la ville. Charles Lepinte a dénombré plus de huit cents immigrés à Phalsbourg et dans les annexes de Danne et de Vilsberg entre 1680 et 1720, dont 276 de 1681 à 1683 ; on y remarque une forte prépondérance de francophones, soit 682 dont 131 Lorrains, 104 Comtois, 100 Picards, 60 Savoyards, 39 Bourguignons en majorité agriculteurs. L'élément germanophone, avec 60 Suisses sur 130, était représenté par des artisans et des manouvriers. Au total, une population francophone et catholique qui répondait à la volonté du roi et qui modifiait ici les données du tracé de la frontière linguistique.

A Longwy et à Sarrelouis les nouvelles places se peuplèrent en un premier temps avec la disparition de Longwy-Bas et de Vaudrevange. Comme ailleurs, le gouvernement royal promettait des privilèges et des exemptions. La création d'un bailliage, dont le siège était à Longwy, en favorisa le peuplement. Quant à Sarrelouis, en terre germanophone, elle attira de nombreux immigrants français.

Sur le plan rural se poursuivait dans le dernier quart du siècle la restauration du peuplement, de l'habitat et des activités. Le recul de la mortalité épidémique, l'amélioration de la fécondité, l'essor de la nuptialité — sous l'effet entre autres d'un nouveau phénomène : la pression exercée par les immigrants — constituaient les facteurs les plus nets d'un rétablissement démographique. L'accroissement naturel l'emportait, dans cette perspective, sur l'apport étranger.

Malgré la saignée provoquée par la Révocation de l'édit de Nantes, Metz restait, et de fort loin, la principale ville de l'espace lorrain : près de 22 000 en 1679, 20 710 en 1684, moins de 20 000 en 1686. D'autres réformés quittèrent la ville après cette date, phénomène qui ne fut pas compensé par l'immigration.

Musée lorrain, Nancy. Cliché P. Mignot.

A l'enseigne du « Grand Turenne » Paul Bancelin, marchand en Fournirue, à Metz, vendait, dans la deuxième moitié du XVIIᵉ siècle, « Chapeaux de Castor. Loutre, Vigogne, Codebec, Gans de Dain, de senteur, et garny, Bas de Soie, d'Ang.ʳᵉ, Destaine, Rubans façonné et vuy, Crepe po.ʳ le dœuil Mouseline, Tafetas, Coiffe et Echarpe de Tafetas, Dantelles d'Ang.ʳᵉ et du Havre, Gaze de Soye et de fil, Galon, dantelle d'Or, d'Argent fin et faux, Ligature de toutte couleur, Robe de Chambre po.ʳ homme, pour feme, pour Enfants, Guipure, Baudrier, Ceinturon, Plumets, Masques, Mirouers, glace de Mirouers, Colier dambre, Tabac, Poudre de Cipre, Savonettes, Chemise, Cravatte à dantelle, Couverte, Toile d'holande, batiste, blanche et Indienne. Evantaille, Coiffures et autres Sortes de marchandises à la mode à juste prix. » Le portrait de Turenne figure sur un document publicitaire diffusé à l'époque par ce riche négociant.

LES ARBRES LORRAINS

« Il y a dans les montagnes de Vosge une très-grande quantité de bois de toutes espèces, mais particulièrement des sapins, dont on fait des mâts pour les navires ; on en fait aussi des planches en les sciant, et il s'en débite beaucoup par la Moselle à Metz, à Thionville, à Trèves, à Coblentz, et même jusqu'en Hollande par le Rhin, on en fait ce qu'on appelle des voiles ou trains, qui se flottent sur la Moselle.

Outre ces bois des montagnes des Vosges, il y a dans la Lorraine, dans le Barrois, et surtout dans le bailliage d'Allemagne, ou Lorraine allemande, appellée, présentement province de la Sarre, un très-grand nombre de forêts, remplies de toutes sortes de bois de haute futaye. Les Hollandois en tirent par la Sarre et la Moselle des bois de construction pour leur marine ; ces bois de construction sont des chênes.

Il n'y a presque point de communautés qui n'aient des bois communs, qu'elles coupent avec règle et qu'elles partagent ; plusieurs en ont même beaucoup. »

Mémoires concernant les états de Lorraine par M. de Vaubourg. — Bibl. mun. Nancy, ms 730.

Toutefois le nombre des étrangers (surtout Lorrains des duchés, Impériaux, Suisses, Italiens) augmenta de moitié entre 1650-1659 et 1670-1679. Ils étaient en très grande majorité francophones.

Nancy n'avait pas retrouvé son niveau de 1630 et ne dépassait guère 10 000 habitants environ en 1698 ; Bar-le-Duc, 4 000 à 4 300 ; Pont-à-Mousson, 3 800 à 4 000. Toutes les autres villes des duchés avaient une population inférieure à 2 800 habitants.

Les activités économiques

De mars 1671 à juin 1698, Louis XIV légiféra par l'intermédiaire du Parlement de Metz pour la reconstitution des finages par les travaux d'arpentage, la révision des terriers, les « remembrements », comme ce fut le cas à Eblange (1683), Xeuilley (1690), Filstroff (1692), Racrange (1693), Achain (1694), Haigneville (1696), Boulay (1696), Coincourt (1696). Ce mouvement, entamé vers 1680, allait se développer jusque vers 1740. Alors qu'avant la guerre de Trente ans était apparue une génération de nouveaux villages correspondant à une période d'essor démographique, le problème était dorénavant de remettre en l'état antérieur des finages gravement désorganisés.

La production de froment était redevenue importante avec la remise en valeur des sols, particulièrement dans les secteurs de tout temps privilégiés du Vermois, du Xaintois, du pays de Briey, du Saulnois... L'intendant pouvait écrire en 1697 : « La terre est si fort cultivée qu'elle porte tous les ans plus de bled qu'il n'en faut pour trois ans aux habitants du pays, lequel n'est pas beaucoup peuplé ». Toutefois la Lorraine subit — à un faible degré en comparaison avec le centre de la France — les conséquences des mauvaises récoltes de 1691 et surtout de 1693, mais en 1694 « ladite année a esté la plus fertile qui ayt été depuis longtemps en bled, fruits, vin et autres denrées » (chronique anonyme de 1684 à 1725). Dans l'ensemble, le laboureur de 1680-1700 vivait mieux que celui du milieu du siècle, comme en portent témoignage les inventaires après décès, et dans beaucoup d'intérieurs, l'armoire, encore très rustique, avait remplacé le coffre.

Plusieurs autres secteurs de l'activité rurale apparaissaient en pleine activité, parfois sous la pression des besoins de l'armée, tels les foins, les bois. L'huile de navette était exportée à Liège pour les manufactures textiles. Les bœufs vosgiens engraissés étaient expédiés non seulement vers Nancy et Metz, mais aussi vers Bâle et les villes alsaciennes. Le sel toujours recherché était exporté en Rhénanie et en Suisse. Quant à la réanimation des mines d'argent dans la décennie 1660-1670, elle fut éphémère, les fermiers n'en tirant aucun profit. En 1663-1665, les mines de cuivre du Thillot connurent, elles aussi, une médiocre reprise.

Louis Roupert, maître orfèvre à Metz (1668).

B.M. Nancy. Cliché R. Carton.

Les activités industrielles et commerciales étaient pour une large part dans la dépendance des besoins des fortes garnisons. L'intendant Jacques-Etienne Turgot écrivait à propos de Metz : « Tout ce qui regarde la réparation des troupes enrichit et entretient la meilleure partie de ces habitants et c'est presque où se réduit tout le commerce ». Sur l'ensemble de la Lorraine, le nombre et la diversité des droits sur la circulation des marchandises ralentissaient très fortement les échanges et, par là, la production. Selon Turgot « au dessous de Metz, tout le cours de la rivière, à commencer par Thionville, Cattenom et Sierck, est tellement chargé de péages que le prix de la marchandise est plus que doublé quand elle arrive au Rhin ». L'instabilité monétaire, le décri des pièces lorraines en 1692 et le faux monnayage contribuèrent aussi à l'anémie économique.

La présence de garnisons considérables créa des besoins en argent et en fournitures, ce qui favorisa à Metz la croissance des métiers de la communauté juive. Venues pour la plupart d'Allemagne, les familles juives étaient 24 en 1603, puis 119 en 1694 et près de 400 en 1714. A la différence de leur statut dans le reste du royaume, Louis XIV leur octroya des privilèges avantageux et n'hésita pas à visiter leur synagogue en 1657. L'intendant Turgot reconnut qu'en 1698 devant la menace de la disette les Juifs parvinrent à amener six à sept mille sacs de grains, ce qui — dit-il « m'a fait connaître leur liaison, leur industrie, leur utilité, leur usage et l'empressement qu'ils ont de se rendre utiles, même à perte et dans les nécessités, pour se rendre les peuples et les officiers favorables, pour se faire et augmenter leur établissement » (cité par Gilbert Cahen). En fait les artisans et commerçants restaient très hostiles à la présence et aux activités des Juifs. On les accusa de meurtre rituel. En 1670, le Parlement fit arrêter Mayeur Schuaube « le plus riche de tous les Juifs de Metz » accusé d'avoir, avec d'autres, fouetté chez lui un crucifix le jour du Vendredi Saint ; il dut payer une amende de trois mille livres. La même année Raphaël Lévy, de Boulay, accusé d'avoir tué un enfant chrétien, fut brûlé vif.

L'occupation française avant 1661 et après 1670 provoqua l'arrivée de quelques familles juives à Boulay (treize vers 1660), Saint-Avold, Sarreguemines, Marsal. On en trouve aussi à Thionville, Phalsbourg et Sarrelouis, prêtant sur gages, colportant de la friperie, vendant à crédit grains, bétail et vin. La place tenue par les Juifs dans l'activité économique des duchés restait encore très faible en comparaison avec celle de la cité messine.

Les ducs en exil

Pour atténuer le mécontentement des pays hostiles à la France à la suite de la deuxième occupation de la Lorraine, Louis XIV, par l'intermédiaire de Créqui, fit savoir que le seul but de l'opération avait été d'éviter que la paix de l'Europe ne fût une nouvelle fois troublée par Charles IV. L'empereur Léopold envoya à la diète de Ratisbonne un mémoire où il exprimait son ressentiment ; et il dépêcha à Paris le comte de Windischgrätz afin d'obtenir le rétablissement du duc lorrain, mais cette démarche fut vaine. A la fin de 1671, à leur tour, l'électeur de Cologne et l'évêque de Strasbourg intervinrent auprès du roi qui se borna à soumettre à des négociateurs lorrains, le prince de Lillebonne et Canon, un inacceptable traité de paix.

Charles IV de 1670 à 1675

L'occupation de la Lorraine avait été réalisée en fonction de l'attaque imminente de la Hollande, qui se fit le 6 avril 1671. Il n'était pas imaginable que Louis XIV laissât dans les duchés se développer de quelconques menaces. Ainsi, sur l'avis de Choisy, il contraignit la princesse de Lillebonne, fille de Charles IV, à quitter, après son dernier accouchement, la résidence de Commercy, où se retrouvaient les nobles lorrains. De plus Charles IV continuait à donner des lettres de provision pour divers offices et à lever des troupes. Choisy en fut réduit à surenchérir sur le montant des soldes. Le duc ne voulait pas renoncer à ses droits : ainsi il renouvelait l'interdiction faite à ses sujets de faire appel au Parlement de Metz.

Par sécurité Charles IV avait quitté Cologne pour Francfort d'où il poursuivait ses intrigues. L'insuccès de l'expédition française sur la Hollande provoqua en 1673 l'alliance de La Haye entre l'empereur, le roi d'Espagne et les Provinces-

LA PRINCIPAUTÉ DE COMMERCY 1660-1723

François-Marie (1627-1694), fils de Charles de Lorraine, duc d'Elbeuf et veuf de Christine d'Estrées, reçut en 1660 à son mariage avec Anne, fille de Charles IV et de Béatrix de Cusance, la terre de Commercy, que le duc avait achetée au cardinal de Retz. François-Marie, déjà prince de Lillebonne, devint donc selon l'ancien titre « damoiseau de Commercy ».

Inventaire général de Lorraine © SPADEM.

Château de Commercy. *Il a été complètement remanié de 1708 à 1715 par les architectes parisiens, Nicolas Dorbay et Jean-Nicolas Jadot, secondés par le bénédictin Léopold Durand et Germain Boffrand.*

Son fils aîné, Charles-François (1661-1702) reçut le titre de « prince de Commercy ». Il mourut sur le champ de bataille sans avoir été marié. Louis XIV prit possession de Commercy, mais Léopold l'obtint par un traité signé à Metz en mai 1707.

Le 31 décembre 1707, Léopold conféra la terre et seigneurie de Commercy et celle d'Euville à Charles-Henri, le prince de Vaudémont, oncle de Charles-François. Pour la part en possession de la princesse de Lillebonne, une somme de dix mille livres tournois serait versée chaque année jusqu'à deux cent mille livres. Après la mort du prince de Vaudémont, les terres et seigneuries seraient incorporées au duché de Lorraine. En échange, en janvier 1708, le prince et sa jeune femme laissaient à Léopold la baronnie (en partie) de Fénétrange, avec rétention d'usufruit pendant leur vie mais ils renoncèrent à ce profit en 1711. Charles-Henri reçut aussi le comté de Falkenstein. Il fit construire le château de Commercy (1708-1717), dont il fit sa résidence jusqu'à sa mort en 1723.

Charles, prince de Vaudémont (1649-1723), *fils de Charles IV et de Béatrix de Cusance.*

Unies. Charles IV, animé par « le généreux désir dont il est porté de contribuer tout son possible pour le rétablissement d'une paix honneste et durable », rejoignit la coalition. Il s'engageait à former, avec l'aide financière des alliés, 10 000 fantassins et 8 000 cavaliers, dont 3 000 cavaliers « que Son Altesse a présentement sur pied ». En cas de négociations, on accueillerait les ministres lorrains et Charles IV promettait de ne pas traiter séparément. Louis XIV se décida alors à venir inspecter la Lorraine où il reçut les doléances des habitants.

En 1674 l'armée impériale commandée par Montecuculli pénétrait en Alsace par Strasbourg. Turenne se repliait sur la rive gauche de la Haute-Sarre, alors que ses ennemis prenaient leurs quartiers d'hiver Outre-Vosges. Charles IV devait les passer dans le Val-de-Villé et à Saint-Hippolyte, mais l'inaction lui pesait. Après un coup de main, réussi mais mal exploité, à Bénaménil sur un corps de combattants angevins, il ordonna au baron d'Allamont et aux cavaliers lorrains de passer les Vosges ; ils s'emparèrent sans difficulté et sans grand mérite — les places avaient été démantelées — d'Epinal et de Remiremont. Or Turenne opérait, en plein hiver, un large mouvement tournant, et remportait une importante victoire le 5 janvier 1675 à Turckheim sur l'armée des coalisés. Les troupes françaises furent envoyées passer leurs quartiers d'hiver dans le nord-est de la Lorraine.

Les opérations reprirent au cours de l'été de 1675. Les alliés avaient formé le projet de s'emparer de Trèves où se trouvait une forte garnison française. Créqui fut sévèrement battu le 11 août entre Trèves et Consarbruck où les Lorrains se comportèrent avec vaillance ; Trèves se rendit le 6 septembre.

Des combats avec les Suédois dans le nord de l'Empire ne permirent pas de tirer avantage immédiat de cette victoire. On avait même envisagé d'aller mettre le siège devant Metz. Charles IV se mit en route pour rejoindre Montecuculli. Ce fut en traversant le Palatinat dans ce dessein qu'il tomba malade le 14 septembre et qu'il mourut dans la nuit du 17 au 18. Il lui fut fait des obsèques imposantes à Coblence : sa dépouille fut provisoirement déposée dans la crypte du couvent des Capucins, d'où on la transporta en 1717 en Lorraine, et enterrée sans cérémonie, dans la Chartreuse de Bosserville.

Ainsi s'achevait, sur la route de nouveaux combats, la vie d'un prince lorrain, dont le règne avait débuté en 1624. Les contemporains et les historiens se sont accordés, avec quelque sévérité, pour lui reconnaître de réelles qualités d'homme de guerre, mais aussi un goût exagéré des intrigues, qu'elles fussent

Anne de Lorraine, princesse de Lillebonne (1639-1720). *Fille de Charles IV et de Béatrix de Cusance, elle a épousé en 1660 François-Marie de Lorraine-Elbeuf, prince de Lillebonne.*

Musée lorrain, Nancy. Cliché P. Mignot.

CHARLES IV
d'après le marquis de Beauvau

« Voilà la fin de ce grand prince qui avoit ses vertus & ses vices, comme tous les autres hommes, & qui auroit été capable de grandes choses s'il avoit pû modérer la vivacité de son esprit, régler sa conduite, & allier la prudence, qui doit être la première roüe d'un souverain, avec la générosité de son grand cœur. Son ambition le portant dans sa jeunesse à vouloir acquérir de la gloire par les armes, jointe à quelque mécontentement qu'il avoit reçu de la France, lui firent embrasser le parti qui l'a ruiné, & qui a réduit ses états dans une telle desolation que cent ans de paix ne les sçauroient rétablir dans leur premier éclat. Il est impossible qu'un duc de Lorraine, dans la situation où sont ses états se maintienne dans la grandeur de ses ancêtres, s'il ne s'attache sincérement à la Couronne de France, & s'il ne s'accoûtume en quelque sorte aux petites mortifications qu'il peut quelquefois recevoir, comme à la Loi du plus fort : l'Espagne ne l'en pouvant garantir, tant à cause de son éloignement que parce qu'elle a trop de fusées à démêler pour ses intérêts propres.

Ce prince étoit d'une belle stature, fort libre & fort adroit dans toutes ses actions, à pied & à cheval, dur & infatigable au travail, d'un esprit vif & ardent, agréable, civil, & affable aux étrangers ; mais rarement parmi ses sujets, faisant peu de cas de sa Noblesse, & la traitant peu favorablement, jusqu'à n'avoir jamais pû souffrir qu'elle joüit d'aucun de ses priviléges, prompt & fâcheux avec ses domestiques...

Il était d'une avarice qui paraissait insatiable et qui le rendait peu libéral... Il étoit de bonne humeur, galand & enjoüé parmi les dames, pour lesquelles il a toûjours témoigné une forte passion, jusqu'à contracter des mariages honteux, si ses parents ne s'y étoient fortement opposez ; & quoi qu'il semblât que l'âge dût consommer cette passion, elle a parû néanmoins jusqu'à la fin. Parmi tout cela il paroissoit dévot, & particuliérement au S. Sacrement, comme à la source de toutes les dévotions... »

B.M. Nancy. Cliché R. Carton.

Charles IV à la fin de sa vie.

politiques ou sentimentales. Par son inconstance et son courage il fut une perpétuelle source d'inquiétudes pour la France, « mais on ne doit pas dissimuler que l'acharnement des deux cardinaux ministres de France à le vouloir dépouiller de ses états n'ait beaucoup influé au peu de solidité de sa conduite, à ses impatiences et à ses dépits, qui lui furent si fatals » (dom Augustin Calmet). Son principal mérite fut d'avoir, même aux pires moments, incarné les duchés lorrains et assuré leur continuité. Profondément imprégné de l'esprit d'une philosophie politique modelée par le message du concile de Trente, il voulut, toute sa vie, rester fidèle à la tradition et la mission que s'étaient reconnus les ducs lorrains. Louis XIV interdit en Lorraine tout service funèbre à la mémoire du duc.

Charles V

L'héritier des duchés était Charles, fils de Nicolas-François et neveu de Charles IV. L'occupation de la Lorraine par la France avait contraint ses parents à l'exil à Florence, puis à Vienne où ils bénéficièrent de l'appui d'Éléonor de Gonzague, sœur de l'épouse du duc Henri II. Charles naquit donc à Vienne le 3 avril 1643. Sa situation de cadet le destinait à une carrière ecclésiastique jusqu'au jour où mourut en 1659 son frère aîné Ferdinand ; en 1663 il installait d'ailleurs sa résidence à Vienne. Dès l'année suivante, il se distinguait dans le combat contre les Turcs à Saint-Gothard sur le Raab. A deux reprises il fut, mais sans succès, candidat au trône de Pologne.

Officiellement Charles était l'héritier de Charles IV, qui avait pris également des dispositions en faveur de son fils, Charles-Henri, prince de Vaudémont auquel il donnait la partie orientale de ses états. Ce dernier et Charles avaient passé une convention en janvier 1675 par laquelle étaient aplanis les différends. Il n'y avait plus d'obstacle à ce que Charles, pour lors cantonné près de Lauterbourg avec l'armée impériale, devînt Charles V, duc de Lorraine et de Bar. Ses troupes et les princes coalisés le reconnurent comme tel ; en décembre 1675, le procureur de Charles V renouvelait le traité d'alliance de La Haye.

Le « règne » de Charles V allait durer quinze années au cours desquelles il parcourut l'Europe à la tête de l'armée impériale. Le retrait de Montecuculli lui permit de devenir le généralissime ; c'était la consécration des qualités guerrières d'un homme de trente-deux ans. Or les opérations militaires continuaient.

LA COUR DE CHARLES V A INNSBRUCK

« En 1683, au moment du siège de Vienne, la mère de la duchesse, l'impératrice douairière Éléonor se réfugia à Innsbruck avec une suite de soixante personnes qui dut être prise en charge par les autorités locales.

L'installation du couple princier à la *Hofburg* d'Innsbruck nécessita de nombreux travaux car le palais était délaissé depuis plus de dix ans. Les appartements furent entièrement remis en état et la salle où se réunissait le conseil privé fut pourvue d'un mobilier neuf et ornée de tapisseries.

La Cour était assez importante pour une petite ville telle qu'Innsbruck puisqu'elle compta entre cent trente et cent quarante personnes. Parmi ceux qui la composaient, quatre-vingt-cinq avaient des noms allemands ou autrichiens, quinze des noms italiens, dix-huit français (plutôt lorrains), vingt-deux polonais et slaves et on y trouvait même un Irlandais. A sa tête, elle avait un admi-

nistrateur (*Hofburgpfleger*) et elle comprenait des dames, des gentilhommes, un ou deux médecins (le docteur Nicolas Valet vers 1686, puis Johann Behemd de 1686 à 1693), un pharmacien, un confesseur, des desservants pour la chapelle, deux à trois secrétaires dont un Allemand et un Français et environ une dizaine de pages. Le duc bénéficiait par ailleurs d'une garde personnelle d'une quarantaine d'hommes commandés par deux officiers.

Les Lorrains n'étaient pas très nombreux dans l'entourage du prince mais certains ont conservé une relative notoriété tel le peintre Charles Herbel qui peignit les batailles contre les Turcs auxquelles il avait souvent assisté ainsi que des sujets religieux. Signalons encore la présence du doyen de Saint-Dié, François Le Bègue qui joua en quelque sorte le rôle de premier ministre du duc de Lorraine, essentiellement pour les affaires concernant les duchés.

Il l'a accompagné dans tous ses déplacements et, selon Dom Calmet, il a laissé plusieurs volumes de mémoires manuscrits sur la vie de son maître. Il entretint une correspondance suivie avec le président Canon qui voyageait et négociait pour le duc.

A côté de ces personnages aux fonctions relativement importantes, il existait l'habituel petit monde comprenant des cuisiniers (parmi lesquels un Français), un charcutier, un confiseur, des cochers, des écuyers, un forgeron, un sellier-bourrelier. La Cour comptait encore deux tailleurs, l'un s'occupant des hommes, l'autre des femmes, un cordonnier, un orfèvre et un tapissier. Un joueur de luth, deux trompettistes et un nain-bouffon étaient chargés de distraire la compagnie. »

GABER (S.), *Et Charles V arrêta la marche des Turcs...*, Nancy, 1986 (p. 119-120).

CHARLES V ET LE PAPE INNOCENT XI
Du camp de Hochberg, le 9 juin 1678

« Les soins paternels que Votre Sainteté donne au rétablissement de la paix dans la Chrétienté m'oblige à l'informer des choses qui concernent le recouvrement de mes Etats dans la confiance que j'en dois prendre en sa bonté, en sa justice et en sa puissante médiation.

Elle est si pleinement informée des dispositions de Hollande, d'Angleterre et d'Espagne, et elle sait si fort les choses qui se passent dans l'assemblée de Nimègue que je ne dois lui parler que de ce qui me touche, et lui représenter que la France m'offre deux alternatives également désavantageuses et telles que je n'y puis que rencontrer l'anéantissement de ma Maison et de ma souveraineté. Dans la première, elle prétend mon duché de Bar, qui à plus de 34 lieues de longueur et plus de 18 de largeur, où j'ai plus de 30 villes et 6 à 700 bourgs et villages, le plus bel endroit de mon pays, le plus fertile, et le plus en état ; me remet au traité des Pyrénées qui a été fait sans que

personne ait agi pour ma Maison et contre lequel Son Altesse a fait des protestations authentiques puisque ce traité faisait la ruine de ses Etats.

Dans l'autre alternative de l'échange de Nancy contre la ville de Toul, on m'ôte le centre de mon pays, la seule maison qui me reste, les plus fidèles de mes sujets, le plus solide de mon domaine, une des belles et grandes villes de l'Europe, et dont l'enceinte était autrefois de 17 bastions royaux, pour me donner une villette de quatre ou cinq rues et où il n'y a pas 300 bourgeois.

Cette cession emporte de plus des routes et des coupures dans tous mes Etats, de manière que je n'aurais plus ni pays ni Etat, mais des terres enclavées dans le Royaume de France, et je ne puis rendre plus sensible à Votre Sainteté le désavantage de cet échange, que lui représentant qu'on le met en parallèle avec la perte de tout un duché et qu'on me laisse le choix de cette alternative.

Sur quoi, je prendrai la liberté de dire à Votre Sainteté que je ne puis me réduire à prendre aucun de ces partis, et que l'un et l'autre étant également ma ruine, je ne puis y consentir quelque chose qui puisse arriver dans le temps, m'étant bien moins désavantageux et à ma Maison...

... Toutes ces raisons, Très-Saint-Père, me donnent lieu de recourir à Votre Sainteté, dans cette conjoncture, où il s'agit du rétablissement ou de l'anéantissement de ma Maison, et de la supplier de vouloir me continuer sa protection pour le recouvrement de mes Etats ; c'est la supplication très humble que j'en dois faire à Votre Sainteté, priant Dieu qu'il la conserve de longues et heureuses années dans le gouvernement de sa Sainte Eglise... »

Arch. dép. M.-et-M., 3 F 102, f° 325, cité par ETIENNE (J.-L.), *Charles V et les tentatives de recouvrement de ses états (1675-1679)*, MM. univ. Nancy, 1968.

Charles V parvenait à obtenir la chute de la puissante place de Philippsbourg, défendue par trois mille Français (septembre 1676), alors que les pourparlers étaient entamés à Nimègue. Charles V crut pouvoir reprendre ses états. En mai 1677 il entrait à Strasbourg et se dirigeait sur Sarrelouis et Sarrebruck, dont il s'emparait. Mais les Français l'attendaient près de Moyenvic ; là Créqui reprit la technique de l'inondation par l'ouverture de la digue de l'étang de Lindre, et détruisit les moulins de la vallée de la Seille. Cela ne suffit pas : Charles V parvint à franchir la rivière et à arriver jusqu'à Port-sur-Seille à proximité de Pont-à-Mousson. La capitale ducale n'était plus qu'à quelques kilomètres. Mais après le sévère engagement de Morville-sur-Seille le 14 juin, Charles V dut abandonner l'espoir d'atteindre Nancy. Il se replia sur Argancy entre Metz et Thionville, puis, à la nouvelle des opérations menées par les Hollandais et les Espagnols dans le nord, il voulut porter renfort au prince d'Orange qui entamait le siège de Charleroi. Il se dirigea donc vers la Champagne passant par Bouzonville, franchit la Moselle en aval de Sierck et prit la route de l'ouest par Sancy, Châtillon, Jametz et Mouzon, surveillé à distance par Créqui. Seuls quelques affrontements se produisirent à Châtillon les 29 et 30 juillet. Comme la levée du siège de Charleroi rendait inutile la venue de ses renforts, Charles V regagna Philippsbourg par Arlon, Sarrelouis et Sarrebruck (août-septembre).

Dans cette atmosphère de guerre intervint le mariage du duc avec Eléonor-Marie, fille de l'empereur Ferdinand et demi-sœur de Léopold, qui avait épousé en premières noces le roi de Pologne, Michel Koribut, mort en 1671. C'était répondre aux vœux de Charles V, désireux de contracter une alliance avec une princesse de la famille des Habsbourg. Léopold tarda à donner son acceptation. Le mariage fut célébré le 6 février 1678 dans la résidence impériale de Wiener-Neustadt en présence de la famille impériale et de quelques Lorrains fidèles. Puisque Charles V avait la charge de gouverneur du Tyrol, lui et ses proches s'installèrent en avril à Innsbruck entouré d'une petite cour.

Quelques jours plus tard Charles V reprenait le commandement de l'armée impériale alors que progressaient les pourparlers à Nimègue. En effet, en l'attente de la paix, les hostilités continuaient : de nouveau, Charles V, à qui l'empereur avait fixé comme objectif la conquête du Brisgau et de l'Alsace, se trouvait face à Créqui. Les habiles manœuvres du maréchal français faillirent réussir et Charles V n'échappa à l'encerclement qu'en traversant la Forêt Noire réputée impénétrable. Il put ainsi débloquer Offenbourg, mais, devant la disproportion des forces, il se retira.

A Nimègue avaient été admis non comme ambassadeurs, mais seulement comme plénipotentiaires, les envoyés de Charles V, le baron de Serainchamps et surtout le mirecurtien Claude-François Canon, ancien président de la Cour souveraine. Ils demandèrent vainement la restitution des duchés en l'état où ils étaient en 1624. En avril 1678, Louis XIV proposait deux solutions : le retour aux articles 62 à 78 du traité des Pyrénées, c'est-à-dire remise en possession de Charles V du duché de Lorraine, mais non du duché de Bar, du comté de

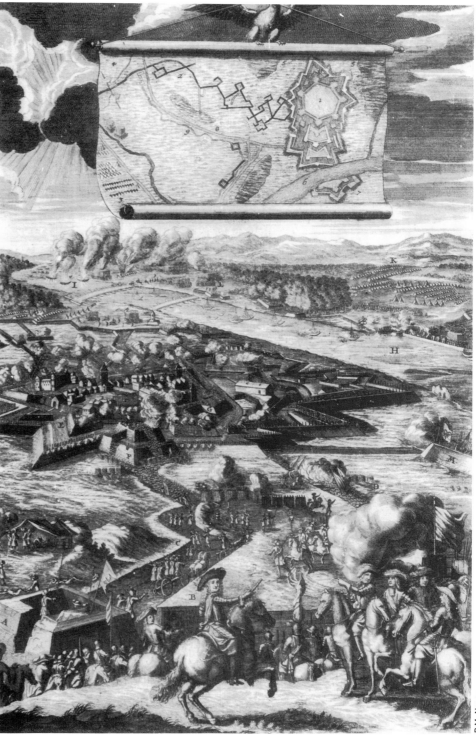

Le passage de la Forêt Noire par Charles V (1678). *Extrait de* [DE PONT]. Abrégé historique et iconographique de la vie de Charles V..., *Nancy, 1701.*

B.M. Nancy.

LE PRINCE CHARLE DE LORAINE . *Generalissime des Armées de l'Empereur en Hongrie, & c Fils du Prince François de Loraine, & de Claudine de Loraine Nacquit en 1643. Il a Espousé Eléonor d'Autriche, fille de l'Empereur Ferdinand 3°. Reyne Douairiere de Pologne.*

Charles V de Lorraine.

Au fond le rappel de sa victoire sur les Turcs et la prise de Bude en 1686.

Musée lorrain, Nancy. Cliché P. Mignot.

L'Illustre Famille du Prince Charles Duc de Lorraine

Sans aller rechercher ce qu'ont fait les Cesars
A former des heros ce portrait doit Suffire
Vous princes que savine L'Exemple de ce Mars

C'est votre pere et c'est tout dire
Que ne doit point de vous attendre tout l'Empire

La famille de Charles V, duc de Lorraine.

Musée lorrain, Nancy. Cliché P. Mignot.

Clermont, des prévôtés de Stenay, Dun et Jametz, de la saline de Moyenvic et de Marville. Ou bien restitution des duchés, amputés de Nancy, de Longwy et sa prévôté, et de Marsal, et création, au profit de la France de trois couloirs de Nancy à Saint-Dizier, à Vesoul et à l'Alsace ; en échange Charles V obtiendrait Toul et un territoire équivalent à la prévôté de Longwy.

Ces dispositions, non négociables et d'une dureté qui surprit les alliés, provoquèrent les protestations de Canon, appuyé par les Impériaux. Mais le sort de la Lorraine ne lui appartenait pas. L'empereur et les princes germaniques étaient abandonnés par les Provinces-Unies puis par les Espagnols qui, en septembre 1678, parvenaient à s'entendre avec Louis XIV. L'empereur Léopold décida de conclure la paix et fit pression sur Charles V pour qu'il ne rejetât point toutes les propositions françaises. Le 4 novembre 1678, au nom du duc, Canon déclarait accepter la seconde solution, mais demandait des aménagements à propos de Nancy, de la prévôté de Longwy et des voies militaires. Les plénipotentiaires français lui répondirent avec dédain « qu'ils ne se chargeraient pas même de faire savoir au roi ces propositions et que le prince se devait désabuser de ses vaines espérances » (cité par Jean-Louis Etienne).

L'échec de l'expédition sur l'Alsace contraignait l'empereur Léopold à conclure la paix à Nimègue le 5 février 1679 : les articles 12 à 22 contenaient les dispositions, pour la Lorraine, du deuxième projet sans que l'on exigeât, avant signature du traité, l'accord de Charles V. Celui-ci tenta d'obtenir de meilleures conditions en faisant intervenir l'électeur de Bavière et la duchesse de Mecklembourg ; leur médiation fut repoussée. Le 20 avril 1679, Canon faisait part du refus de Charles V d'adhérer aux dispositions de Nimègue. Le 3 juillet 1679, Louis XIV, pour lequel la question était réglée, ordonna aux Lorrains qui

Eléonor-Marie de Habsbourg (1678-1697)
épouse de Charles V.

Musée lorrain, Nancy. Cliché P. Mignot.

servaient des princes étrangers de rentrer chez eux, sinon leurs biens seraient confisqués. Charles V se plia à cette exigence afin de ne pas porter préjudice à des sujets qui lui étaient restés fidèles.

Le destin de Charles V s'inscrivait dorér.avant hors de la Lorraine. Resté généralissime des armées impériales, il allait obtenir une renommée internationale le 12 septembre 1683 en délivrant, avec la collaboration de Jean Sobieski, roi de Pologne, Vienne assiégée par les Turcs. Trois ans plus tard, il s'emparait de Bude (2 septembre 1686), puis de la Transylvanie en 1687.

Malgré un état de santé fragile (il était probablement tuberculeux), il participa aux premières batailles de la guerre de la Ligue d'Augsbourg. Placé par l'empereur à la tête de l'armée du Rhin, il chassa les Français de Mayence (septembre 1689) et de Bonn (octobre). Puis il repartit vers Innsbruck pour y passer l'hiver. Ce fut en se rendant à une convocation de l'empereur qu'il tomba malade (inflammation du carrefour pharyngé) à Wels et qu'il y mourut le 18 avril 1690, après avoir été « le duc de Lorraine et de Bar » pendant quinze années. Un moment Charles V avait cru pouvoir récupérer ses états, mais la malheureuse campagne de 1677 l'avait convaincu de l'impossibilité d'y parvenir par les armes.

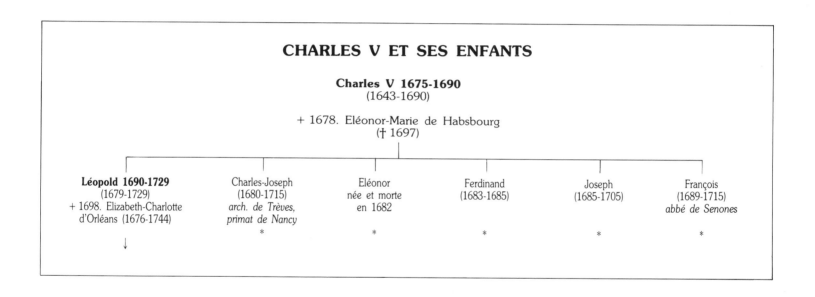

CHARLES V ET SES ENFANTS

Charles V 1675-1690
(1643-1690)

+ 1678. Eléonor-Marie de Habsbourg
(† 1697)

Léopold 1690-1729	Charles-Joseph	Eléonor	Ferdinand	Joseph	François
(1679-1729)	(1680-1715)	née et morte	(1683-1685)	(1685-1705)	(1689-1715)
+ 1698. Elizabeth-Charlotte	*arch. de Trèves,*	en 1682			*abbé de Senones*
d'Orléans (1676-1744)	*primat de Nancy*				
↓	*	*	*	*	*

Léopold I
de 1690 à 1698

Le successeur était un enfant. Charles V avait en effet trente-cinq ans lorsqu'il avait épousé en 1678 Eléonor-Marie de Habsbourg, fille et sœur d'empereurs. Leur fils aîné Léopold naquit à Innsbruck le 11 septembre 1679. Le jeune prince, maladif, eut une petite enfance difficile. Ce fut sa mère, très cultivée et parlant plusieurs langues, qui lui donna les premiers rudiments d'éducation.

A douze ans, devenu duc de Lorraine et de Bar, il vint à la Cour de Vienne où il fut élevé en compagnie de ses cousins germains Joseph et Charles, fils de l'empereur. Son éducation porta l'empreinte de trois hommes. Le père Ehrenfried Creitzen, noble saxon, luthérien devenu jésuite, lui inculqua les préceptes de la religion. Lord Francis Taaffe, comte de Carlingford, Irlandais issu d'une famille restée fidèle aux Stuart et émigrée à Vienne, avait combattu aux côtés de Charles V ; il était devenu chambellan, maréchal de camp et conseiller d'Empire. Le précepteur le plus important fut un Lorrain, François Le Bègue, doyen du chapitre de Saint-Dié, qui avait été dévoué à Charles V. L'heureuse association d'hommes d'origines et de fonctions différentes porta ses fruits, et à dix-sept ans le jeune prince soutenait ses thèses de droit.

Il lui restait, dans la tradition des ducs de Lorraine, à montrer ses dispositions d'homme de guerre. En 1696 il obtint de l'empereur l'autorisation de faire campagne contre les Turcs. Il rejoignit à la fin du mois de juillet l'armée impériale commandée par l'électeur de Saxe. A la tête de ses deux régiments lorrains de Sainte-Croix et de Bassompierre, il participa au siège infructueux de Temesvar (Timisoara). L'année suivante il fit campagne avec l'armée du Rhin sous le commandement du prince Louis de Bade, qui le laissa s'emparer de la forteresse d'Eberbach, à proximité d'Heidelberg.

Or la guerre de la Ligue d'Augsbourg s'éternisait. Les pays belligérants étaient écrasés par la fiscalité et tous étaient las de se battre. Le commerce des Anglais et des Néerlandais subissait de grandes pertes ; l'empereur restait confronté au problème turc. Quant à la France, elle était épuisée au sortir de la disette de 1693-1694 et de la débâcle financière.

Avant même le début des négociations, Louis XIV fit en 1696 une démarche auprès de la mère de Léopold par l'intermédiaire du comte lorrain Charles-François de Couvonges. Celui-ci vit à Innsbruck Eléonor-Marie et lui proposa de rétablir les duchés dans leurs frontières de 1670. En échange le roi escomptait l'intervention de celle-ci auprès de l'empereur, son frère, afin qu'il fasse une paix séparée avec la France. Mais Eléonor-Marie refusa de s'engager pleinement et Couvonges revint à Nancy.

Or le 9 mai 1697 s'ouvrait à Ryswick, près de La Haye, le congrès, auquel participèrent les Lorrains Claude-François Canon et Joseph Le Bègue. Le traité concernant la France et l'Empire était signé le 30 octobre 1697 et ratifié le 13 décembre.

Léopold obtenait la restitution des duchés de Lorraine et de Bar ; il gardait les remparts de la Ville-Vieille, mais il devait raser ceux de la Ville-Neuve, comme les défenses de Bitche et Hombourg. Louis XIV s'attribuait Sarrelouis « avec la banlieue d'une demi-lieue de tour », ainsi que Longwy et sa prévôté, à charge de laisser au duc une compensation prise sur le territoire, mais qui restait à déterminer. De plus le duc acceptait que les armées françaises puissent traverser ses états. Etaient prévus aussi la restitution des archives ducales, le maintien de la possession des bénéfices ecclésiastiques pourvus par le roi, et la liberté du commerce, surtout pour le bois et le sel, entre la Lorraine et la généralité de Metz. Telle qu'elle se présentait, avec ces importantes restrictions, la paix assurait la renaissance inattendue des duchés, conséquence d'un certain déclin du royaume de France.

Le triomphe de Charles V, vainqueur des Turcs. *Allégorie attribuée à Charles Herbel.*

LE RENOUVEAU

4

L'INDÉPENDANCE RETROUVÉE

Après plus de soixante années de guerres à peine interrompues par de brefs répits, la Lorraine retrouvait, au tournant du siècle, une certaine sérénité. Grâce à l'évolution de la conjoncture politique les duchés étaient rendus à une indépendance dont peu avaient gardé le souvenir. Les évêchés, depuis longtemps déjà, étaient devenus une partie de la France, nantis d'une mission de protection militaire. Les habitants de l'une et l'autre Lorraine, condamnés à vivre côte à côte, restaient soumis au jeu politique international, conscients de la précarité des influences que d'autres exerçaient dans le cadre de l'espace inclus entre Meuse et Rhin.

La Maison ducale de Lorraine rentrait donc en possession de ses états occupés depuis 1670. Mais il ne s'agissait plus exactement des duchés de Charles III ou de Henri II : aux remaniements territoriaux, s'ajoutait la déchirure de 1661 par le « passage d'Allemagne » ou « route de France » qui coupait en deux la Lorraine ducale et symbolisait une certaine dépendance vis-à-vis de Louis XIV.

L'administration provisoire des duchés

Léopold, alors âgé de dix-huit ans, différa sa venue dans ses états, soucieux d'attendre le départ des troupes françaises et préoccupé par l'état de santé de sa mère. Il fallait aussi s'occuper des nécessaires préparatifs matériels.

Eléonor-Marie, veuve de Charles V, mourut en effet le 17 décembre 1697. Hormis des joyaux et des meubles précieux, on ne sait avec certitude si Léopold a obtenu la totalité de l'héritage laissé par sa mère. Or le problème financier se posa dès les premiers jours lorsqu'il fallut consacrer beaucoup d'argent et emprunter pour payer le coût très élevé du transfert de la Cour en Lorraine ; les frais de représentation antérieurs avaient déjà été la cause de plusieurs emprunts à Vienne et à Innsbruck.

Les commissaires

La gestion des affaires lorraines fit l'objet de longues discussions entre son oncle l'empereur et Léopold, inexpérimenté, incertain sur les options à prendre et sur les hommes à charger des tâches administratives.

Trois personnages furent désignés. En premier lieu, un Irlandais, ancien gouverneur du jeune duc, François Taaffe, comte de Carlingford, maréchal, conseiller d'état qui, malgré son origine, était un homme de l'empereur. Puis celui qui avait assuré la formation religieuse de Léopold, l'abbé François Le Bègue, doyen du chapitre de Saint-Dié, chef du Conseil ; et Claude-François Canon, le négociateur de Nimègue et Ryswick.

Léopold, avant le départ des trois commissaires, avait remercié Louis XIV dans une lettre du 22 novembre 1697, « pour la bonté » qu'il avait eu de le faire rentrer dans ses états. Il lui annonçait aussi la venue à Versailles de son ambassadeur, le comte Charles-François de Couvonges.

Les commissaires désignés arrivèrent le 21 janvier à Saint-Nicolas-de-Port où ils restèrent quelques jours. Les professeurs de l'université de Pont-à-Mousson y vinrent les accueillir et Charles-Antoine Pillement, le doyen de la faculté de droit, prononça plusieurs harangues. Le 4 février les envoyés de Léopold étaient à Nancy, accueillis par des manifestations de joie. La Lorraine restait encore occupée par d'importantes troupes françaises, estimées à 22 000 soldats. A Nancy, beaucoup d'entre eux furent employés à démolir les fortifications de la Ville-Neuve et à faire sauter les ouvrages extérieurs. Deux régiments restèrent jusqu'en août 1698 pour achever le travail.

B.M. Nancy. Cliché R. Carton.

Claude-François Canon *né à Mirecourt en 1623, président de la Cour souveraine de 1668 à sa mort en 1698.*

La restauration des institutions

Les mesures essentielles furent publiées quelques jours seulement après l'arrivée des trois commissaires. Il est révélateur que le premier acte concernait la fiscalité. Au titre de l'exercice du droit de « Joyeux avènement », était levée une contribution égale à la capitation perçue l'année précédente soit : par moitié en mars et autre moitié en mai (10 février 1698). Il est à remarquer que le premier quartier de la capitation avait été levé par les Français pour le premier trimestre de l'année : Louis XIV restitua 50 000 écus à Léopold. Le 26 février était établi, à l'exemple français, un droit de timbre pour les papiers et parchemins où étaient consignés les actes.

Les 12-16 février furent publiées les ordonnances concernant les structures administratives et judiciaires. Clef de voûte du système, la Cour souveraine de Lorraine et Barrois, supprimée depuis 1670, était rétablie avec Claude-François Canon comme président. On y comptait cinq membres : un conseiller-prélat, le grand-prévôt de l'église de Saint-Dié, l'abbé François de Riguet ; les conseillers Serre, Bousmard, George, et Charles de Rennel d'Andilly, assistés d'un substitut et de deux greffiers.

Puis furent rétablis les bailliages avec les officiers qui y étaient attachés « pour faire fonction de leurs charges selon l'ancien usage ». Au bailliage de Nancy siégeaient un lieutenant général au civil et au criminel, qui fut le baron Marc-Antoine de Mahuet, et trois conseillers (Rutant, Noirel et Bardin), mais on prévoyait la nomination d'autres conseillers. Les autres bailliages du duché furent — en attente de la grande réforme du 31 août 1698 — ceux de Vosge à Mirecourt, de Pont-à-Mousson et d'Allemagne, dont le chef-lieu fut d'abord fixé à Boulay, puis, le 13 juillet suivant, à Sarreguemines qui apparaissait mieux situé pour veiller aux droits perçus à la frontière.

Depuis le 27 août 1670 l'administration française avait mis en place un certain nombre d'offices de tabellion aux côtés de ceux qui existaient antérieurement ; ces derniers devaient être supprimés, mais en raison de leur petit nombre on fit preuve de tolérance.

Toujours dans le but de clarifier la situation on fit procéder à la vérification des lettres de licence des avocats, et des provisions pour les officiers locaux (prévôts et maires) et pour tous les officiers de justice.

La restauration économique

Parallèlement à l'œuvre de remise en marche de l'appareil administratif et judiciaire, les trois commissaires prirent les mesures les plus urgentes dans le domaine économique avant même l'arrivée de Léopold dans ses états.

L'attention portée, dès les premiers jours, aux forêts peut étonner car, sans attendre le résultat des enquêtes mises sur pied, un règlement autorisait, dès le 12 février, la vente de bois par les maîtrises des eaux et forêts. Les commissaires-enquêteurs eurent mission de « dresser un bref état des dégradations ».

Charles IV s'était préoccupé en 1665 de laisser la possibilité aux artisans de s'établir sans apprentissage, ni production de chef-d'œuvre. Or les métiers continuaient à maintenir des obstacles et des droits élevés pour ceux qui aspiraient à exercer leurs activités ; l'ordonnance du 2 avril évoquait un « temps où le bien du service de Sadite Altesse veut au contraire que l'on aplanisse toutes les difficultés et que l'on se serve de toutes les voyes raisonnables pour repeupler ses états ». Chacun pouvait sans apprentissage ni réalisation du chef-d'œuvre « tenir boutique ouverte » ; ses ouvrages seraient soumis au droit de visite par les maîtres et les jurés des métiers. Au terme de cinq années, l'artisan devait produire le chef-d'œuvre et régler les droits habituels.

S'inspirant de mesures antérieures, les dispositions prises le 2 avril 1698 visaient au repeuplement des villages : exemption pendant une année des impôts et logements de soldats, mais non des redevances seigneuriales et des dîmes ecclésiastiques pour les jeunes mariés et pour tout étranger s'établissant dans les duchés. Mêmes avantages, mais pendant trois années, pour les laboureurs ou manouvriers étrangers qui bâtiraient de nouvelles maisons ou rétabliraient des masures (maisons tombées en ruines). Sur un plan plus général, un moratoire de neuf mois était accordé le 3 avril 1698 aux communautés urbaines ou rurales.

Les commissaires ducaux eurent soin de protéger les vins lorrains, victimes de la concurrence étrangère. Les marchands qui se livreraient à leur trafic seraient

François de Riguet (vers 1618-1701). *Grand-prévôt de l'église de Saint-Dié (1659), conseiller-prélat à la Cour souveraine (1667), grand-aumônier à la Cour de Léopold (1698).*

poursuivis. La ville de Metz suivait la même attitude. Son ordonnance du 22 avril préfigurait dans des termes identiques la mesure ducale du 3 mai : défense d'importer de nouveaux vins ; sortie dans les quinze jours de ceux qui étaient entrés auparavant.

L'état de guerre quasi-permanent pendant soixante-dix ans avait favorisé la dispersion des armes, conservées par de nombreux sujets qui les utilisaient pour chasser. Or la pratique de la chasse était par excellence le privilège de la noblesse, et plus encore des rois et des princes. On a donc voulu remédier très tôt à cet état de fait et réhabiliter la chasse. La charge de grand veneur fut laissée à Jean-Claude de Cussigny, comte de Viange, et après sa mort en 1699, au comte Charles de Raigecourt. A partir de juin 1698, le grand veneur était assisté par un « capitaine des chasses ducales » dans chaque bailliage, qui avait faculté d'ordonner des chasses aux loups, aux renards, aux chats sauvages « et autres bêtes puantes ».

On institua très tôt (28 février) des gardes-chasses « pour faire soigneusement recherche de tous ceux qui s'arrogent induement l'autorité de chasser » et en faire rapport. Le grand règlement fut pris le 17 avril : réaffirmation solennelle de l'interdiction de chasser, particulièrement sur les terres du duc ; établissement de gardes-chasses seigneuriaux ; défense de braconner par « filets, lacs, bricols, colliers et attrapes », notamment par les « bûcherons, charbonniers, cercleurs, faucheurs, moissonneurs » ; obligation d'attacher un « bracol » de bois, d'une longueur de 70 cm au collier des chiens : la moitié des amendes allait aux gardes-chasses.

Le retour de la famille ducale

Le 16 août 1698 le comte Thiard de Bissy, lieutenant général, quittait Nancy avec les régiments de Guyenne et de Languedoc au terme d'une occupation commencée le 26 août 1670 et après avoir la veille remis la place à Carlingford. Or à cette date Léopold et les siens étaient depuis trois mois entrés en Lorraine.

De Vienne à Nancy

Léopold avait quitté la Cour impériale après avoir pris « le divertissement de la chasse » avec l'empereur et le roi des Romains à Laxenburg. Il partit le 14 avril 1698 accompagné de son frère François qui n'avait pas encore dix ans. Dans l'expédition figuraient ceux qui étaient, malgré les épreuves, restés fidèles à la Maison de Lorraine, des Stainville, Custine, Lunati, Spada, Gorcy, Armoises. Les jeunes princes Charles-Joseph et Joseph restèrent à Vienne. A Constance vinrent à la rencontre du duc deux membres de la chevalerie lorraine, le marquis de Beauvau-Craon et le comte d'Apremont. D'autres se joignirent au cortège à Strasbourg le 12 mai. Puis Léopold foula pour la première fois le sol de ses états : le 14 mai il était à Blâmont, accueilli par cent cavaliers nancéiens. Le lendemain plusieurs autres compagnies, qui s'étaient constituées pour se porter à sa rencontre, se joignirent au cortège.

Le 15 mai Léopold arrivait à Lunéville. Selon dom Calmet « il y parut avec un éclat et une magnificence en carrosses, en chevaux, en meubles, en domestiques, en argenterie, en suite qui étonnèrent tous ceux qui en furent témoins et qui ne pouvoient se lasser d'admirer qu'une Maison, qui avoit essuyé tant de traverses, fist éclater tant de magnificence et de si grandes richesses. L'écurie du duc étoit une des plus belles de l'Europe, ayant sept cents chevaux et trente-six attelages de carosses ». Refusant de venir à Nancy tant que des Français l'occuperaient, le duc lorrain choisit d'attendre à Lunéville leur départ. Le château, construit près d'un siècle auparavant, n'était pas en état de l'accueillir ; il s'installa provisoirement dans l'hôtel du commandant de la ville et toute sa suite éprouva d'énormes difficultés à trouver sur place les logements nécessaires. Le lieutenant général français Thiard de Bissy vint le saluer et proposer deux compagnies pour former sa garde ; le duc remercia et les renvoya peu après.

Nancy libérée à la suite du départ des troupes royales, Léopold put y entrer incognito le 17 août en soirée alors que, la veille, cinq compagnies lorraines, levées rapidement, s'y étaient installées. Il n'allait faire son entrée solennelle qu'au mois de novembre.

le Duc de Lorraine,

Léopol, 1er du nom Duc de Lorraine fils digne de Charles 5.e du nom Duc de Lorraine et d'Eléonor d'Autriche sœur de l'Em:
pereur Leopol et Reine Douairiere de Pologne. naquit à Inspruk, Capitale du Tirol le 11.e de Septembre 1679 .a comencé sa 1re Campagne en Hongrie en l'Année 1696. en l'Armée de sa Majesté Imperiale sous la conduite de l'Electeur de Saxe en qualité de general major
avec la direction particuliere des Regimens de S.te Croix de Comercy et de Bassompiere où il a fait voir des marques de sa valeur
etant toujours, un des premiers, à la teste de ses trois Regimens et à toutes les ocasions les plus dangereuse. et s'est trouvé à l'ex-
pedition de la Bossine avec le Prince Eugene de Savoye, et en la Sanglante bataille de Zanta en l'Année 1697. a rentré dens
sés états le 14 May 1698. et le 15 Octob. ensuivant a épousé Elisabeth Charlotte d'Orleans Fille de M.r Frere unic du Roy par les mains
de M.r le Cardinal de Coalin dens la Chap.le Roy. de Fontainebl. M.r le Duc d'Elbeuf l'ayant épousé par procuration du Duc de Lorraine

Musée lorrain, Nancy. Cliché P. Mignot.

**Léopold Ier, duc de Lorraine et de Bar
de 1697 à 1729.**

Le mariage de Léopold

Entre temps Léopold avait épousé une princesse française, ce qui pouvait paraître à première vue surprenant de la part d'un neveu de l'empereur. Le projet d'unir Léopold et Elizabeth-Charlotte, fille de « Monsieur », frère de Louis XIV, fut envisagé au cours des tractations du congrès de Ryswick ; il fut bien accueilli. Avant de mourir Eléonor-Marie, la mère du duc, déploya tous ses efforts dans ce but, ayant le sentiment que dans ces conditions Louis XIV ne chercherait pas à détruire l'état lorrain et qu'au contraire il s'attacherait à en laisser à son neveu par alliance la paisible jouissance. La France y vit une garantie de paix à ses frontières orientales. Vienne n'y fit pas d'objection.

L'envoyé de Léopold, le comte de Couvonges, apporta un portrait du duc à Elizabeth-Charlotte et ses parents qui, écrivait-il, « ne croyaient pas Votre Altesse si bien fait, ny un aussy grand air ». Le mariage décidé, on discuta pendant

LÉOPOLD ET ELIZABETH-CHARLOTTE

« Le 16, [la duchesse] partit toujours dans les carosses du roi avec la princesse de Lillebonne qui devait l'accompagner jusques dans les états de S.A.R. Elle arriva à Vitry-le-François le 23ᵉ du mois d'octobre.

Comme elle se mettoit à table pour souper, le comte de Couvonge lui présenta une lettre de la part de S.A.R. Elle la lut, mais en regardant en elle-même celui qui se tenait caché derrière le comte, comme si elle eut deviné que c'était S.A.R. qui voulait la voir sans se faire connaître. Madame tira de sa poche le portrait de S.A.R. et le reconnut. C'était lui effectivement et comme tous deux cherchaient à se voir et à se cacher, il y eut bien des regards de part et d'autre. Enfin S.A.R., s'apercevant que la duchesse, attentive à le regarder, ne mangeait pas, passa dans la chambre de cette princesse où il l'attendit à l'issue du souper. Elle y entra et l'y trouva ; mais, ne se faisant point encore connaitre, ils se saluèrent sans s'approcher. Le secret ne dura pas longtemps, et, soit à dessein, soit sans y penser, la princesse de Lillebonne, ayant laissé échapper le mot de Monseigneur en parlant à l'inconnu, la jeune duchesse ne douta plus que ce ne fut S.A.R. qui s'était fait un plaisir de cette innocente tromperie.

Ils s'approchèrent alors et se saluèrent avec la tendresse de deux amants que le mariage venait de joindre. On joua ensuite et, le jeu fini qui dura jusqu'à minuit, S.A.R. se retira chez la princesse de Lillebonne. Le lendemain, il se logea aux environs d'un lieu nommé Cermoise [Sermaize], où il savait bien que la duchesse viendrait coucher. Et le 25, ayant été averti par le comte de Couvonge qu'elle avait diné, il se rendit au logis où elle était accompagnée des seigneurs de sa cour et de ses officiers avec un cortège de plusieurs carosses. Après les compliments réciproques, ils montèrent ensemble en carosse et lorsqu'ils furent arrivés à l'endroit qui sert de limite entre la France et la Lorraine, l'escorte française prit congé de leurs A.R. et fit place aux gardes et chevau-légers lorrains ».

Journal de ce qui s'est passé en Lorraine... par Jean-François NICOLAS, Bibl. Nat., Nouv. Acq. Françaises, ms 4566.

Mariage du duc Léopold, représenté par le duc d'Elbeuf et d'Elizabeth Charlotte. *Fontainebleau, 13 octobre 1698.*

plusieurs mois des conditions du contrat avec du côté lorrain Couvonges et François Barrois, baron de Manonville et du côté français cinq grands personnages du royaume, le chancelier, le chef du Conseil des finances et trois ministres et secrétaires d'Etat. On batailla ferme sur la question de savoir si Elizabeth-Charlotte renoncerait ou non à ses droits sur les biens de ses parents. Finalement le roi « acheta » la renonciation en versant une dot considérable de 900 000 livres et des cadeaux de prix, dont un « meuble » signé du célèbre Losné, composé d'un lit, d'un tapis de table, de six fauteuils et de vingt-quatre chaises d'une valeur de 240 000 livres. Les parents d'Elizabeth-Charlotte lui offrirent des pierreries pour 400 000 livres, et une espérance de 200 000 livres à leur mort. De son côté, Léopold donnait à sa future épouse des joyaux valant 400 000 livres. Le contrat fut alors signé dans le cabinet du roi au château de Fontainebleau le 12 octobre 1698. Le lendemain eut lieu le mariage par procuration. Léopold étant représenté par le duc d'Elbeuf.

Le 16 ce fut le départ de la jeune duchesse. A Vitry-le-François, où le duc s'était rendu incognito, les deux époux firent enfin connaissance. Le second mariage fut célébré le 25 octobre dans la collégiale Saint-Maxe de Bar-le-Duc par l'abbé François de Riguet, grand aumônier de Lorraine. Puis le 10 novembre, le couple ducal fit par la porte Saint-Nicolas son entrée solennelle dans la capitale avec un faste inouï. Le détail du cortège a été consigné dans les

Entrevûe de Leurs Altesses
MONSEIG.R LE DVC ET MAD. LA DVCH.SE
DE LORRAINE

Première rencontre du duc Léopold et de son épouse, octobre 1698. *Au fond, la ville de Bar-le-Duc. Au premier plan à droite, Carlingford.*

registres des comptes des receveurs de la ville de Nancy : on y remarque les personnages de la Cour, les corps constitués, les clercs séculiers et réguliers, les gardes, les Suisses, une vingtaine de carrosses, le duc à cheval, la duchesse « dans sa calèche à huit chevaux, tenus par huit heyduques » [gens de pied vêtus à la hongroise] ; « la bourgeoisie en armes faisait la haye à droite et à gauche » dans la Ville-Neuve et les gardes à pied dans la Ville-Vieille jusqu'à la collégiale Saint Georges où fut célébré le *Te Deum*. Léopold avait, au moment de pénétrer dans la ville, prêté le serment traditionnel.

La fête solennelle avait ici une profonde signification politique. Tous les corps de la société participaient à l'affirmation de la majesté du souverain, monarque absolu à l'image du roi français ou de l'empereur. Après des décennies de troubles, la Maison de Lorraine montrait à ses sujets et à l'étranger qu'elle reprenait en main le destin des duchés, s'appuyant sur la tradition : Léopold prêtait le serment de respecter les droits des ordres sociaux et de défendre le catholicisme comme l'avaient fait ses ancêtres. La dynastie légitime revenait couverte de gloire et on n'omettait pas de rappeler que Charles V avait sauvé l'Occident chrétien. Selon le *Journalier* de Pascal Marcol, « un second arc-de-triomphe au bout de la Carrière, du costé du château embrassait en cercle toute la largeur à l'endroit de l'ancienne fontaine. Au frontispice estoit la représentation de Charles V ; aux costés, seize grands tableaux représentans toutes les batailles et sièges des places de Hongrie, remportées par Charles V sur les Turcs, avec quantité d'ornemens et de devises fort belles ».

Le rétablissement de la « procession des grands Roys », fête lorraine par excellence qui commémorait la victoire de René II sur le Téméraire et que les Français avaient interdite, participait du même souci d'attachement à la tradition.

Musée lorrain, Nancy. Cliché P. Mignot.

Entrée solennelle de Léopold et d'Elizabeth-Charlotte à Nancy. *10 novembre 1698.*

Musée lorrain, Nancy. Cliché P. Mignot.

Le Prince Charles de Lorraine

Charles-Joseph de Lorraine (1680-1715). *Evêque d'Olmutz à dix ans et d'Osnabruck à dix-huit ans, prince électeur de Trèves en 1711. Mort de la petite vérole à Vienne.*

Léopold et la Cour

Avec l'entrée solennelle du 10 novembre 1698 s'achevait la période de transition inaugurée à la conclusion de la paix de Ryswick un an plus tôt.

En Lorraine disparaissait cette atmosphère guerrière qui pesait aussi bien sur les activités politiques et économiques que sur la vie quotidienne des habitants. Or le nouveau duc, chargé de gouverner la Lorraine et le Barrois, était un inconnu pour ses sujets que lui-même ne connaissait pas davantage. Léopold pouvait apparaître comme un Habsbourg, né à Innsbruck, neveu de l'empereur, orphelin de père à onze ans, élevé par sa mère Eléonor-Marie de Habsbourg, puis à la Cour de Vienne, très lié à ses cousins, les jeunes archiducs. Prioritairement germanophone il devait garder, jusqu'à sa mort, un fort accent. Mais la Lorraine, pays de ses ancêtres, était le lieu de son pouvoir, sans qu'il ne s'y attachât de manière indéfectible. Il allait, en effet, envisager avec faveur un échange de territoires qui l'aurait amené à s'installer en Italie. En fait il lia étroitement son nom au pays de Lorraine par la vertu de trente années paisibles, par le rapprochement progressif avec son peuple, par le rôle joué par Elizabeth-Charlotte, princesse plus lorraine que française en dépit de son origine.

Léopold était venu avec une suite nombreuse ; il fallait que la Cour eût un cadre digne du nouveau souverain fasciné par l'exemple versaillais et soucieux d'un prestige indispensable pour être considéré en Europe occidentale. Or le Palais ducal, sans être totalement à l'abandon, n'avait fait l'objet que d'entretien sommaire. On se hâta de faire des réparations urgentes. La Salle Neuve édifiée en 1570 continua à accueillir des cérémonies, des fêtes et des représentations théâtrales : le 28 août 1698, les élèves du collège des jésuites y donnèrent un drame et un ballet sur le thème des vertus du prince. La Salle des Cerfs, où se tinrent les Etats généraux, servit de cadre aux réjouissances à l'occasion du mariage de l'archiduc Joseph, cousin de Léopold et futur empereur, le 24 février 1699. Mais par la suite, la salle ne fut plus utilisée. On aménagea aussi les parterres et jardins d'orangerie et l'alimentation en eau, alors que, sur le côté sud, la démolition du Jeu de Paume était entamée en 1700. A la suite de ces travaux le Palais ducal put accueillir la Cour, mais à l'étroit et sans luxe.

La *Maison civile* du duc comprenait plusieurs services. Le *Cabinet* s'occupait des affaires extérieures sous la direction du père Ehrenfried Creitzen, saxon luthérien devenu jésuite et confesseur de Léopold, homme intelligent et affable. A l'*Hôtel* étaient dévolues les affaires intérieures, avec le grand maître de l'Hôtel Carlingford, l'intendant Marc-Antoine de Mahuet, qui avait suivi fidèlement Charles V. Le service de la *Chambre* concernait le personnel de l'appartement ducal, sous la responsabilité du grand chambellan, Charles-François de Stainville, comte de Couvonges, qui avait déjà occupé cette fonction à Innsbruck. Veuf, il se remaria en 1698 avec Catherine de Beauvau. La *Garde-robe* était placée sous l'autorité d'un grand-maître Anne-Joseph, comte de Tornielle, marquis de Gerbéviller. Le Palais ducal accueillait aussi la *Maison religieuse* avec le grand-aumônier François de Riguet ; la *Maison militaire* avec la compagnie des Cent Suisses, le régiment des Gardes et la Gendarmerie ; la *Maison de Madame* la duchesse ; les services de la *Chasse,* de la *Santé* et des *Ecuries* (trois cents à cinq cents chevaux).

La répartition des fonctions curiales reflétait la volonté de Léopold de s'entourer d'hommes de diverses origines. La Cour joua un rôle important de creuset rassemblant les étrangers, les Lorrains, qui avaient servi leurs princes en exil, et ceux qui étaient restés dans les duchés. Cette même préoccupation anima Léopold lorsqu'il voulut sortir du provisoire dès l'été de 1698.

Le duc Léopold Ier.

Le gouvernement de Léopold

Les mesures prises avant la venue du duc entre février et août 1698 préfiguraient sa manière de gouverner ses états. Aucune rupture ne peut être décelée dans une politique exécutée par les mêmes hommes dans une même conception de l'exercice du pouvoir souverain. Le Conseil d'Etat et le Cabinet quittèrent Nancy pour Lunéville, alors que les Cours et la Chambre des comptes restèrent dans la capitale.

Le Conseil d'Etat

Le principal organe de ce pouvoir était le Conseil d'Etat dont le chef fut Carlingford, surintendant général des finances. Le cumul entre les fonctions gouvernementales et curiales était alors une pratique courante. Carlingford était assisté de quatre « conseillers-secrétaires d'Etat, commandements et finances » ayant chacun compétence sur un territoire déterminé : Joseph Le Bègue (Vosge et une partie du nord-est avec Sarreguemines), Claude-François Canon (Barrois non mouvant et le nord du duché de Lorraine), Simon-Melchior Labbé de Coussey (Barrois mouvant, principauté de Commercy, marquisat de Nomeny et une autre partie du nord-est) et Marc-Antoine de Mahuet, comte de Lupcourt (Lorraine centrale). Ainsi chacun avait un département territorial auquel on adjoignit, selon l'ordonnance du 31 août 1698, une compétence d'affaires. Le Bègue eut les affaires étrangères sauf les relations avec le pape ; Canon, les affaires ecclésiastiques et les relations avec Rome ; Labbé, le commerce et les manufactures ; Mahuet, la guerre, les bâtiments ducaux et les ponts-et-chaussées. Cette répartition était inspirée de l'exemple louis-quatorzien. Des « conseillers d'état et maître des requêtes ordinaires de l'Hôtel » secondaient les quatre personnages et recevaient les requêtes. Canon mourut peu après sa nomination, mais il avait obtenu des « lettres de survivance » en faveur de son fils Charles qui lui succéda. Des conseillers en nombre variable pouvaient être associés aux travaux du Conseil d'Etat.

La duchesse Elizabeth-Charlotte.

Le Conseil des finances et du commerce rassemblait six conseillers, mais l'institution établie par Charles III ne fut réellement réorganisée qu'en 1703 et surtout en 1711 avec attribution des affaires des finances et du domaine.

Les Cours

Pièce maîtresse de l'édifice administratif et judiciaire, la Cour souveraine de Lorraine et Barrois avait été rétablie dès le 12 février 1698 : elle jugeait en dernier ressort tous les différends entre les sujets et également entre les sujets et le duc. Elle avait aussi la tâche d'administrer les domaines, de connaître les procès relatifs à la monnaie et à la fiscalité, et d'enregistrer les lettres de noblesse. Plus tard, en 1710, Léopold créait une Chambre des requêtes du Palais pour les procès concernant certains privilégiés ; et en 1723 il divisait la Cour en une Grand'Chambre et une Chambre des enquêtes.

Le 18 février 1698 avaient été rétablies les Chambres des comptes de Lorraine et de Bar. En fait elles constituaient deux organismes différents malgré la création par Charles IV en 1663 d'un même procureur général pour les deux Chambres. On donna l'ordre à Jean Camus de rechercher les conseillers survivants de la Chambre de Bar ; furent ainsi réunis, hormis Jean Camus, Pierre Jobart, Thierry Parisot, Gaspard Lescamoussier, avec l'adjonction de François Cachedenier. La première réunion se tint à Bar le 22 février. Le nombre des conseillers passa à onze. La Chambre avait un premier président qui fut Charles d'Alençon de 1698 à 1732.

Très vite il y eut des problèmes de compétence entre la Cour souveraine et les Chambres des comptes et aussi entre les Chambres elles-mêmes. La répartition précise des tâches n'intervint que par l'édit du 31 janvier 1701 et le décret du Conseil d'Etat en date du 28 juillet 1707.

Ceux qui occupaient les fonctions de conseillers dans ces trois Cours étaient nantis non d'offices, mais de charges, qui n'étaient ni vénales, ni héréditaires, mais elles restaient inamovibles. Le duc pouvait toutefois accorder au titulaire des « lettres de survivance » permettant de laisser, après sa mort, la charge à un fils. De plus certains bénéficiaient de « lettres d'expectative », qui — comme leur nom l'indiquait — constituaient une promesse de leur donner la première charge vacante.

LE PERSONNEL ADMINISTRATIF

1) *au siège du bailliage :*

- un conseiller lieutenant général au civil et au criminel ;
- un conseiller lieutenant particulier ;
- des conseillers en nombre variable (7 à Nancy et à Saint-Mihiel ; 6 à Bar ; 2 à Saint-Dié...) ;
- un procureur ou un substitut du procureur général ;
- un huissier audiencier ;
- des huissiers en nombre variable.

Lorsqu'il n'y a pas de prévôté spécifique, il existe aussi

- un capitaine, chef de police et gruyer.

2) *au siège de la prévôté :*

- un prévôt, juge en première instance et gruyer ;
- un lieutenant de la prévôté et contrôleur en la gruerie ;
- un assesseur et garde-marteau en la gruerie ;
- un tabellion garde-nottes ;
- six tabellions ;
- un huissier audiencier ;
- deux sergents.

Le nouvel édifice administratif

L'important édit du 31 août 1698 se donnait comme objet une rénovation profonde des structures administratives et judiciaires des duchés, en prenant en compte la nécessité de ranimer les justices locales et le nombre, jusque-là insuffisant, des juges. Table rase — ou presque — fut faite avec la suppression des postes existants.

Le duché de Lorraine fut alors divisé en onze bailliages et trois sièges bailliagers, et à l'échelon inférieur en quarante-cinq prévôtés, dont huit étaient confondues avec des bailliages ou des sièges bailliagers. De la même façon, le Barrois non mouvant était partagé en quatre bailliages et un siège bailliager, et en vingt prévôtés. Enfin le Barrois mouvant ne comportait qu'un seul bailliage et trois prévôtés.

L'administration du Bassigny posa quelques problèmes car certaines prévôtés relevaient du Barrois mouvant et d'autres du Barrois non mouvant de telle sorte que certains appels étaient portés devant la Cour souveraine de Lorraine et Barrois et d'autres devant le Parlement de Paris. Le greffier dut tenir deux registres séparés. L'ordonnance du 2 octobre 1698 affirmait la règle que le premier niveau était à Bourmont pour la non-mouvance et à Saint-Thiébault pour la mouvance.

Les grueries (circonscriptions forestières) supprimées en 1681 réapparurent en 1698 sur la base d'un territoire confondu avec celui de la prévôté. Le prévôt était aussi gruyer assisté d'un contrôleur et d'un garde-marteau (le marteau servait à marquer les bois à couper et à vendre). Dans les bois domaniaux, les gardes étaient en 1699 au nombre encore insuffisant de cent treize.

L'implantation des recettes n'était pas moulée sur la géographie des bailliages ; les quinze recettes rassemblaient des prévôtés limitrophes, sans tenir compte de la répartition des bailliages. A l'usage il était apparu que ce système ne donnait pas satisfaction. Un édit du 1er septembre 1705 supprima les anciennes recettes et en créa soixante, rapprochant les receveurs des contribuables. Les nobles avaient la possibilité, comme les roturiers, d'acheter ces offices moyennant une « taxe de la finance » dont le montant était fixé par le Conseil des finances.

La vénalité des offices

Pendant longtemps la Lorraine ne connut pas la vénalité des offices, mais les charges s'étaient accrues fortement en 1587-1590. Il fallut recourir à des expédients. En 1591 chaque officier dut, pour rester en place, payer une « finance ». Celui qui ne se pliait pas à cette contrainte devait renoncer à son office. Ainsi sous la pression des circonstances fut instituée la « vente des offices », mais ce commerce resta très limité malgré la réelle patrimonialité de ces charges.

Suivant une fois de plus le modèle français et compte tenu de la pratique suivie pendant l'occupation, Léopold créa de nombreux offices en 1698 et 1699. Il était fait une distinction entre les officiers non soumis à finance mais au reversement d'un quart de leurs gages la première année, et d'autre part les officiers soumis à finance, contraints de verser en sus un sol pour livre soit 5 %

de la finance. Un avocat à la Cour souveraine Jean-Louis Norroy était commis à la recette de la finance d'offices.

L'application fut malaisée et le système suscita un débat théorique entre les juristes de l'entourage de Léopold. Certains exposaient les avantages que l'on tirerait de l'extension du système aux hauts offices : « Sy Son Altesse trouvoit à propos de créer les charges de la Cour et Chambres des comptes héréditaires, outre le lien qu'elle ferait à l'Etat et au publique, elle attireroit quantité de gens riches et aisés des villes de Metz, Toul et Verdun et des autres endroits ». En fait la vénalité des offices resta, en Lorraine ducale, limitée aux niveaux moyen et inférieur de l'administration : ainsi le prévôt occupait un office vénal, mais non le bailli et encore moins les membres de la Cour souveraine et des deux Chambres des comptes.

On crut en 1700 réglée la question de l'hérédité des offices : si son successeur avait les qualités requises, le titulaire d'un office pouvait, moyennant le versement d'une finance double, en disposer de même que sa veuve ou ses héritiers. Ce statut était proche du système français, mais la plupart des officiers — pour des raisons financières — ne profitèrent pas de ces dispositions que Léopold annula le 1er mai 1701.

Pour faire rentrer de l'argent, le duc, comme le roi de France, choisit la voie de la facilité : 569 offices d'huissiers, procureurs, tabellions, arpenteurs... créés en 1699 ; 500 offices de distillateurs d'eau-de-vie en 1700 ; 181 offices municipaux dans les trente villes des duchés, dont neuf à Nancy et six à Bar en 1707 ; 133 nouveaux offices de tabellions et gardes-notes en 1711. Puis à partir de 1712 on revint à l'hérédité des offices : en 1719 tous les offices des bailliages, prévôtés et grueries furent, après réorganisation, rendus héréditaires, les titulaires devant payer « la taxe de l'hérédité » et, à chaque mois de décembre, « le droit annuel ». Mais en 1720 on revint à la situation antérieure. Mesures et contre-mesures se succédèrent ainsi, au gré des contingences financières, jusqu'à la fin du règne. La tendance à l'hérédité des offices tendait à l'emporter. Un des derniers actes du duc, pris en décembre 1728, précisait la nature juridique des offices qui « formant une nouvelle espèce de biens, composera une partie considérable de la fortune de plusieurs de nos sujets ».

Suscitée par les impératifs financiers, la politique de Léopold dans ce domaine manqua de cohérence. Faute d'ancienneté, elle créait un système incomplet, fragile, contesté et finalement modérément rentable, tout en affaiblissant l'autorité de l'Etat.

Lettre d'entérinement par la Chambre des comptes de l'office de premier écuyer de S.A. et de la naturalité (il était originaire de Picardie) au profit de Charles Hourrière de Vierme. 11 juillet 1699.

Arch. dép. M.-et-M., B 190.

Le duc Léopold Iᵉʳ.

Les problèmes monétaires et financiers

A la fin du règne de son vieux roi, la France dut affronter des problèmes très sérieux dans les domaines de la monnaie et de la fiscalité, aggravés par la conduite de la guerre de la Succession d'Espagne. La Lorraine en ressentit profondément les contrecoups.

Léopold d'argent *émis en 1713.*
Côté face : le profil de Léopold.

L'alignement monétaire

Charles IV avait, à son tour, adopté un rapport entre le franc barrois et la livre tournois sur la définition d'un franc barrois valant 3/7ᵉ de la livre tournois. Léopold ne fit que maintenir ce rapport entre les deux monnaies de compte. Mais l'on commençait à parler de la livre lorraine, de même valeur que la livre tournois, ce qui fut confirmé officiellement le 17 avril 1700. La distorsion se manifesta assez vite et jusqu'à la mort de Louis XIV la parité ne fut respectée que de 1700 à 1704, puis de 1709 à 1713. Ainsi coexistaient en Lorraine trois systèmes de monnaies de compte selon le franc barrois, la livre lorraine et la livre française.

Léopold prit 159 mesures relatives aux monnaies. La première, dès le 6 juillet 1698, autorisait la circulation de seize monnaies d'or (louis de France, pistole d'Espagne, noble de Gand...) et de huit monnaies d'argent (teston de Lorraine, réal d'Espagne, rixdalle d'Empire, écu de France...). Mais les espèces manquaient en Lorraine. Aussi Léopold accorda un bail à Maurice Huby et ses associés en octobre 1698 pour procéder à la frappe de nouvelles pièces, qui se moulèrent sur l'exemple français : le léopold d'or (= louis), le léopold d'argent (= écu, terme qui prévalut dans le langage courant) aux côtés des classiques testons d'argent et des petites pièces d'appoint. En 1701 furent frappés d'autres léopolds de valeur supérieure : quatorze livres pour le léopold d'or au lieu de treize livres pour celui de 1698.

D'une façon générale pour éviter la spéculation et le désordre qui aurait affecté gravement l'économie du pays, Léopold s'efforça dans un premier temps de s'aligner au plus près sur le système français. Il eut aussi le souci — dans une perspective résolument mercantiliste — de reconstituer l'encaisse métallique en attirant les marchands séduits par les bas prix des denrées agricoles et industrielles : il y parvint au cours de la première partie de son règne.

Les finances de l'Etat

Lors du premier exercice budgétaire normal, c'est-à-dire en 1699, l'ensemble des recettes atteignit 8 048 605 francs barrois et les dépenses, seulement 3 186 714 francs selon les comptes de Jean Gayet, receveur général des finances. Mais il fallait défalquer des recettes le reliquat déficitaire de 1698, soit 3 885 877 francs.

L'essentiel des recettes provenait de la Ferme générale, système moulé sur l'exemple français : par un bail de six années (1698-1703) un bourgeois de Nancy, François Le Moyne, contre versement annuel de 2 053 333 francs 4 gros, se chargeait de la perception de tous les droits et revenus dépendant du domaine ducal, à l'exception des droits de sceau et de papier timbré. L'usage de celui-ci était obligatoire en ce qui concernait la justice, le notariat, les métiers, l'université... Il fallut en 1704 fixer des règles précises car les rédacteurs avaient eu soin « de presser les lignes, d'écrire très menu et de faire tant d'abréviations qu'il n'est pas possible de lire leurs écritures » : on détermina le nombre de lignes à la page et de syllabes à la ligne. Le droit de sceau, apposé sur les lettres de la Chancellerie ducale, fut tarifé en 1701 : dix pistoles d'or pour des lettres de noblesse (c'est-à-dire d'anoblissement), trois pistoles pour un bénéfice de chanoine à Saint-Georges... et le trentième de la « finance » en cas de provision d'office.

Le fermier général gérait les biens ducaux à l'exception des forêts. Il pouvait pratiquer le sous-affermage, comme pour la pêche dans l'étang de Lindre, pour la châtrerie (des châtreurs faisaient deux tournées par an), pour la riflerie (droit sur les dépouilles des animaux morts). Le fermier exerçait aussi les droits de monopole : les plus rémunérateurs restaient les produits des salines.

Arch. dép. M.-et-M.

Côté pile : la croix potencée de Jérusalem.

Un règlement général fut édicté en 1703 pour prévenir les délits sur la plantation, la manufacture et la vente du tabac : on y fixait le prix du tabac rouge fin à fumer, le commun, le noir, le tabac en billes communes à râper, le tabac en poudre. La ferme particulière du tabac était laissée pour 28 000 francs en 1700 et — l'usage s'en étant répandu — 112 000 francs en 1710.

La Ferme générale englobait aussi le Frédault sur les droits d'entrée et d'issue foraine, sur la traverse (sur le transit des affaires non déballées), sur la marque des fers (sur entrée, sortie et passage des fers et minerais), sur la sortie des toiles. Le droit de haut-conduit, un des plus anciens droit domaniaux, continuait à être perçu à l'entrée et à la sortie des duchés. L'émiettement territorial avait favorisé le maintien de ce droit. Le règlement d'août 1704 précisait la division des duchés en cinq hauts-conduits ; on payait ce droit — en fait modique — en passant d'un haut-conduit à l'autre. Les tarifs n'étaient pas identiques : pour une vache, 3 gros pour le haut-conduit du Barrois et 2 deniers (soit 24 fois moins) pour celui de Nancy.

Dans le domaine de la fiscalité directe les Français avaient introduit la subvention en 1684 et, pour la durée du conflit, la capitation en 1695. Léopold ne garda pas ce dernier impôt, ni l'ancienne aide Saint-Remy. La subvention était un impôt à la fois de répartition et de quotité. La somme escomptée était fixée par le duc et on en communiquait le montant aux deux Chambres des comptes qui les répartissaient entre les communautés urbaines et rurales. Dès 1698, puis en 1706, les magistrats de ces Chambres allaient visiter villes et villages pour connaître la qualité des sols, l'étendue des finages, la présence et l'importance des activités autres qu'agricoles ; on déterminait ainsi les capacités fiscales, donc la somme que chaque communauté pouvait et devait payer, compte tenu du désir du souverain. Dans chaque village, on fixait ce qu'il fallait comme biens fonciers (terres et prés) pour donner du travail à six chevaux ;

LES FINANCES DE 1699

RECETTES : 8 048 605 francs − 3 885 877 francs = 4 162 728 francs.

dont : − Ferme générale	2 053 333 francs
− Subvention	1 417 332 francs
− Produits des grueries	150 080 francs
− Recettes des « usuines »	139 263 francs
(moulins, pressoirs, étangs...)	
− Ferme du papier timbré	116 666 francs
− Adjudication des greffes	54 385 francs
− Droit de sceau	31 332 francs
...	

DÉPENSES : 3 186 714 francs.

dont : − Léopold	623 737 francs
− Madame Royale	91 000 francs
− Prince Charles	167 280 francs
− Prince François	52 500 francs
− Hôtel de S.A.R.	1 430 457 francs
− Casernes de la porte Saint-Jean	71 175 francs
− Bâtiments et divers ouvrages	43 253 francs
− Ponts et chaussées	71 175 francs
− Envois de courriers et gens	72 610 francs
− Achat de meubles	33 298 francs
− Comédiens	30 722 francs
− Gages de Carlingford	105 000 francs
(sur 15 mois)	
− Gages du baron de Ceccati,	
« gouverneur de l'Académie d'exercices »	7 000 francs
− Gages de Le Bègue	3 600 francs
...	

Arch. dép. M.-et-M., B 1535.

Les chiffres ont été arrondis au franc.

Cliché G. Cabourdin.

①

Cliché. R.L.

②

LE CHÂTEAU DE LUNÉVILLE

① **L'avant-cour et la cour d'honneur ;** *au fond et à droite, les deux tourelles de la chapelle.*

② **Le donjon,** *nom donné à l'avant-corps central. Quatre colonnes corinthiennes soutiennent un fronton triangulaire armorié. Trois arcades permettent le passage direct de la cour aux jardins.*

③ **Vue d'ensemble** *depuis les jardins appelés les Bosquets tracés par Yves des Hours de 1711 à 1718. Des sculptures de Barthélemy Guibal, il ne subsiste que quatre statues : Flore, La nuit, Diane et Apollon.*

④ **Le côté nord du château,** *surplombant le Canal. On y logeait des hôtes de passage. Sous Stanislas l'aile fut atteinte par deux graves incendies en 1744 et surtout en 1755.*

⑤ **La façade arrière.** *A remarquer la balustrade de pierre qui court au bas de la haute toiture. Vers la gauche, un groupe sculpté par Nicolas Renard : « Hercule terrassant l'hydre de Lerne ».*

Cliché P. Bodez.

③

cette évaluation était alors appelée *charrue,* notion donc variable d'un lieu à l'autre. Tout laboureur pouvait donc posséder une demi-charrue, ... une charrue... deux charrues... Il était alors taxé en conséquence selon la cote d'imposition ou *Pied certain.* On admit que le travail, pour une charrue, nécessitait quatre ou cinq manouvriers, taxés donc en proportion. Une contribution spéciale était prélevée sur les roturiers deforains, c'est-à-dire propriétaires de biens fonciers dans une autre communauté villageoise que la leur. Dans les villes, l'imposition tenait compte des richesses présumées des individus et de leurs activités. Un rôle fut établi sur place par des « asséeurs » élus dans chaque communauté et contrôlé par la Chambre. La levée était faite en deux fois (janvier et juillet) par des collecteurs.

Cet impôt allait constituer l'essentiel de la fiscalité directe. En 1699, la subvention rapportait 983 544 francs en Lorraine et 433 788 francs en Barrois. Il était évidemment tentant pour le duc d'accroître ses exigences ; à la fin du règne, la subvention était montée à 4 200 000 francs. D'ailleurs malgré l'état satisfaisant des finances Léopold voulut très vite augmenter ses recettes. En 1702, il argua de l'importance des rentes sur l'Etat pour lever une contribution de 150 000 livres (350 000 francs) sur le pied de la subvention. Par la suite les questions financières pesèrent lourdement sur le règne d'un duc enclin à dépenser sans compter.

Le reflet de Versailles

Pendant quatre années la Cour vécut dans le Palais ducal de Nancy. L'importance des travaux pour sa remise en état amena Léopold à envisager l'édification d'un nouveau château princier, mais faute de moyens il se borna à faire les réparations indispensables et la famille ducale s'installa au premier et au deuxième étages du bâtiment dominant les jardins en parterres, qui, longtemps abandonnés, retrouvèrent leur lustre avec jets d'eau, bassins, terrasses, nouvelle orangerie. Tous ces travaux et l'aménagement d'un jardin potager posèrent d'importants problèmes d'adduction d'eau : il fallut construire de nouvelles fontaines et les alimenter convenablement.

La vie à la Cour de Nancy

La vie à la Cour de Nancy était rythmée par les fêtes, par les spectacles donnés dans la Salle Neuve, par les banquets dans la Salle des Cerfs. Dans la vieille tradition lorraine une place particulière était attribuée à la comédie et à la musique. Le 19 février 1700 on y représenta une tragédie chantée *Marthésie* de Destouches avec, pour la première fois, la participation, comme seconds rôles ou figurants, des personnages de la Cour. Dès 1699, on comptait sept hautboïstes, six trompettes et un timbalier ; et un hautboïste avait des gages équivalents à ce que touchait un conseiller d'Etat pour sa charge. Très vite Léopold étoffa ces effectifs et engagea un maître de ballet, Claude-Marc Magny, et un maître de musique, Jean Regnault, l'un et l'autre français, imprégnés de l'influence de Lully et de la musique en vogue à Versailles.

Le choix de Lunéville

Malgré la variété des distractions, Léopold et Elizabeth-Charlotte, habitués à d'autres fastes, voulurent un nouveau cadre plus conforme à l'idée qu'ils se faisaient de leur rang. Le duc pria le roi de lui envoyer le célèbre Jules Hardouin-Mansart. Le grand architecte dessina des projets pour le Palais de Nancy et le château de La Malgrange, et eut en récompense un diamant de mille pistoles (soit plus de trente mille francs) et « une belle calèche avec huit chevaux ».

Après avoir envisagé de réaménager et d'agrandir le château construit à Lunéville de 1612 à 1615 par Jean de La Hière, Léopold choisit de le raser et de construire une résidence plus vaste et accordée aux goûts de l'époque. La décision fut prise au début de l'année 1702. Le plan en fut dressé par Germain

Boffrand, disciple de Mansart ; mais la direction effective des travaux appartint jusqu'à sa mort en 1712 au Lorrain Christophe André.

Les impératifs de la guerre de la Succession d'Espagne conduisirent Louis XIV à sommer Léopold d'accepter l'occupation de Nancy. Le duc ne put que s'incliner et le 1er décembre 1702 Léopold et une grande partie de la Cour se réfugièrent à Lunéville, s'installant tant bien que mal dans ce qui restait de l'ancien château, à l'hôtel de ville et chez les habitants. Malgré la présence du duc, qui fit hâter les travaux, la nouvelle résidence ne s'édifia que peu à peu. On y travaillait encore lorsqu'éclata le grand incendie du 3 janvier 1719, qui anéantit toute l'aile droite, y compris la chapelle provisoire : il fallut aménager à nouveau les appartements princiers et entamer une nouvelle série de travaux, pratiquement jusqu'à la fin du règne en 1729.

A l'arrière du château dont l'ordonnance et l'allure générale évoquaient Versailles, Léopold s'attacha à mettre en valeur le médiocre parterre en achetant maisons et terrains et en faisant tracer par Yves Des Hours les plans de magnifiques jardins appelés dès cette époque les *Bosquets*.

L'organisation de la Cour

Dans ce cadre flatteur Léopold réunit sa Cour qui, sur le modèle louis-quatorzien, affirmait la majesté du souverain et la domination de la société par le prisme du microcosme curial. La Maison civile groupait environ quatre cents personnes qui se répartissaient entre plusieurs services selon un schéma déjà évoqué pour la Cour de Nancy au début du règne.

Aux postes-clefs, le duc plaça des hommes fidèles qui avaient joué un rôle important au cours de son adolescence. A la tête du *Cabinet* avec le titre de « secrétaire intime de Son Altesse », le père Creitzen puis, à sa mort en 1704, le baron Charles-François de Sauter-Mansfeld ancien valet de chambre de Charles V, secrétaire d'Eléonor-Marie, naturalisé lorrain en août 1698. Le Cabinet composé de « conseillers secrétaires du Cabinet » s'occupait de la correspondance par dépêches codées avec l'étranger. L'*Hôtel* s'occupait de toutes les affaires intérieures de la Cour. La charge de grand maître était la plus élevée et lorsque Carlingford mourut en 1704, une véritable compétition s'ouvrit pour sa succession. Finalement Léopold choisit un Lorrain, fin diplomate, qui avait représenté son souverain dans les négociations internationales et qui fut grand chambellan à Innsbruck, Charles-François de Stainville, comte de Couvonges (1636-1709). Mais Léopold lui donna moins de pouvoir qu'à Carlingford en

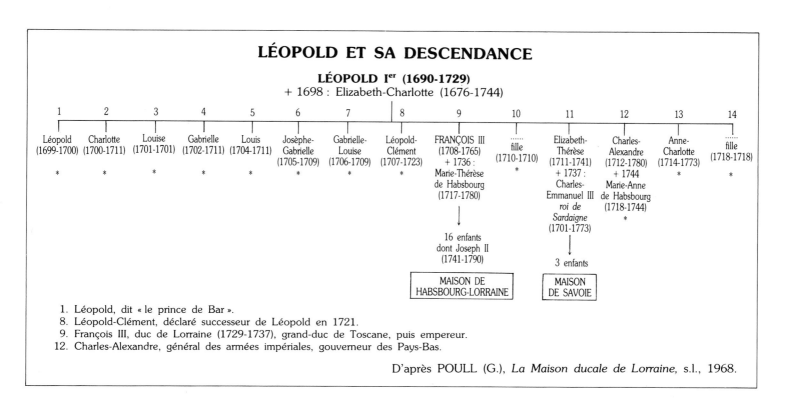

LÉOPOLD ET SA DESCENDANCE

LÉOPOLD Ier (1690-1729)
+ 1698 : Elizabeth-Charlotte (1676-1744)

1	2	3	4	5	6	7	8	9	10	11	12	13	14
Léopold (1699-1700)	Charlotte (1700-1711)	Louise (1701-1701)	Gabrielle (1702-1711)	Louis (1704-1711)	Josèphe-Gabrielle (1705-1709)	Gabrielle-Louise (1706-1709)	Léopold-Clément (1707-1723)	FRANÇOIS III (1708-1765) + 1736 : Marie-Thérèse de Habsbourg (1717-1780)	fille (1710-1710)	Elizabeth-Thérèse (1711-1741) + 1737 : Charles-Emmanuel III roi de Sardaigne (1701-1773)	Charles-Alexandre (1712-1780) + 1744 Marie-Anne de Habsbourg (1718-1744)	Anne-Charlotte (1714-1773)	fille (1718-1718)
*	*	*	*	*	*	*	*	16 enfants dont Joseph II (1741-1790)	*	3 enfants	*	*	*
								MAISON DE HABSBOURG-LORRAINE		MAISON DE SAVOIE			

1. Léopold, dit « le prince de Bar ».
8. Léopold-Clément, déclaré successeur de Léopold en 1721.
9. François III, duc de Lorraine (1729-1737), grand-duc de Toscane, puis empereur.
12. Charles-Alexandre, général des armées impériales, gouverneur des Pays-Bas.

D'après POULL (G.), *La Maison ducale de Lorraine*, s.l., 1968.

supprimant la charge de chef des Conseils et des finances que ce dernier cumulait ; et les gages de Couvonges furent diminués de moitié. Après lui la charge de grand maître de l'Hôtel resta sans titulaire jusqu'en 1721. La responsabilité des affaires intérieures était en effet progressivement passée dans les mains de l'intendant : ce fut le baron Marc-Antoine de Mahuet (1643-1717) qui avait occupé la même fonction au service de Charles V. A remarquer dans le personnel de l'Hôtel, le premier maître d'Hôtel, Antoine de Soreau, anobli en 1698 et favori de Léopold qui, en 1719, érigea en baronnie le village et le château de Houdemont dont il était le seigneur.

Le service domestique du duc comprenait la *Chambre* dirigée par le grand chambellan Couvonges jusqu'en 1704, Charles de Lenoncourt, marquis de Blainville de 1704 à 1711, puis Anne-Joseph comte de Tornielle et de Brionne, marquis de Gerbéviller qui resta à ce poste pendant vingt-six ans (1711-1737) ; la *Garde-robe,* avec un grand maître, et la *Livrée,* avec huit valets de pied et une trentaine de pages, jeunes nobles qui pouvaient y parfaire leur éducation intellectuelle, militaire et mondaine.

La Cour comptait aussi les services de la *Bouche* ; des *Cérémonies* avec un héraut d'armes, un maître des cérémonies, un intendant des plaisirs et de la musique ; de la *Santé* (Antoine Bagard devint premier médecin en 1713) ; des *Ecuries* avec un grand écuyer ; de la *Chasse* avec un grand-veneur.

La Maison religieuse était placée sous la responsabilité du « grand aumônier ». Riguet, mort en 1701, fut remplacé par le prévôt de la collégiale Saint-Georges de Nancy, Antoine-African Fournier, de 1701 à 1711.

La duchesse avait sa propre Maison, nantie d'un personnel important, que dirigeait la première dame d'honneur, place très recherchée ; venaient ensuite la dame d'atour, les filles d'honneur et leur gouvernante, les femmes de chambre. On y rencontrait quelques hommes : le chevalier d'honneur, le premier écuyer et le confesseur.

Restait la Maison militaire. Le régiment des *Gardes,* créé en 1698, comprit entre six cents et huit cent quatre-vingts officiers et soldats. *La compagnie des Cent Suisses* fut en effet formée en 1701 d'hommes recrutés par Léopold dans les cantons helvétiques. Le premier colonel Nicolas-François de Chauvirey avait servi successivement Charles V, puis Louis XIV et le roi d'Angleterre avant de devenir conseiller d'Etat sous Léopold, puis maréchal de Lorraine et Barrois. En 1704 le duc créa la *Compagnie des Cadets gentilshommes* qui accueillit des jeunes nobles « pauvres ». La *Gendarmerie* ou cavalerie comprenait deux compagnies de gardes du corps, chargées de la sécurité de Léopold à la Cour et, protégeant les membres de la famille ducale en voyage.

Le duc Léopold en 1725.

Musée lorrain, Nancy. Cliché P. Mignot.

La vie à la Cour de Lunéville

Il fut de notoriété publique qu'Elizabeth-Charlotte fut très amoureuse de Léopold, comme en témoigne sa correspondance. Le couple eut quatorze enfants de 1699 à 1718. Peu survécurent : quatre seulement atteignirent l'âge adulte. Il est vrai que l'épidémie de petite vérole, qui se manifesta avec violence à Versailles, tua aussi trois jeunes princes à la Cour de Lunéville en 1711 et un autre en 1723.

Léopold fut très attentif à l'éducation de ses enfants, aussi bien sur le plan physique que dans les domaines de la foi et de l'esprit. Dans la première enfance chacun eut une gouvernante et une sous-gouvernante. Puis un gouverneur de la « Maison de Messeigneurs » fut nommé en 1710 : le titulaire en fut le comte des Armoises. Comme celui-ci représentait le duc à Vienne, la responsabilité de l'éducation des garçons revint au comte de Cardon de Vidampierre, à l'allemand Pfützchner et aux maîtres d'écriture, d'histoire, d'italien et de danse. Le prince François, sur lequel l'influence de Pfützchner fut considérable, fut déclaré majeur à l'âge de quinze ans et on l'envoya parfaire sa formation à Vienne. Le futur empereur reçut donc une éducation essentiellement germanique.

Le duc accueillit largement les membres de sa famille et particulièrement ses frères. Seul le prince Joseph (1685-1705) ne séjourna jamais à Lunéville ; il fut tué à Cassano dans les rangs de l'armée impériale. Le prince Charles (1680-1715) devint évêque d'Olmutz en 1695, puis d'Osnabruck trois ans plus tard. Il vint souvent à Lunéville, sensible, il est vrai, aux charmes de la marquise de

Léopold-Clément, *fils du duc Léopold, né et mort à Lunéville (1707-1723), déclaré majeur et successeur de Léopold en 1721.*

B.M. Nancy. Cliché R. Carton.

Marc de Beauvau-Craon (1679-1754).

Le château d'Haroué.
Boffrand l'édifia sur les vestiges d'un ancien château.
Quatre tours d'angle, rondes, dominent les douves.
La façade comporte un avant-corps de trois travées.
Le long des ailes, sur la cour, un péristyle ionique
supporte une terrasse.

Lunati. Le dernier des frères de Léopold, le prince François (1689-1715), le suivit en Lorraine et en 1698 il fut élu abbé de Stavelot et Malmédy à l'âge de treize ans. Il continua ses études à Pont-à-Mousson, voyagea dans l'Empire et mourut à Lunéville en 1715, victime — comme le prince Charles — de la petite vérole.

A la Cour une place particulière était réservée à la favorite, Anne-Marguerite de Ligniville, née en 1686 et fille de Melchior de Ligniville, comte du Saint-Empire. A dix-huit ans elle devint fille d'honneur de Madame et elle épousa Marc de Beauvau, issu d'une famille d'origine angevine installée en Lorraine depuis le XVᵉ siècle. Elle devint la favorite reconnue vers 1708 et le resta jusqu'à la mort de Léopold. Elle n'influa pas sur la politique mais contribua à faire régner à la Cour — malgré sa jalousie et ses caprices — une atmosphère galante et spirituelle. Vingt maternités n'entamèrent pas la passion que lui voua Léopold. Marc de Beauvau en retira quelques profits : conseiller à la Cour souveraine en 1708, grand écuyer en 1711, conseiller d'Etat et marquis de Craon en 1712. Le 13 novembre 1722, Léopold obtint de l'empereur Charles VI que Marc devînt prince d'Empire ; le 8 mai 1727, il était promu Grand d'Espagne. Après avoir obtenu en 1720 le marquisat d'Haroué, il entama sur ses terres la construction, sur les plans de Boffrand, d'un admirable château sur les vestiges de l'ancienne demeure des Bassompierre.

Par son origine, sa formation et son goût, Léopold accueillit volontiers des étrangers. Dans sa Maison figuraient, depuis son arrivée en Lorraine, douze heyduques qui tinrent un rôle de parade dans le service de la Livrée ; ces « valets hongrois » participaient par leurs danses aux divertissements. Leur exotisme ajoutait du piment à la vie de la Cour et était très apprécié des Lorrains et des hôtes de passage.

Parmi les étrangers familiers de la Cour, « l'envoyé extraordinaire du roi auprès de Monsieur le duc de Lorraine » Jean-Baptiste D'Audiffret entreprit, à partir de juin 1702, une volumineuse correspondance avec le gouvernement

Cliché R.L.

Le château d'Haroué. *Façade arrière sur le parc avec un avant-corps central et un pont-escalier au-dessus des fossés.*

français dont, sur place, il était l'œil. Son témoignage et le jugement qu'il portait sur les gens et les choses de Lorraine étaient sévères et souvent partiaux. Beaucoup de princes étrangers firent étape à Lunéville comme Jacques III Stuart, appelé « le chevalier de Saint-Georges », et un mystérieux comte de Cronstein, pseudonyme à l'abri duquel se cachait le roi Stanislas Leszczynski.

LA COUR DE LORRAINE
jugée par un Français

D'Audiffret, envoyé spécial du roi, portait en 1702 ces jugements sévères sur Léopold et son entourage.

Léopold : « pieux, sage, discret, de bon jugement. A de très bonnes qualités qui ont été mal cultivées... Il laisse entrevoir qu'il est allemand plus que français... Il n'estime point les Lorrains ».

Elizabeth-Charlotte : « elle hait les Lorrains en général. Elle aime uniquement Son Altesse Royale. Elle parle un peu légèrement ».

Carlingford : « bon esprit, poli, de bonnes manières, mais au fond assez borné ».

Couvonges : « c'est le meilleur esprit lorrain pour la négociation ».

Lenoncourt, grand écuyer : « brutal achevé, ivrogne, l'âme basse ».

Marsanne, premier écuyer : « Français de Picardie, ancien serviteur de Charles V, honnête homme ».

Spada, écuyer : « favori du Prince... Il n'a pas le cœur français ».

Lunati, chambellan : « favori intime de Son Altesse Royale... galant homme, bienfaisant, sage... Il a peu d'esprit ».

Bibl. Mun. Nancy, ms 133 (p. 184-309).

Valentin Jameray Duval (1695-1775).
Berger, autodidacte devenu bibliothécaire des ducs puis de l'empereur.

Certains actes de la journée étaient soumis à l'étiquette, inspirée de l'exemple français, mais limitée au lever et au repas de midi. Le duc assistait chaque jour à la messe, consacrait sa matinée aux problèmes de l'Etat, à sa correspondance et à des audiences. Le dîner (repas de la mi-journée) rassemblait dix-huit à vingt convives. Après une promenade à pied ou en voiture dans l'après-midi lorsque les affaires publiques le permettaient, les jeux alternaient avec les concerts, les représentations théâtrales et la chasse. Le souper était pris vers 19 heures. Quelques jeux se pratiquaient en soirée. Après l'adoration du Saint-Sacrement à la chapelle, c'était le coucher sans étiquette.

Cet emploi du temps permettait de se livrer à l'étude et aux divertissements. Lunéville fut un actif foyer d'arts et de sciences puis, dans la seconde moitié du règne, de lettres. En 1715 fut créée une bibliothèque confiée à Valentin Jameray-Duval, curieux personnage d'origine paysanne autodidacte qui a laissé d'intéressants mémoires. Très tôt la Cour accueillit des historiographes : le père Louis-Charles Hugo, puis en 1713 dom Augustin Calmet. Suivant les goûts du temps on s'intéressait aux sciences et à leurs applications. En 1720 l'horloger et mécanicien Philippe Vayringe installa une « salle des machines » où il se livra à toutes sortes d'expériences ; ce fut probablement la création la plus originale du duc lorrain. Le jardinier Yves Des Hours avait la haute main sur le « cabinet des herbes ».

L'Opéra de Nancy. Intérieur.
En 1738, Stanislas fit enlever les loges et l'essentiel de la décoration intérieure pour orner la Comédie de Lunéville. L'Opéra devint magasin militaire, avant d'être en partie démoli en 1748.

Lorsque Boffrand avait dessiné les plans du château de Lunéville, il n'avait rien prévu pour les spectacles ; et il faudra attendre 1733 pour que la *Comédie* fût édifiée par Elizabeth-Charlotte. On joua donc dans une salle située derrière l'Hôtel de ville, dans l'ancien Palais ducal, à l'université de Pont-à-Mousson ou dans l'Opéra de Nancy dessiné pour glorifier le prince dans la lignée de celui de Vienne par le grand architecte bolonais Francesco Bibiena. La duchesse inaugura ce nouvel édifice le 9 novembre 1709 où fut interprété *Le Temple d'Astrée*. « L'Opéra de Nancy fut l'une des incursions les plus avancées du baroque du Saint-Empire dans les aires de civilisation française » (M. Antoine). Beaucoup de pièces furent jouées en Lorraine. Mais si l'on présenta les œuvres des grands classiques français, le goût allait surtout vers les opéras de Quinault ou de Lully et vers les pastorales. Le maître de la musique, Henry Desmarets, qui succéda à Regnault en 1707, et le maître de ballet Magny unirent leurs talents pour écrire et représenter des pastorales dans lesquelles étaient louangés le souverain et le bonheur qu'il apportait à son peuple.

Cliché G. Cabourdin.

Les fêtes religieuses ou politiques étaient célébrées avec éclat : la Fête-Dieu et ses longues processions, Noël et Pâques. On continuait à fêter l'anniversaire de la bataille de Nancy, lié aux « grands rois » (Epiphanie), la Saint-Léopold le 16 octobre et la Saint-Charles le 4 novembre en l'honneur de la duchesse Elizabeth-Charlotte. Les réjouissances du Carnaval, avec mascarades, comédies, bals se succédaient depuis l'Epiphanie jusqu'au Mardi gras.

Toutes les activités de la Cour n'étaient pas limitées au cadre lunévillois. L'été, elle se déplaçait à Einville, où un vieux château avait été totalement refait en 1704. Par lettres patentes de 1717, cette résidence estivale était laissée au marquis de Lambertie. Quant à la Neuve et la Vieille Malgrange, restaurées de 1699 à 1701, elles servirent à loger des hôtes de marque. Léopold songea à y faire de nouvelles constructions. Le deuxième projet de Boffrand fut agréé, mais les travaux entamés en 1712 furent stoppés en 1715 en raison de leur coût.

La Cour de Léopold, brillante, cosmopolite devait porter témoignage de l'éclat retrouvé de la Lorraine ducale. Elle connut ses grandes heures jusqu'en 1722. A partir de cette date les difficultés financières l'atteignirent durement, et les maladies de Léopold et d'Elizabeth-Charlotte assombrirent les dernières années du règne.

Lunéville : La Favorite ou le Petit Château du prince Charles.
Construit vers la fin du règne de Léopold pour son dernier fils Charles-Alexandre, La Favorite a été sensiblement remaniée au XIXe siècle (disparition de la deuxième tourelle ronde). Stanislas mit cette demeure à la disposition de La Galaizière en 1737. Celui-ci y prit les premières mesures concernant le nouveau régime des duchés.

5.

LA RECONSTRUCTION

Au-delà de la nature différente de leurs destins, les pays ducaux et franco-évêchois se trouvaient une nouvelle fois confrontés aux mêmes problèmes. En dépit de toutes les mesures prises depuis plus d'un tiers de siècle, l'espace lorrain restait encore à repeupler, à ranimer, à restaurer. A cet égard les premières décennies du XVIIIe siècle constituèrent une étape décisive avec la régénération des deux ensembles dans la différence, trop souvent affirmée et revendiquée.

Repeupler

Une des premières mesures de Carlingford fut — on l'a vu — consacrée, dès le 2 avril 1698, aux avantages accordés aux étrangers qui auraient l'intention de s'installer dans les duchés, et aux artisans désireux d'exercer leur métier sans être, pour un temps, soumis à la production d'un chef-d'œuvre.

Les migrations

La partie orientale du bailliage d'Allemagne avait été très fortement atteinte par les malheurs de la guerre de Trente ans. Le même problème se posait de l'autre côté de la frontière dans les pays de Basse-Alsace, notamment dans la région de Lichtenberg. L'administration française avait pris des mesures en 1682-1687 qui attirèrent l'immigration, venue de Picardie et de Champagne (G. Livet). Dans la même disposition d'esprit Léopold prit l'ordonnance du 10 octobre 1698 au sujet du bailliage d'Allemagne « où il se trouve grand nombre de lieux abandonnés et la plus grande partie des héritages en friche et sans culture » : les propriétaires avaient une année pour les remettre en état, sinon on en ferait « don aux étrangers qui viendront s'habituer en notredit bailliage » et que l'on attirait par la promesse d'une franchise des impôts, des corvées, du logement des soldats pendant six années. Ces avantages étaient accordés pour dix ans à « ceux qui bâtiront dans notre ville de Sarreguemines » (nouveau chef-lieu du bailliage d'Allemagne) « quelques commerce qu'ils puissent faire ». Cette mesure fut étendue à tout le territoire des duchés le 14 septembre 1709.

Le phénomène migratoire est d'appréciation difficile. Le facteur le plus aisé à saisir, c'est-à-dire le pourcentage des époux d'origine extérieure, reste approximatif. Cependant dans les campagnes comme dans les villes l'apport, de loin le plus important, mais peu profitable au relèvement démographique de l'ensemble lorrain était celui d'origine proche : les micro-migrations l'emportèrent largement sur les migrations de provenance lointaine. Le phénomène était antérieur à 1700, mais se poursuivit après cette date. A Gondreville on rencontrait 21 étrangers à la paroisse sur 76 conjoints de 1701 à 1710, puis 27 sur 110 de 1711 à 1720, et 19 sur 138 de 1721 à 1730, soit au total 67 sur 324 (20,7 %). Mais sur ces 67 « étrangers », 42 provenaient de la région : 28 Lorrains, 10 Toulois, 3 Barrois et un Messin (Monique Paulmier). D'une façon générale la venue d'immigrants réellement étrangers fut plus importante dans les deux premières décennies du XVIIIe siècle. Certes, en se limitant aux actes de mariages, échappent à l'observation les familles déjà constituées, mais la grande majorité des migrants étaient des célibataires. Leur origine restait la même qu'au XVIIe siècle : un important groupe des pays montagnards, Savoie, Dauphiné, Suisse, Tyrol, et celui uniquement francophone de Picardie et de Champagne. C'étaient des hommes de la terre et des ouvriers du bâtiment.

Le bilan démographique

L'apport des migrants ne suffit pas à expliquer le relèvement de la population, entamé à la fin du XVIIe siècle. D'autres facteurs intervinrent aussi : la reprise de la nuptialité et de la fécondité, la moindre morbidité, le léger affaiblissement de la mortalité infantile et juvénile, la disparition — ou presque — des grandes maladies épidémiques. Certes le souvenir de la grande hécatombe fut ravivé par la nouvelle de la peste qui toucha Marseille et une partie de la Provence en juin 1720. Léopold proclama une ordonnance qui devait mettre ses états à l'abri de la terrible maladie : contrôle de l'origine des voyageurs ; interdiction de fréquenter des lieux infectés et d'en ramener des marchandises ; obligation dans les bureaux de poste de « parfumer » les lettres en provenance de ces pays. La peste resta confinée à la région marseillaise grâce à l'efficacité des mesures d'hygiène et des cordons sanitaires qui l'isolaient. L'épidémie la plus redoutable fut la petite vérole, c'est-à-dire la variole qui avait déjà affecté l'Europe occidentale à diverses reprises au cours du XVIIe siècle. Mais cette maladie très contagieuse frappa la France et la Lorraine en plusieurs vagues, n'épargnant aucune catégorie sociale. Léopold et Elizabeth-Charlotte perdirent ainsi plusieurs enfants : Charlotte, onze ans, le 4 mai 1711 ; Louis, sept ans, le 10 mai ; Gabrielle, neuf ans, le 11 mai. En 1723, nouvelle recrudescence : le libraire Nicolas notait dans son journal : « Pendant l'été et l'automne de 1723, la petite vérole fit un ravage épouvantable dans la Lorraine. Il y mourut plus de mille cinq cents enfants ; on les enterrait par cinq ou six à la fois ; cette maladie ne cessa qu'au mois de janvier 1724 ». Un autre fils du duc, Léopold-Clément, disparut à l'âge de seize ans le 4 juin 1723. Tous ceux qui contractaient la maladie ne mouraient pas, mais en portaient sur la peau les marques indélébiles.

LA POPULATION DES VILLES ET BOURGS-CENTRES ENTRE 1585 ET 1712

Villes et bourgs	Population			Variation 1585-1712 (en %)
	1585 (conduits)	1712 (conduits)	1708 (habitants)	
Neufchâteau	669	539	2 468	− 19,4 %
Pont-à-Mousson (a)	602 (878)	1 200	5 620	+ 99,3 %
Mirecourt *	371	702	3 077	+ 89,2 %
Saint-Dié *	444	441	—	− 0,6 %
Charmes	354	281	1 169	− 20,6 %
Blâmont	342	158	719	− 53,8 %
Rosières	330	280	1 462	− 15,1 %
Lunéville (b) *	326	520	2 699	+ 59,5 %
Vézelise	298	364	1 205	+ 22,1 %
Château-Salins	296	252	—	− 14,8 %
Saint-Avold	230	219	812	− 4,7 %
Châtel	186	184	860	− 1 %
Dieuze	167	265	1 413	+ 58,6 %
Bruyères	147	177	760	+ 20,4 %
Boulay	152	191	730	+ 25,6 %
Gondreville (c)	104	112	519	+ 7,6 %
Sarreguemines	94	56	—	− 40,4 %

(a) population en 1602 ;
(b) population en 1596 ;

(c) population en 1596 ;
* avec les faubourgs.

Le taux de variation de 1585 à 1712 reste approximatif en raison des critères différents utilisés d'un lieu à l'autre : il s'agit donc d'un ordre de grandeur. Faute de sources, ce tableau ne présente pas la totalité des villes.

LAPERCHE-FOURNEL (M.-J.), *La population du duché de Lorraine de 1580 à 1720*, Nancy, 1985 (p. 172).

Au total, d'après les dénombrements du duché de Lorraine, la population était revenue sous le règne de Léopold à peu près au haut niveau de la fin du XVIe siècle, mais avec des nuances régionales parfois importantes. Certaines villes stagnèrent comme Neufchâteau, Blâmont et Charmes, alors que d'autres se développèrent, telles Pont-à-Mousson, Mirecourt, Dieuze et évidemment Lunéville. Dans l'ensemble le peuplement apparaît dans les campagnes de la Lorraine ducale un peu mieux réparti qu'un siècle et demi auparavant ; mais les contrées les moins occupées autrefois restaient toujours les plus faibles, en particulier le nord-est.

En raison de sa fonction militaire, Metz comptait 3 000 officiers et soldats au début du siècle ; ce chiffre allait augmenter pour atteindre 8 000 en 1741, alors que la population civile passait de 22 000 à 30 000. C'était donc toujours la ville la plus peuplée de l'ensemble lorrain, puisque Nancy ne bénéficiait ni de la présence de l'armée ducale, ni celle de la Cour : elle comptait en 1701 2 622 conduits et

485 religieux et religieuses, ce qui laisse supposer une population de 11 000 à 12 000 habitants, soit à peu près la moitié de celle de Metz. Verdun avait environ 7 000 à 8 000 habitants en 1700 et 9 000 en 1731. Epinal et Pont-à-Mousson connurent une réelle progression économique et démographique dépassant 5 000 habitants avant même la fin du règne de Léopold. L'essor le plus important fut accompli par Lunéville qui comptait mille habitants en 1698 et sextuplait sa population trois décennies plus tard.

Le mal évêchois

La fonction militaire de la généralité de Metz (terme officiel donné aux Trois Evêchés) et particulièrement de son chef-lieu fut porteuse à la fois de chance et de contrainte aussi bien pendant la conjoncture de guerre jusqu'en 1714 que dans le cadre pacifique retrouvé.

La mission logistique

La paix de Ryswick dura peu : dès 1701 la grande alliance de La Haye rassemblait l'Angleterre, les Provinces-Unies et l'Empire contre la France. La guerre de Succession d'Espagne allait durer jusqu'en 1714 ; elle fut la plus longue et la plus difficile des guerres menées par Louis XIV, décidé à assurer le trône d'Espagne à son petit-fils, le duc d'Anjou devenu Philippe V. Les opérations militaires se déroulèrent sur de multiples théâtres terrestres et maritimes. La Lorraine évêchoise et ducale resta à l'abri des combats, à l'exception de quelques raids en 1704, 1706 et surtout 1712 à la frontière septentrionale dans la région de Metz.

Verdun vers 1700.
Vauban a fait un nouveau tracé de l'enceinte bastion-née englobant la Ville-Basse et le Pré-Saint-Nicolas (ou Isle-Saint-Nicolas) ainsi que, sur la droite, la Citadelle.

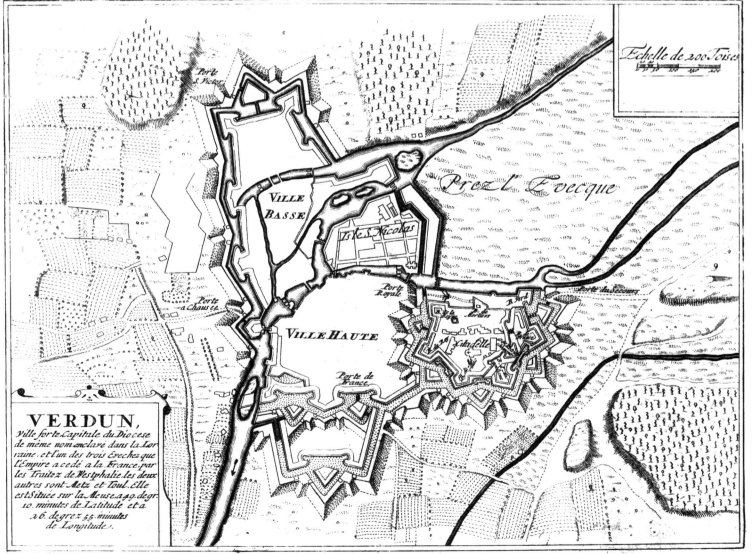

Musée lorrain, Nancy. Cliché P. Mignot.

Héberger des garnisons importantes, préparer l'étape, parfois avancer les soldes restaient la mission des trois places évêchoises, à l'abri de fortifications que l'on entretint à Metz, modernisa à Toul, et acheva dans Verdun, sensiblement remodelé. Ces travaux et l'édification de casernes nécessitaient une main-d'œuvre importante, mais variable selon les moments. La présence des garnisons et des troupes de passage constituait un énorme marché qui fit la fortune des munitionnaires, fournisseurs des rations nécessaires ; les larges excédents de céréales et de fourrages en provenance des duchés y trouvaient d'intéressants débouchés, ainsi que les obligations de remonte pour la cavalerie. Les incessantes opérations économiques et financières favorisèrent le milieu des marchands juifs, nombreux à Metz. De plus vivait des besoins militaires la foule des petits artisans, travaillant les cuirs, les tissus et les métaux, et celle des cabaretiers, taverniers et petits commerçants en vins.

L'énorme coût des guerres avait contraint la monarchie à vivre d'expédients et à créer de nouveaux impôts, en principe provisoires, comme la capitation et le dixième. Un des moyens utilisés sans retenue pour se procurer de l'argent consista à exiger des officiers civils un supplément de la finance ; ou à dédoubler — et parfois plus — les offices existants, particulièrement ceux des municipalités. Pour donner quelques ressources à celles-ci, le gouvernement royal leur accordait la perception des octrois. De plus la ville de Metz avait obtenu en 1692 le droit exclusif de se procurer les marcs de raisins d'une cinquantaine de villages « pour en alambiquer l'eau de vie », mesure d'une extrême impopularité, à tel point que dans les cahiers de doléances de 1789 l'unanimité était totale pour exiger sa suppression.

La réadaptation après 1714

La fin de l'économie de guerre amena la disparition des gros marchés fondés sur la satisfaction des besoins essentiellement militaires. Le traité de 1718 instaurait la liberté des échanges avec des duchés, qui, redevenus libres, étaient en pleine renaissance agricole et industrielle. L'âpre concurrence desservait la généralité de Metz en des secteurs, comme la draperie, où naguère elle dominait le marché. On crut trouver la panacée avec l'amélioration de l'infrastructure de l'activité portuaire et surtout avec l'installation des foires franches, destinées à ranimer des courants commerciaux atones. Mais Versailles, peu sensible à ces problèmes, préféra ne pas déplaire à Léopold et aucune suite ne fut donnée au projet de foires. Les Trois Evêchés subirent donc une récession jusque vers la fin des années vingt. L'amorce du rétablissement vint de la rénovation en temps de paix de la fonction militaire et de la résolution de doter Metz de bâtiments vastes et modernes : citadelles, casernes... La royauté accepta d'emblée en 1725 la proposition des Trois Ordres d'affecter 40 000 livres par an à la construction de casernes « pour le soulagement du bourgeois ». Et en 1728 on entamait la remise en état des fortifications.

Il reste cependant que la généralité possédait quelques manufactures et qu'elle fit, en ce domaine, peu d'efforts. Ce fut par un acte apparemment sans grande importance qu'un maître de forges flamand Jean-Martin Wendel fit l'acquisition des installations d'Hayange en 1704 : le grand centre métallurgique restait Moyeuvre en Lorraine ducale.

Dans les trois villes épiscopales le clergé parvenait à garder une importante entreprise immobilière et foncière. L'autre fait dominant concerne les effets de la vénalité des offices municipaux qui séduisirent les néo-Messins : ainsi le chevalier de Rissan qui conserva la charge de maître-échevin de 1692 à 1712. On assista alors à une lutte sourde entre les Messins de vieille souche et les autres, entre les parlementaires et les magistrats municipaux qui, pour tenter d'asseoir leur influence, jouèrent des mesures contradictoires, imposées par le gouvernement de la Régence, toujours à court d'argent : restauration du système électif pour tous les offices municipaux (1717) ; remboursement par la ville de la finance d'offices (1718) ; rétablissement de trente-huit offices (1722) puis leur suppression (1724). L'achat des offices et la spéculation qui y fut associée eurent aussi, en gelant des capitaux, de funestes répercussions sur les capacités d'investissement et donc sur l'activité économique à Metz.

Les Juifs tenaient une place grandissante dans la vie messine, malgré leur exclusion des métiers et l'interdiction de posséder des biens immobiliers, sinon depuis 1614 dans le quartier Saint-Ferroy. Leurs occupations principales restaient depuis longtemps la vente à crédit et le prêt à intérêt, mais la permanence des guerres avait provoqué, pour les fournitures militaires, le recours aux

LES JUIFS CARICATURÉS

*Te suis Juif et iay des richesses
que te me suis acquis par ruse et par finesse*

Marchand juif de Metz *recevant en gage des bijoux et des pièces d'orfèvrerie sur une table au pied symboliquement griffé.*

*Te suis Marchand de puis long temps
quand je puis ie trompe les gens*

Marchand juif de village *recevant des fripes et occasionnellement une vache ou un cheval.*
Du ghetto à la Nation, op. cit., p. 41.

Gravures de S. Leclerc, Les modes de Metz, 1664.

La taxe Brancas *créée en 1715.*
Du ghetto à la Nation, op. cit., p. 51.

Juifs en raison de leurs relations avec les marchands étrangers. Les marchés les plus importants concernaient le trafic des grains et la remonte pour la cavalerie.

En 1715 le régent avait accordé au duc de Brancas et à la comtesse de Fontaine le bénéfice d'un droit de « protection » de quarante sous par chaque feu juif dans toute l'étendue de la généralité. Trois ans plus tard il renouvelait les « privilèges » de la communauté juive, mais en lui interdisant de dépasser l'effectif dénombré en 1717 (soit 480 ménages) et en la soumettant à la tenue d'un état civil. Pour rester dans cette limite et éviter le risque d'une immigration un arrêt interdit en 1719 aux Juifs de Metz de recevoir des coreligionnaires étrangers. En fait la fiscalité fort lourde fut le meilleur dissuasif dans ce domaine.

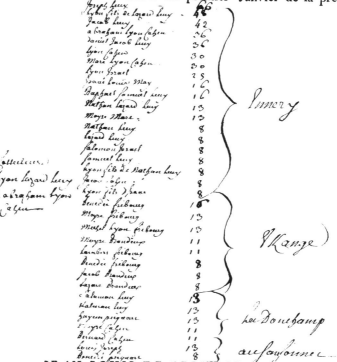

ÉTAT

DE LA TAXE FAITE PAR LES SINDICS de la Communauté des Juifs de la Ville de Metz, sur les Juifs habitans dans les Lieux de la Généralité d'icelle, pour le Recouvrement des Deniers à aider à des charges & à la somme de Vingt mille livres, que ladite Communauté est obligée chaque année, à Mrs. les Ducs de Brancas & de Lauragois ou autres, par Don du Roi, du 4. Avril 1743. à commencer le premier Janvier 1746. laquelle Taxe sera payée par les Collecteurs préposez & dénommez en marge du présent Etat, par chacun Quartier d'année, entre les mains des Sindics de ladite Communauté des Juifs.

Et ce à commencer du premier Janvier de la présente année 1759.

JEAN-LOUIS DE BERNAGE, CHEVALIER, Seigneur de Vaux, St. Maurice, Chassy, Arbonne & autres Lieux, Conseiller du Roi en tous ses Conseils, Maître des Requêtes ordinaire de son Hôtel, Grand-Croix de l'Ordre Royal & Militaire de St. Louis, INTENDANT de Justice, Police & Finances au Département de Metz, Frontières de Champagne, du Luxembourg & de la Sarre.

VU l'Etat de répartition ci-dessus, des sommes que les Juifs y-dénommés, doivent payer pour leurs Cottes-parts de la Redevance annuelle de Vingt mille livres, dont

La Reconstruction rurale

La remise en état de la vie des campagnes avait déjà été entamée depuis 1655 environ. Mais les dévastations avaient été profondes : elles justifiaient les mesures d'urgence édictées avant même le retour effectif du prince. Les conditions naturelles gênaient ou favorisaient, selon les moments, les efforts de normalisation de l'économie rurale.

Les crises de subsistances

Les paysans vivaient au rythme des bonnes et des mauvaises années selon le volume et la qualité des récoltes. Or celles de 1698 furent très faibles. « La récolte que l'on vient de faire des grains est encore beaucoup au-dessous du peu d'espérance que l'on en avait conçu », remarquait-on au début de septembre. Dans tous les documents était évoquée « la stérilité de l'année présente » dans le duché de Bar et surtout dans le bailliage de Vosge. Il fallut prendre des mesures pour secourir les habitants de ces contrées ; et d'abord les pauvres auxquels on distribua du blé. L'évêque de Toul procéda à des achats de froment, seigle, orge, avoine et pois qu'il fit distribuer aux plus nécessiteux par les curés dans chaque village. Mais il fallut rappeler à l'ordre les paysans « aisez » qui s'étaient « persuadez que par le moyen de la distribution desdites aumônes ils étoient exempts de leurs cottes ci-devant réglées pour la subsistance desdits pauvres » et refusaient de fournir les chariots nécessaires pour ces transports. D'autres qui n'étaient pas pauvres mais simplement démunis provisoirement obtinrent par l'ordonnance du 13 mars 1699 des facilités pour emprunter de l'argent. Les récoltes suivantes furent heureusement meilleures.

De toutes les années catastrophiques nulle n'a marqué plus profondément la mémoire populaire que 1709. Déjà la récolte de froment avait été mauvaise en 1708 et, selon l'habitude, les gouvernements, dont celui de Léopold, interdirent la sortie du froment de leurs états.

Un froid brutal s'abattit au début de janvier 1709 sur l'Europe occidentale. Il dura en Lorraine du 6 janvier au 2 mars : « le plus cruel hiver qu'aucun homme vivant eût jamais vu », écrivait le libraire nancéien Jean-François Nicolas. Bien que les dégâts fussent beaucoup plus graves dans certaines régions françaises, les arbres fruitiers furent gelés (peut-être la moitié), les grains ensemencés détruits. Aussitôt les prix des blés augmentèrent et il fallut prendre des mesures rigoureuses : interdiction de sortir le froment, puis le seigle, l'avoine, l'orge et les méteils ; confection de pain avec deux tiers d'avoine ; interdiction de pâtisseries : destruction des colombiers ; visite des greniers, notamment dans les villes ; obligation de faire de la bière avec la seule avoine. On chercha en effet à réserver l'orge à la culture de printemps (semailles en mars, récolte en juillet) sur les terres « libérées » par le gel du froment. En période de disette, les villes étaient envahies par des mendiants vagabonds que l'on s'efforçait d'expulser afin de limiter le nombre de bouches à nourrir. Pour attirer les bénédictions du ciel, des processions furent ordonnées au mois de mai par les évêques.

Lorsque vint l'été, la récolte de froment et d'avoine fut désastreuse, à l'exception du bailliage d'Allemagne. En revanche, celle de l'orge salvateur fut très bonne, car les grands froids avaient tué les mauvaises herbes et les rongeurs prédateurs ; ils avaient aussi aéré et fragmenté les terres.

D'autres mesures étaient indispensables. En attendant les fruits de la mince récolte de 1709, on permit aux débiteurs de payer les dettes après la Saint-Martin d'hiver (11 novembre). Il fallait surtout importer des grains pour se nourrir et ensemencer les terres à l'automne. Des blés, vendus très cher, vinrent d'Allemagne ; la ville de Nancy contribua pour 70 000 francs, mais il lui fallut emprunter « auprès des personnes les plus commodes ». Les difficultés d'approvisionnement persistèrent jusqu'en 1710. Afin de ne pas gâcher la nourriture, le pouvoir civil et le pouvoir épiscopal s'unirent pour autoriser les dispenses de carême et interdire les « assemblées pour festins, banquets et repas extraordinaires » sous peine d'une amende de 500 francs.

La perspective de bonnes récoltes permit dès le 15 mars 1710 de libérer le commerce des grains, de lever l'interdiction de sortie des duchés et de fabrica-

L'HIVER 1709 À METZ

« 1709. — Une des plus rudes années à passer que jamais ayt esté, et il n'y auoit point homme d'aige qui ayt vu la pareille en froidure et cheireté. Le 5 januier veille des Roys, il pleuvoit encore à minuyt et auant le jour il geloit sy fort que la terre portoit partout, et au bout de deux jours la Moselle fut entièrement gelée et marchoit on ferme dessus. Les moulins ne pouuoient plus moudre en sorte que dans dix ou douze jours il s'est trouué des glaçons qui auoient plus de deux pieds et demy d'espoisseur. La vigne, le bled, les arbres fruitiers furent engelez. Des arbres estoient fendus depuis le haut jusqu'à la racine en sorte qu'il a fallu les arracher et les coupper, ensuitte en replanter des jeunes à la place des vieux. La gelée a esté uniuerselle par toutte la terre et dans les pays les plus chauds. En Provence, en Italie, en Espagne, etc., tous les orangers et oliuiers ont aussy esté gelez.

Il s'est trouué dans la Cathedrale, vn dimanche, plus de deux mille chauues souris sur le paué mortes de froid.

Il n'est point entré de vin nouueau à Metz ceste année... L'hiver a duré jusqu'au moys d'avril... Il a fallu couper nombre de vignes sur le pied. On a resemencé également les terres de grains, d'auoynes, de pois, de feues et de touttes sortes de legumes à force, parce qu'il n'y avoit point de bled.

[En mai] s'eleva vne grande emotion de la menue populace qui ne savoit ou chercher à viure.

Il fut ordonné qu'on cuyroit du pain dans les fours de Sainct Vincent. Mais le pain ainsy cuit estoit d'avoyne en trez grande partie et sy mauuois qu'on ne pouuoit le vendre mesme pour les bestes parce qu'elles se refusoient à en manger. On faisoit moudre l'avoyne auec du mechant bled pour composer le pain qui se vendoit à 1ˢ 6ᵈ la liure, mais les grains restoient souuent entiers.

Jamais il ne s'est vu vne telle famine et misere ».

Chronique anonyme de 1684 à 1725, Metz-Nancy, 1879 (p. 12-14).

tion de la bière. A l'automne 1710 la crise de subsistances était terminée. Malgré sa brutalité elle ne provoqua pas de troubles démographiques, hormis les retards aux mariages et une recrudescence limitée de la mortalité provoquée par les maladies pulmonaires et digestives.

Les remembrements

Dans l'ensemble lorrain se poursuivit l'effort qui avait été entrepris depuis 1670-1671. Le but restait de retrouver les anciennes structures champêtres. La technique des remembrements, étudiée par Jean Peltre, obéissait à certaines règles. Les villageois convoqués énuméraient leurs biens devant le commissaire désigné et fournissaient, s'ils le pouvaient, leurs titres de propriété. On procédait alors à l'abornement du ban et à la séparation d'avec les bans voisins, utilisant les anciennes bornes et éventuellement en en plantant des nouvelles. Puis on définissait le tracé des soles ou saisons, des quartiers (subdivisions des soles), des parcelles et des chemins selon leur ancienne distribution dans la mesure où les témoignages écrits et oraux le permettaient. Mais il est évident que le commissaire devait souvent procéder à un certain remodelage et que ses décisions donnaient lieu à contestation et même à procès. Les remembrements de 1680-1740 ne cherchaient pas à améliorer l'exploitation agricole, mais seulement à restaurer la propriété selon ses anciennes limites.

Il était tout à fait exceptionnel que l'on modifiât l'emplacement des saisons. Il fallait de sérieuses raisons. A Saint-Agnant-sous-les-Côtes en Barrois non mouvant la communauté présenta une requête le 27 décembre 1702 pour remédier au partage inégal des saisons, l'une située en hauteur et improductive en période de sécheresse, la deuxième en plaine avec une humidité excessive, la troisième trop vaste : le 12 février 1704, le duc autorisait une nouvelle distribution des saisons.

La régénération des villages

Aux avantages accordés en 1698 à ceux qui viendraient s'établir, notamment dans le bailliage d'Allemagne, s'ajoutèrent des mesures plus radicales destinées à redonner vie aux villages dépeuplés. En effet les propriétaires de masures (maisons en ruines) refusaient souvent de les vendre aux nouveaux arrivants, sauf à « un prix fort considérable ». L'ordonnance ducale du 20 janvier 1704 les contraignit à les rétablir dans les deux ans. Après ce délai, tout sujet pourrait s'y installer en payant un prix fixé par des experts nommés par les prévôts. L'application de cette mesure laissa à désirer. Aussi le 12 janvier 1715 on permit un délai de trois ans dans les villes et de six ans dans les villages pour le rétablissement des maisons ruinées, au terme duquel — et après sommation ou déclaration au greffe — il était possible à tout sujet d'y bâtir « sans être tenu de payer pour raison desdites masures ».

Un village reconstruit : Mouacourt.

— *Le 20 janvier 1701, six chefs de famille « nouvellement establis sur le ban et finage de Moacourt, village désert de la prévôté d'Einville à ce que sous le mérite de leurs offres de payer les droits seigneuriaux à qui il appartiendra et de bâtir des maisons dans la suitte » exposaient une requête pour « jouir paisiblement des terres qu'ils y ont deffriché » et des divers avantages de franchises et fourniture de bois.*

— *L'abbé et les religieux de Senones, seigneurs du lieu, présentaient à leur tour une requête pour obtenir que l'on enjoignît aux requérants « de sortir du ban dudit Mouacourt ».*

— *Après examen et rapport par Protin, lieutenant général au bailliage de Lunéville, le Conseil d'Etat confirmait, le 20 juillet 1701, l'établissement des suppliants à condition de bâtir des maisons solides dans un an ; un arpent leur était accordé, au prix de 60 francs pour maison, enclos et dépendances. Comme autres avantages : franchise de toutes impositions pendant trois ans ; jouissance, pendant douze ans, des terres défrichées ; fourniture de bois de construction relevant de la gruerie d'Einville.*

— *L'avocat Jean Pelletier, de Mirecourt, procéda à un arpentage général, marqua les emplacements des maisons et des terrains, désigna les rues et entrées du village, ainsi que « les chemins nécessaires pour la commodité publique » et fit « la séparation des saisons ».*

— *Le village-rue (la rue étant large de neuf toises = 25,7 mètres) garde encore aujourd'hui son schéma général et ses maisons jointives.*

— *En 1701-1702, 23 familles s'installèrent à Mouacourt, mais beaucoup d'occupants repartirent ailleurs et ne construisirent pas de maisons. La communuté réunit cependant 37 familles en 1729.*

Arch. nationales, E 2861,1. Le cas de Mouacourt a aussi été étudié par PAULMIER (M.), *Aspects de la restauration rurale...* op. cit. (p. 66-71).

Cliché G. Cabourdin.

La plupart des villages se repeuplèrent ; d'autres, qui avaient été totalement abandonnés, furent reconstruits ; rares furent ceux que le pouvoir créa *ex nihilo*. Montdidier, village fondé en 1628 par le prince de Phalsbourg et vidé de ses habitants, fut repeuplé à partir de 1700 uniquement par des Lorrains francophones venus des environs. L'implantation de nouveaux exploitants n'allait pas sans difficultés, même s'il s'agissait de villages abandonnés depuis très longtemps : ce fut le cas de Mouacourt, qui dépendait de l'abbaye de Senones. A proximité de Sarrelouis furent créés en 1704 deux villages, Felsberg et Neu-Forweiler, avec plan de village-rue « les maisons toutes d'une suite et d'un côté, faisant face au grand chemin le long d'icelui », d'imposants usoirs, des façades considérables : à Neu-Forweiler, 6 à 8 toises, soit 17 à 23 mètres pour les laboureurs. La répartition des terres dans le finage bénéficia de l'amélioration des techniques de l'arpentage et d'une meilleure maîtrise de la planification des surfaces (Jean Peltre).

Les aléas de la Reconstruction

Il semble qu'en général les efforts furent consacrés en premier lieu à la remise en état des terres productrices. Sur les fondements des masures on édifiait des constructions légères, en bois, en attendant la reconstruction des véritables maisons. Ainsi à Benney en 1706 on comptait sept maisons édifiées depuis 1698 et quarante-six en ruines ; pour l'ensemble de la prévôté de Gondreville dans 134 villages, on dénombrait 375 masures rebâties et 2 639 « masures à rétablir ». La reconstruction des habitations rurales ne put s'effectuer qu'à un rythme lent et était achevée seulement vers 1730 (Monique Paulmier). La remise en état des terres fut plus rapide et dans la plupart des parties de la Lorraine, les récoltes retrouvaient en 1720-1730 le niveau du début du XVIIe siècle.

Restait le problème, si lourd, de l'endettement, qu'il fût individuel ou communautaire. Déjà le 10 septembre 1700 un arrêt du Conseil d'Etat, estimant que les communautés urbaines et villageoises étaient soulagées des charges extraordinaires de l'époque des guerres, prévoyait la création d'une commission de vérification et de liquidation des dettes ; il levait les « répis et surséances » accordés. Ce fut pratiquement un échec en raison des maigres possibilités financières des communautés. De plus celles-ci se préoccupèrent en premier lieu de reprendre les bois et pâquis qu'elles avaient été contraintes d'engager ou de vendre ; et on fit des levées sur les habitants pour payer les dettes de l'Etat. Toutefois la commission apporta de la clarté dans la situation de chaque communauté.

LA MALÉDICTION DIVINE

« Les peuples de Pont-à-Mousson prirent en guignon les paniers des dames ; ce qui faillit à causer une émeute. Ces bonnes gens, à qui aucune comète ni autre signe céleste n'avait annoncé la disette qui se faisait sentir, s'en prirent à ces vertugadins, s'étant imaginé bonnement que c'était cette mode qui attirait sur la ville et sur les cantons d'alentour les malédictions du ciel qui refusait le temps convenable aux biens de la terre. Dans cette prévention, ils assaillirent au mois de septembre, à coups de pierres, des femmes qui portaient de ces machines énormes et les poursuivirent plusieurs jours avec des huées qui les couvraient de confusion. Les dames, toujours prêtes à se faire hacher pour la mode et résolues de la soutenir jusqu'à l'extrémité, sortirent les jours suivants avec des pistolets de poche et armées de poignards, menaçant de faire un mauvais parti à qui les insulterait, et il s'en trouva même d'assez amazones pour faire feu dans les rues. Cependant la populace ne cessa pour cela de les agacer. Sur quoi elles portèrent leurs plaintes aux magistrats. Dans les commencements, on ne se pressait pas beaucoup de leur rendre justice. Mais, sur leurs instances réitérées, on fut obligé de faire une information. Les pauvres diables de maris se trouvèrent forcés, pour avoir la paix, de prendre parti dans cette affaire. Le menu peuple était toujours fort échauffé et les dames plus outrées. Cependant l'affaire finit assez tranquillement » (1725).

« Journal ... par le libraire Nicolas », art. cit., *M.S.A.L.*, 1899 (p. 278-279).

Cliché G. Cabourdin.

Sandaucourt.
Types de maisons de laboureurs avec les « rains » (travées) pour l'habitation, pour le bétail et pour le matériel agricole.

En février 1722 le pouvoir ducal voulut régler l'affaire de l'endettement généralisé ; le Conseil d'Etat recourut à un procédé classique en pareille situation et largement utilisé dans le royaume. En échange de la consolidation des deux-tiers, les créanciers des communautés devaient abandonner le tiers de la somme due ainsi que la totalité des intérêts échus. Pour ce faire un plafond annuel était fixé pour le paiement : 2 000 francs pour Nancy, Bar et Lunéville, 1 000 francs pour Mirecourt, Epinal, Remiremont, Saint-Dié, Pont-à-Mousson. Saint-Mihiel et Neufchâteau à prendre sur les deniers d'octroi... De plus on prévoyait, dans la perspective du règlement des dettes, la taxation des habitants sur le pied de la subvention. La meilleure santé de l'économie lorraine permit le remboursement non de la totalité, mais d'une partie importante des dettes des communautés.

Les progrès de la production

Il est indéniable qu'était revenue, pour une bonne part, la prospérité des campagnes qui faisait l'admiration des voyageurs un siècle plus tôt. La production céréalière — vocation première de la Lorraine — dépassait largement la consommation, surtout dans les états de Léopold. C'était clairement l'avis de l'envoyé français D'Audiffret qui estimait à un quart la part des céréales dans les exportations des duchés. Le pays messin, densément peuplé, mais réduit en surface et peu fertile, restait dans la dépendance du froment ducal.

DECRET DE S. A. R.

Portant ordre de faire couper le jaret aux chiens de Païsans, pour les empêcher de chasser.

Du 15 Mars 1708.

REmontre humblement Philippe Comte de Martigny votre grand Veneur de Lorraine & Barrois, que nonobstant toutes les grandes precautions que V. A. R. ait pû prendre par son Réglement sur le fait de la Chasse dans l'étenduë de ses Etats pour en empêcher les abus, il en arrive cependant des inconveniens des plus préjudiciables au plaisir & au bien qu'Elle s'en étoit promis & qu'elle en devoit attendre par le fait des chiens tant mâtins qu'autres des Villes, Bourgs & Villages, nonobstant les Billots & Chênes ordonnés leur être attachés au col de chacun d'iceux, qui ne les empêchent pas de quetter & prendre les Lievres & Levreaux, suivant les differens avis reçus des Capitaines & Gardes Chasses ; à quoi étant important de remedier, le Remontrant en sa qualité en fait sa trés-humble remontrance à V. A. R.

CE consideré, MONSEIGNEUR, il vous plaise ordonner à tous Laboureurs, Vignerons, & autres des Villes, Bourgs & Villages de vos Etats, Censes ou Hameaux ayant Chiens mâtins, de leur couper ou faire couper le Jaret pour les empêcher de chasser, sous peine contre chacun contrevenant de vingt-cinq francs d'amende payable sur le champ, le tiers d'icelle applicable au Rapporteur, & les deux autres tiers à la disposition du Remontrant, en rendant les Maires de chacun desdits lieux responsables de l'inexecution ou contravention à votre Ordonnance, sous la même peine d'amende, & sera justice. *Signé,* WARY, Avocat au Conseil.

VEU en Conseil la presente Requête, Nous avons ordonné & ordonnons à tous Laboureurs, Vignerons & autres des Villes, Bourgs & Villages, Censes ou Hameaux compris dans nos Plaisirs ayant Chiens & Mâtins, de leur couper ou faire couper le Jaret pour les empêcher de chasser, & ce dans le mois après la publication de la presente Ordonnance, sous peine contre chacun contrevenant de vingt francs d'amende payable sur le champ, le tiers d'icelle applicable au Rapporteur, & les deux autres tiers à la disposition du Remontrant ; & seront les Maires de chacun desdits lieux responsables de l'inexécution ou contravention à l'Ordonnance sous les mêmes peines d'amende. CAR ainsi Nous plaît. Expedié audit Conseil à Lunéville Nous y étant, le 15 Mars 1708 par le Sieur Dandilly Conseil.

Tome I.   Hhhh

Coll. G. Cabourdin.

Mesure de Son Altesse Royale le duc
contre les chiens qui gênaient la chasse.

Dans l'ensemble de l'espace lorrain on continua à porter attention à la reconstitution du troupeau de chevaux, si profondément atteint par les guerres. Les besoins étaient considérables dans l'agriculture où les chevaux assuraient la traction des charrues et des chariots ; dans la généralité de Metz, qui vivait dans une économie de guerre, puis de paix armée, les chevaux étaient sollicités dans les régiments de cavalerie et d'artillerie, et pour les exercices de manège. Grâce à une politique de haras, surveillés par des inspecteurs, comme celui de Sarralbe fondé en 1707, le troupeau fut à peu près reconstitué dans les duchés. En 1711 il comprenait 125 000 chevaux.

Les vignobles de Lorraine avaient eux aussi souffert au siècle précédent. Beaucoup avaient disparu faute d'entretien. On s'efforça de leur redonner vie en améliorant les techniques culturales. On commença à perdre la mauvaise habitude de conserver des arbres fruitiers dans les vignes et de cultiver des choux, des navets ou des fèves entre les pieds. Des mesures furent prises pour conserver la réputation de vignoble, comme autour de Bar-de-Duc. Le Parlement de Metz s'efforçait de retrouver la qualité perdue des vins du pays en ordonnant en 1722 et 1725 l'arrachage des plants de grosse race avec l'espoir de retrouver les marchés d'antan. Les nouveaux plants firent la reconquête des coteaux sur le pourtour de la place forte. Au total les vignes couvraient en 1728 près de 1 800 hectares, selon les calculs d'Yves Le Moigne. Or la monarchie s'inquiétait de l'excessive production de raisins dans le royaume. L'arrêt de 1731 ordonna l'interdiction de toute plantation nouvelle et chargea les intendants de procéder à sa difficile application.

Dans les duchés Léopold voulut à la fois améliorer la qualité des eaux-de-vie et tirer de l'argent en créant le 21 août 1700 cinq cents offices « de fabricateurs et distillateurs d'eau-de-vie tant de vin, lie de vin que des marcs de raisins » ; ces officiers étaient astreints à payer une finance. Un inspecteur général devait chaque année faire la visite des « alambics, laboratoires et fioles d'eau de vie ».

Les plantations de tabac, interdites en pleine campagne depuis 1628, firent une timide apparition en 1663, mais Charles IV ne les autorisa pas, prétextant l'atteinte à la qualité de l'air. La culture du tabac ne commença réellement qu'au début du XVIIIᵉ siècle dans l'espoir de freiner l'importation des tabacs d'Alsace, d'une valeur de plus de 23 000 francs. Elle fut réglementée avec sévérité, ainsi que la manufacture ; et on établit une Ferme générale des tabacs de Lorraine et Barrois. Il fallut poursuivre les receleurs, les contrebandiers et les contrefacteurs. Mais les plantations de tabac, dorénavant encouragées par le pouvoir ducal qui y voyait une source de profits, se développèrent sensiblement. La Ferme du tabac rapportait au duc vers le milieu du règne entre 90 000 et 120 000 francs.

DE PAR LE ROY.

MONSIEUR LE BAILLY DE METZ,
ou Monsieur son Lieutenant General de Police;
Et Messieurs du Bailliage & de l'Hôtel de Ville.

SUR ce qui a été Remontré par le Procureur du Roy de Police ; Qu'encore que par un Droit Ancien fondé en Usage immemorial, il soit défendu aux Seigneurs Hauts-Justiciers, Habitans & Communautez des Villages du Pays Messin, de Vendanger ny faire Vendanger leurs Vignes avant que les Bans ayent été mis & affichez dans cette Ville, & le jour de Privilege dont jouit l'Hôpital indiqué ; Neanmoins depuis quelques années quelques-uns desdits Seigneurs, Habitans & Communautez se sont ingerez de Vendanger avant ledit temps, ce qui cause un tres-grand desordre & un prejudice considerable au Pays; Requerant qu'il y fût par Nous pourvû : Surquoy aprés avoir oüy le Procureur du Roy en ses Conclusions. NOUS avons fait défenses à tous les Seigneurs Hauts-Justiciers, Habitans & Communautez du Pays Messin, de Vendanger ny faire Vendanger les Vignes dépendantes de leurs Bans, avant que nôtre Ordonnance ait été Affichée en cette Ville, & le jour de Privilege dû à l'Hôpital indiqué, à peine de confiscation des Vendanges & de cinquante livres d'amende : Ce qui sera executé nonobstant oppositions ny apellations quelconques, & sans y préjudicier. FAIT à la Chambre de Police, les deux Compagnies du Bailliage & de l'Hôtel de Ville étant assemblées. A Metz le quatorze Septembre mil sept cens dix-huit.

Signé, DOGER, *Greffier.*

La réglementation du ban des vendanges, *Metz,* *1718.*

Archives Municipales, Metz.

Le climat monétaire et financier

Dans la conjoncture difficile des premières années de son règne Léopold tenta un redressement monétaire : il fit frapper en 1704 de nouvelles pièces d'or et d'argent dotées d'une valeur plus élevée, espérant par ce surhaussement reconstituer le stock de numéraire. A partir de cette date la livre lorraine fut affaiblie par rapport à la livre tournois, de 8 à 9 %, ce qui allait dans le même sens.

Samuel Lévy

Cette situation dura cinq années. Or ce fut le moment que choisit Léopold pour favoriser l'établissement de banquiers juifs. Déjà Samuel Lévy, fils d'un banquier messin, s'était installé à Lunéville. En raison de la prospérité de son commerce il fit venir en Lorraine ses deux beaux-frères Isaïe Lambert et Jacob Schwob, suivi de Moïse Alcan. Les réactions antisémites de l'évêque de Toul et du clergé nancéien furent immédiates. Mais après avoir paru céder, Léopold usa des services des quatre marchands qui consentaient d'importantes avances pour des achats à l'étranger.

Le 8 octobre 1715 le duc nommait Samuel Lévy, trésorier général des finances malgré l'opposition de la Chambre des comptes de Lorraine. Mais il fallut de nouveau recourir aux emprunts et autres expédients classiques concernant les offices. La situation de Samuel Lévy devint dramatique. Relevé de sa charge de trésorier général, il fut atteint par la faillite d'un de ses correspondants à Francfort et fit banqueroute, laissant un passif de trois millions de livres. Arrêté avec sa femme, il subit un procès où défilèrent cent cinquante témoins ; condamné, Léopold le relâcha peu après. Mais avec ostentation il célébra, revêtu de ses habits liturgiques, la fête du Nouvel An juif dans son hôtel nancéien. De nouveau condamné en 1717, il resta incarcéré pendant quatre années, puis fut expulsé par décision du duc ainsi débarrassé d'un créancier encombrant.

La compagnie de Lorraine

L'énormité de la dette publique et la consommation anticipée des recettes des années à venir acculaient les gouvernements de France, de Grande-Bretagne et, dans une moindre mesure, des duchés à rechercher des artifices spéculatifs en créant des banques éphémères — comme celle de Law — liées à des compagnies commerciales. Léopold crut trouver son salut en empruntant la même voie. Déjà en 1704 au moment où il procédait à la première refonte des monnaies, il avait institué une compagnie de commerce « pour marchandises de Hollande et pays étrangers » avec monopole du trafic extérieur pendant six années. Les marchands lorrains se récrièrent et la compagnie n'alla pas au terme de son privilège.

Alors que le système de Law était à son apogée en France, le duc établissait le 23 août 1720 la *Compagnie de Lorraine* au capital de trois millions de livres sous forme de billets de cinq cents livres chacun payable au porteur et portant intérêt à 4 %. Il lui était concédé « à perpétuité le commerce par terre et par eau de toutes sortes de marchandises et denrées licites par nos ordonnances ». L'entreprise était ambitieuse et attractive ; elle nécessitait des moyens que Léopold ne lui marchanda point : concession à perpétuité des mines découvertes ou à découvrir (sauf les mines de La Croix) ; latitude d'établir « toutes sortes de nouvelles fabriques et manufactures d'étoffes d'or, d'argent, de soye, de laine, de fil, de coton et de toutes denrées et marchandises généralement quelconques » ; bail de la Ferme générale des postes et messageries et de la Ferme du contrôle des actes pour cent vingt mille livres par an ; liberté de circulation des marchandises ; usage accordé du château ducal de Pont-à-Mousson, de la Halle de Saint-Mihiel et de tout lieu qui conviendrait pour établir des entrepôts sur toutes les rivières. L'administration était assurée par six directeurs sous l'autorité d'un « directeur général du commerce » et sous le contrôle de deux conseillers d'Etat.

Ce système, d'esprit mercantiliste et inspiré de celui de Law, connut dans les débuts un engouement considérable ; chacun voulut spéculer et les actions de cinq cents livres se négocièrent, deux mois plus tard seulement, à six cent cinquante livres. Les premières entreprises laissaient présager une évolution favorable ; l'activité minière s'accrût de l'adjonction en janvier 1721 des mines de La Croix et le commerce parut profiter d'une réelle impulsion. Un moment Léopold crut avoir trouvé le moyen d'obtenir de nouvelles ressources et de rembourser la dette publique.

Mais en France s'effondrait le système de Law et en juin 1721 se révélait l'affaire d'Epinal. On arrêta Riches de Roddes à qui la compagnie avait confié la responsabilité des mines de la région autour d'Epinal ; il fut convaincu d'avoir détourné des fonds de la compagnie avec l'aide de deux acolytes. Peu à peu la confiance s'évanouit et Léopold ne put que reculer l'échéance. En novembre il réduisit le capital de 3 000 000 livres à 1 564 225 livres, mais le 31 mars 1722 la compagnie cessait d'exister. Léopold promettait d'assigner au remboursement des actionnaires 200 000 livres à prendre chaque année sur le produit de la Ferme générale des gabelles, domaines et tabac des deux duchés.

Les finances de l'Etat sortaient plus affaiblies encore de l'affaire de la compagnie. De nouveau il fallait trouver de l'argent : transformation, en offices viagers, de nombreuses charges de trésoriers, receveurs, greffiers, tabellions et notaires ; création de nouveaux offices vénaux ; hérédité des offices municipaux.

La compagnie de commerce de Lorraine

Léopold prêta alors une oreille complaisante au projet que lui présenta un aventurier, Regard D'Aubonne. Il lui proposa d'établir en Lorraine des loteries, des foires franches et des monts-de-piété ; il envisageait d'obtenir la concession de la fabrique de draps de Nancy et de toutes les manufactures du domaine. Avec les profits, il s'engageait à fonder une nouvelle compagnie qui animerait des activités industrielles et commerciales. Léopold se laissa convaincre : le 8 juin 1724 un édit établissait la *Compagnie de commerce de Lorraine* avec Regard D'Aubonne pour directeur général assisté de onze directeurs.

La compétence de la compagnie était beaucoup plus importante que celle accordée à la précédente. En premier lieu, la compagnie se substituait pour une large part au souverain en obtenant, pour quatorze années, les bénéfices du service de la Monnaie : une refonte générale des espèces était prévue, ainsi qu'ultérieurement leur diminution mais on lui laissait — singulier renoncement du souverain — « la libre disposition du choix des temps » ; de même la compagnie ferait fabriquer « telle quantité de monnoye de billon et de cuivre qu'elle jugera à propos ». Elle avait aussi le privilège d'établir des loteries, dont 20 % du profit devaient aller au duc, et, à l'instar de celui de Rome, des monts-de-piété qui accorderaient des prêts sur gages à 5 %. Pour le reste elle obtenait des avantages analogues à ceux accordés à la précédente compagnie, comme la liberté totale du commerce, la concession de la manufacture de draps et de laines à Nancy et le privilège d'en établir d'autres pour les étoffes d'or, d'argent, de soie, de laine et de fil de coton. On envisageait aussi le rétablissement des foires franches à Saint-Nicolas-de-Port. En échange de tous ces avantages elle s'engageait à livrer pour les quatorze années une somme globale de 7 600 000 livres, dont 300 000 livres pour chacune des quatre premières années.

En fait ce fut une énorme escroquerie. Les conditions de la loterie auraient dû provoquer quelque méfiance : 50 000 billets à cinq marcs d'argent chaque, répartis en quarante classes ; et successions de tirages, tels que chaque billet était au moins remboursé. Ils furent vendus en quelques jours en Lorraine et hors des frontières. Peu avant le premier tirage Regard D'Aubonne, passé en France, était arrêté et embastillé. C'était la banqueroute qui provoqua une action en justice pour la liquidation qui ne fut achevée qu'en 1773.

Ainsi les duchés eurent, comme les grands pays, leurs rêves, leurs scandales et leurs banqueroutes, qui, sans bouleverser les structures sociales, provoquèrent quelques effondrements de fortunes. Léopold prit conseil d'un homme d'affaires parisien, Jacques Masson qui avait prévu l'échec de D'Aubonne. Poussé par la refonte des monnaies et le décri de toutes les anciennes espèces d'or et d'argent que le gouvernement français se résolut à réaliser, Léopold prit une série de mesures qui en 1726 mit un terme au désordre monétaire (Pierre Chevallier).

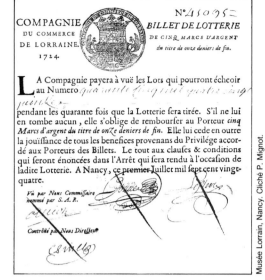

Billet de loterie *émis en 1724 par la compagnie du commerce de Lorraine.*

La renaissance industrielle

On pourrait penser que les incessantes mutations des espèces avaient opposé de sérieux obstacles au développement de l'industrie et du commerce. En réalité elles ne firent que maintenir — dans l'ensemble — la parité entre les monnaies françaises et lorraines ; par là elles permettaient d'éviter des distorsions préjudiciables aux mouvements monétaires et financiers. Selon une conception encore résolument mercantiliste, l'afflux de capitaux, surtout français, soutenait la renaissance économique.

Salines et mines

La production de sel restait une des ressources majeures des états ducaux. Elle fit plus que doubler sous le règne de Léopold, grâce surtout à l'activité des salines de Dieuze. D'après D'Audiffret, l'envoyé du roi de France, la vente intérieure du sel rapportait, à la fin du règne, plus de 2 500 000 francs barrois au titulaire de la Ferme générale. Cette progression n'était guère le fait de progrès techniques, puisque l'élévation de l'eau par un système de pompes utilisé en liaison avec la force hydraulique ne fut adopté qu'à Rosières en 1658.

La place de Dieuze.
La saline fortifiée et protégée par les marais était nettement séparée du bourg.

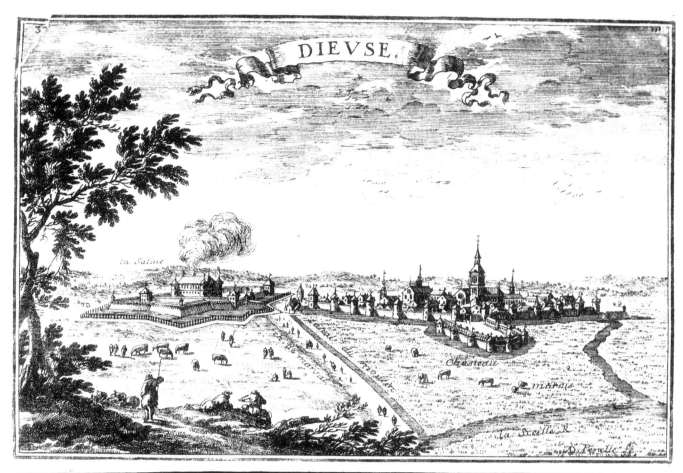

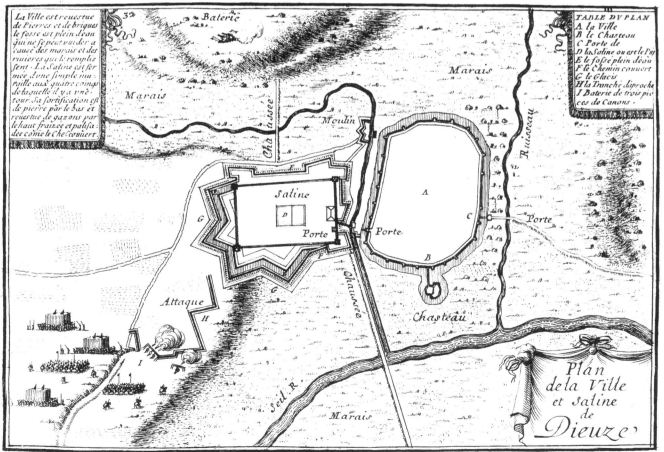

Le procédé donna entière satisfaction, mais la mentalité conservatrice était telle qu'il ne fut pas appliqué dans les autres salines (Charles Hiegel). Pendant le règne de Léopold, la concurrence fut âpre entre Lorraine ducale et monarchie française : la saline « évêchoise » de Moyenvic, menacée dans son approvisionnement en bois, évita la récession en obtenant, de l'évêque de Metz, la jouissance d'importantes forêts. Mais le sel ducal opérait une conquête systématique des marchés étrangers : Bâle, Soleure, Strasbourg, le Palatinat, Trèves, et même le Luxembourg. La bataille du sel avait, sans conteste, tourné à l'avantage de Léopold.

En revanche les espoirs de restaurer la production des mines d'argent et de cuivre furent déçus, malgré les concessions consenties en 1700 au fermier général des monnaies et des mines, Maurice Huby puis, par la suite, à divers personnages, se prétendant experts en la matière, et à la compagnie de commerce. Le coût de l'extraction et la faible teneur des minerais rendaient l'exploitation très aléatoire.

Fer, verre et faïence

Les différents ateliers sidérurgiques connurent une certaine prospérité. A la mort de Léopold on dénombrait quarante-deux forges dans le duché de Lorraine et douze dans celui de Bar recherchant les cours d'eau et la proximité des forêts. Moyeuvre restait le centre le plus important avec une « manufacture

Cliché P. Bodez.

Bouteille en faïence de Champigneulles.
« Elle évoque le règne du duc Léopold... La couronne royale surmontant les L entrecroisés rappelle que ce duc se para du titre d'Altesse Royale au début du XVIIIe siècle en vertu des prétentions lorraines sur le trône de Jérusalem. La présence de la croix potencée est de même origine.
Céramique lorraine, catalogue d'exposition, *Nancy-Metz,* 1990 (p. 49)

d'acier » créée en 1720, alors que l'activité se dispersait dans le sud meusien et en bordure méridionale des Vosges. Des fabriques de fer blanc s'étaient installées au Thillot et à Bains-les-Bains ; des tréfileries de cuivre à Fontenoy-le-Château ; une batterie de cuivre aux Grands Moulins de Nancy : une manufacture de canons, fusils et pistolets à Longuyon ; une fonderie de canons à Lunéville.

Treize « verrières » marquèrent la renaissance d'une production qui avait fait, deux siècles auparavant, la réputation de la Lorraine : Tonnoy (1698), Meisenthal (1702), Creutzwald (1705), Portieux (1705), Plaine-de-Walsch (1707) créée par le comte de Lutzelbourg, Goetzenbruck (1721), Dannelbourg (1723). Le complexe de Portieux se développa rapidement : en 1705, un ancien maître d'hôtel du duc, Magnien, installa un atelier de gobeleterie, puis en 1710 un établissement spécialisé dans le verre à vitre et en 1714 une fabrique de miroirs et verres ronds. En 1718, Léopold lui accorda le regroupement dans une même unité de production.

Ce fut aussi l'éclosion de la faïencerie qui allait porter au loin la renommée des productions lorraines : Champigneulles (1712), Pexonne (1720), Badonviller (1720). Vers la fin du règne, Jacques Chambrette commençait à travailler à Lunéville, mais n'obtint la reconnaissance officielle qu'en 1731.

Textile De gros efforts furent faits pour développer les industries textiles en particulier dans les Vosges et à Nancy, afin de réduire la dépendance vis-à-vis de l'étranger. Dans l'ancien hôpital Saint-Charles, trois marchands nancéiens, Antoine, Hannus et Trottin, reçurent dès 1699 l'autorisation d'installer une manufacture de draps fins et ordinaires. Dans les années qui suivirent, Léopold accorda des privilèges pour la fabrication des « bas au métier » (notamment dans la Renfermerie restaurée de Maréville, 1716), des étoffes de soie (Nancy, 1704), du fil « de Rouen, de Bretagne et de Flandre » (Neufchâteau, 1723), des galons d'or et d'argent (Sainte-Marie-aux-Mines, 1721), du fil à coudre (Dinozé et Epinal, 1704). Le 18 septembre 1698, un bourgeois de Nancy, Paul Marquet, obtint le droit d'installer une « manufacture de chapeaux fins, étrangers et castors » avec privilège pour dix années à tel point que les marchands durent se défaire des chapeaux étrangers. Ils avaient obligation de se fournir auprès de Marquet, qui ne pouvait plus vendre au détail que les « castors, demi-castors et chapeaux façon de Moscovites ».

PRIVILÈGE DE MANUFACTURE - 1699

« Léopold etc., A tous ceux qui ces présentes verront Salut, Scavoir faisons que sur les trés humbles remontrances... faite par notre amé et féal commissaire de nos troupes, introducteur des ambassadeurs et maître des cérémonies de notre Cour, le Sr Joseph Willemin de Hedenfeld que pour procurer à nos sujets tous les avantages qui despanderont de nous pour faire fleurir le commerce dans nos estats, et par ce moyen y attirer l'abondance et empescher la sortie hors d'iceux des grandes sommes de deniers qui s'employent annuellement aux achapts des marchandises estrangères... » lui accorde pour vingt années le privilège « d'esta-blir les manufactures desdits maroquins, veaux d'Angleterre et cuirs de Hongrie, celle des gaudrons [godrons], poudres et salpêtres, celle des savons et blanchir la cire, teindre toutes sortes de laines et éstoffes de vraye escarlatte, et faire toute sorte d'ouvrages à l'indiennes sur soye et toile de cotton et d'autres toiles pour tapisseries en verdure, haute lisse ou autrement tant dans notre bonne ville de Nancy que dans tous les autres lieux de nos Duchéz de Lorraine et Barrois... »

22 décembre 1699.

Arch. dép. M.-et-M., B 190, n° 142.

Imprimerie A l'inverse du gouvernement de Versailles, Léopold favorisa la production et la diffusion du livre. « Rapidement le nombre des ateliers d'imprimerie, qui était tombé à quatre en 1696 pour les deux duchés, s'accroît et en 1740 on n'en compte pas moins de vingt-et-un actifs. Durant ce temps l'application dans les Trois Evêchés voisins des mesures restrictives édictées par le roi de France ramène de huit à quatre le chiffre des imprimeries autorisées à fonctionner dans les villes de Metz (deux), Toul (un) et Verdun (un). Aussi n'est-il pas surprenant de voir des typographes de Metz, de Paris, de Besançon, d'Alsace monter des presses et ouvrir boutique non seulement à Nancy mais aussi dans de très petites villes » (Albert Ronsin). L'imprimeur Jean-Baptiste Cusson, parisien installé à Nancy, édita l'original des *Mémoires* du cardinal de Retz en 1717. Grâce à des correspondants attitrés, il lança en 1723 par souscriptions la première édition de l'*Histoire ecclésiastique et civile de la Lorraine* de dom Augustin Calmet et obtint, avant parution, sept cent cinquante commandes, soit la moitié du tirage prévu ; l'ouvrage fut publié en 1728.

D'autres manufactures bénéficièrent de la sollicitude de Léopold, œuvrant toujours dans une perspective mercantiliste : tapisseries, papeteries, fabriques de maroquins de cuirs, de gants, de savons « de pareille qualité que ceux de Marseille, de Toulon et de Gennes » [Gênes].

Dom Augustin Calmet (1672-1757).
Prieur de Lay-Saint-Christophe en 1715, abbé de Saint-Léopold de Nancy en 1718, abbé de Senones en 1728.

Musée Lorrain, Nancy. Cliché P. Mignot.

HISTOIRE
ECCLESIASTIQUE ET CIVILE
DE LORRAINE,
QUI COMPREND
CE QUI S'EST PASSÉ DE PLUS MEMORABLE
dans l'Archevêché de Tréves, & dans les Evêchez de Metz, Toul & Verdun, depuis l'entrée de Jules César dans les Gaules, jusqu'à la mort de CHARLES V. Duc de Lorraine, arrivée en 1690.
AVEC LES PIECES JUSTIFICATIVES A LA FIN.
Le tout enrichi de Cartes Geographiques, de Plans de Villes & d'Eglises, de Sceaux, de Monnoyes, de Medailles, de Monumens, &c. Gravez en taille-douce.
Par le R. P. Dom AUGUSTIN CALMET, Abbé de S. Leopold de Nancy, Président de la Congregation de S. Vanne & de S. Hydulphe, Prieur Titulaire de S. Clou de Lay.

TOME I.

A NANCY,
Chez JEAN-BAPTISTE CUSSON, Imprimeur-Libraire Ordinaire de S. A. R. fur la Place, au Nom de JESUS.

M. DCCXXVIII.
AVEC PRIVILEGE.

Musée Lorrain, Nancy. Cliché P. Mignot.

Première édition de l'*Histoire... ***de Lorraine en trois volumes. 1728. Une nouvelle édition en sept volumes parut entre 1745 et 1757.**

Marque du papier fabriqué à Epinal, 1707.
Dans la partie supérieure, les armoiries du duc.

L'animation des échanges

L'infrastructure des moyens du commerce était en 1698 dans une situation lamentable. Les routes avaient surtout servi pour satisfaire les exigences militaires ; elles étaient très détériorées et peu sûres.

Les voies de communication

Aussi, dès le 1er février 1699, il était ordonné de « couper toutes les hayes, buissons et rapailles » sur trente toises (85,7 mètres) de chaque côté des chemins afin de se préserver des « vagabonds et gens sans aveu ». Par décision du 12 mars de la même année, les habitants des communautés urbaines et villageoises devaient satisfaire à l'entretien des routes avec l'aide éventuelle des voisins. C'était l'instauration de la corvée des chemins « suivant le nombre d'habitants qu'il y aura » dans chaque localité.

Jusqu'en 1724, les travaux restèrent dans ce domaine très limités : construction de quelques ponts et remise en état de certaines chaussées. Les usagers pouvaient légitimement exprimer leur mécontentement. En 1711, malgré les réfections faites depuis 1707, les marchands et rouliers se plaignaient de la perte de leurs chevaux, chars et charrettes brisés sur les chemins conduisant à Dieuze et Château-Salins ; c'était souligner les difficultés du commerce du sel. La mesure ducale ne leur donna guère satisfaction, car il fut prévu de prélever un droit sur les voitures chargées de sel afin de financer la remise en état des chemins.

La politique routière de Léopold se fixa, à partir de 1724, des objectifs ambitieux. Le maître d'œuvre fut le surintendant des ponts et chaussées, et grand voyer de Lorraine et de Bar, Du Hautoy, en place depuis 1715. Dom Calmet relate qu'en moins de trois ans on fit près de 400 000 toises (1 143 kms) de chemins publics et plus de 400 ponts « tout cela exécuté par les peuples du pays avec une diligence et une rapidité incroyables, sans que les travaux de la campagne, ni la culture des terres aient notablement souffert, tant on a apporté de prévoyance pour ne commander les travailleurs que dans les tems d'intervalles de leurs ouvrages domestiques et champêtres ».

La voie fluviale jouait encore un rôle important. Chaque semaine un coche d'eau reliait Nancy à Metz. Mais l'essentiel restait le flottage des bois, en particulier pour l'alimentation de la saline de Rosières. Léopold conçut aussi le grand projet d'unir la Saône et la Moselle par un canal et tenta d'associer le régent à son entreprise. La mort de ce dernier fit échouer les pourparlers, malgré l'espoir des marchands lyonnais de voir leur ville en tirer de grands avantages. On songea aussi pendant quelque temps à canaliser la Meuse entre Commercy et Verdun.

Les échanges bénéficièrent, à l'intérieur des duchés, de l'abolition en 1721 des vieux droits de haut-conduit, qui avaient été réglés en 1704 ; pour remédier à la baisse des rentrées fiscales, Léopold augmenta les droits sur le contrôle des actes et le papier timbré.

Le trafic avec l'étranger

La Lorraine retrouva une importante activité commerciale. L'envoyé du roi, D'Audiffret, estimait que les exportations se montaient environ à huit millions de livres dont plus de la moitié en céréales, bois et fers. Mais il omettait dans son énumération la production des verreries et de diverses manufactures textiles. On y saisit l'importance des relations avec la France, qui était aussi le principal fournisseur des duchés, précédant les Pays-Bas et la Confédération helvétique. Les droits perçus aux frontières favorisaient le commerce de contrebande. D'Audiffret considérait d'après les registres consulaires « qu'il sort de Lorraine autant d'argent qu'il y en entre... ; cependant elle reçoit plus qu'elle ne donne, parce que des huit millions qu'elle emploie en marchandises étrangères, elle en débite près de trois millions tant dans les Evêchés qu'en Champagne, en Bourgogne et en Franche-Comté et surtout par un commerce clandestin ». Les jugements des voyageurs rappelaient ceux émis un siècle plus tôt : la Lorraine était un pays aux remarquables atouts économiques et au bas niveau du coût de la vie.

Médaille frappée en l'honneur de Léopold,
constructeur de routes et de ponts, 1727.

Coll. G. Cabourdin.

LES EXPORTATIONS DES DUCHÉS

D'après D'Audiffret, la Lorraine exportait chaque année en moyenne :

– des bleds et de l'avoine pour	2 000 000 livres
– des sels pour	650 000 livres
– des fers pour	1 000 000 livres
– des vins de Bar pour	300 000 livres
– des eaux de vie pour	500 000 livres
– de la navette pour	600 000 livres
– des bois qui sont transportés en Hollande	1 200 000 livres
– et du merrain * qui passe en Bourgogne et dans le Lionois	600 000 livres
– des bois de chauffage	400 000 livres
– des laines	300 000 livres
– des planches de sapin	400 000 livres
– des dentelles de Mirecourt	150 000 livres
mais cet article va souvent à deux cent mille livres	
– des quintins ** de Neufchâteau	50 000 livres
– des fromages de Géromé	50 000 livres

« Une partie se débite en France et le reste en Hollande, en Suisse et en Italie ».

Bibl. mun. Nancy, ms 133.

merrain : bois de construction, dit aussi bois de maronage.
quintins : toiles à l'exemple de celles fabriquées à Quintin en Bretagne.
Les évaluations de D'Audiffret étaient très approximatives.

Les répercussions sociales

Sans bouleversement profond, la société subit les effets de l'évolution politique, démographique et économique. Les premiers indices d'un comportement qui annonçait l'ère des Lumières peuvent y être décelés aux côtés de mesures encore conservatrices.

Les mesures ducales

Le redressement économique a provoqué la restauration sociale dans les campagnes lorraines. Il est délicat — en l'absence d'études systématiques — de décrire les processus d'intégration des colons étrangers dans le milieu qui les accueillait, et de saisir, à ce propos, les faits de mentalité. La reprise démographique pose aussi des problèmes sociaux, encore peu abordés par les chercheurs.

Le clergé restait nombreux dans les villes comme en milieu rural. La situation matérielle du bas clergé avait entraîné en France la déclaration de 1686. L'édit ducal du 30 septembre 1698 s'alignait strictement sur le précédent français. La portion congrue (littéralement la portion convenable) que les curés primitifs (établissements ecclésiastiques qui avaient fondé la paroisse) devaient octroyer aux desservants était fixée à 700 francs pour les paroisses sans vicaire et à 1 050 francs pour celles qui en avaient un : cette somme provenait des dîmes levées par les curés primitifs. L'autre possibilité résidait dans l'option de laisser aux desservants les produits des dîmes. Comme Louis XIV, Léopold était intervenu dans un problème propre au clergé dans le souci d'assurer aux plus démunis des prêtres ruraux un minimum vital.

Poussé davantage par des besoins d'argent que par des préoccupations libérales, Léopold voulut abolir la mainmorte. Ce droit, séquelle de l'ancienne servitude, attribuait au seigneur les successions mobilières en l'absence d'enfants. Cette condition de mainmortable était déterminée par le lieu de la naissance et, par conséquent, donnait l'occasion d'exercer le droit de poursuite ; elle était surtout répandue dans les terres domaniales du bailliage de Vosge. Le 20 août 1711 Léopold déclara la suppression des « servitudes trop odieuses » donc de la mainmorte. Mais il la remplaçait par la fourniture, à chaque Saint-Martin d'hiver (11 novembre), d'un bichet de seigle et un bichet d'avoine à la mesure de Nancy par chaque chef de famille. Les personnes concernées préférèrent garder l'ancien statut :

LES LORRAINS jugés par un Français

D'Audiffret, dans un mémoire adressé à Versailles, donnait son avis peu amical sur les Lorrains.

Il y a « une disposition naturelle des gens de ce pays de nous haïr ».

« Les femmes en Lorraine ont beaucoup plus d'esprit et de politesse que les hommes ».

« Le caractère des Lorrains en général est fort mauvais... Ils sont définis par trois G et trois I : Gueux, Glorieux, Gourmand, Ignorant, Insolent, Ingrat ».

« Le paysan est très laborieux, infatigable, mais il est bien nourri, il y en a peu qui ne mange de la viande fraîche et du pain de froment pur et qui ne boive du vin tous les jours... Il est arrogant et mutin quand on a besoin de lui. Pour le rendre obéissant, il faut le maltraiter ».

Bibl. Mun. Nancy, ms 133 (p. 323-327).

E D I T.

Qui défend la frequentation des Cabarets.

Du 28 May 1723.

LEOPOLD, par la grace de Dieu, Duc de Lorraine, de Bar & de Monsferrat, Roy de Jerusalem, Marchis, Duc de Calabre, &c. A tous presfens & à venir, SALUT. Les Ducs nos Prédecesseurs de louable memoire, attentifs à tout ce qui pouvoit concerner la Police generale de leurs Etats, ont eû grand soin de bannir tous les desordres que la corruption des temps avoit introduits parmi leurs Sujets, notamment ceux provenans de l'ivrognerie, causée par la frequentation des Tavernes & Cabarets, qui avoient servi d'occasion pour entretenir & fomenter la débauche, quoique leur établissement n'ait eû pour objet que la necessité publique en faveur des Passans & Voyageurs. Voulons & Nous plait ce qui suit.

ARTICLE PREMIER.

Conformément aux Ordonnances ci-dessus, faisons tres expresses inhibitions & défenses à toutes personnes résidentes és Villes, Bourgs & Villages de nos Etats, notamment aux Laboureurs, Vignerons, Artisans, Manœuvres, Journaliers & autres, de hanter, ni frequenter de jour ou de nuit les Tavernes & Cabarets des lieux de leur demeure, ni de la distance d'une lieue d'icelle, & aux Taverniers & Cabaretiers de les y recevoir, sous pretexte de boire les Vins de quelque marché, gain de Procés, ou pour quelque autre cause pareille que ce puisse être; à peine pour la premiere fois de cinq francs d'amende contre chacun des Contrevenans, & autant contre le Cabaretier, du double desdites amendes pour la seconde, & pour la troisième de punition arbitraire, ou autre peine contre les Contrevenans, & contre le Cabaretier de privation du droit de tenir Cabaret ou Taverne.

II. Faisons pareillement tres expresses inhibitions & défenses à tous Taverniers, & Cabaretiers de donner à boire & à manger dans leurs Tavernes & Cabarets de jour ou de nuit, aux Enfans de famille, Apprentifs, Garçons & Compagnons de boutique, Valets & Serviteurs, Domestiques, & à tous ceux qui ont réputation d'être prodigues & de mauvaise conduite, soit dans les lieux de leur demeure, ou dans la distance d'une lieue, à peine de dix francs d'amende pour la premiere fois, du double pour la seconde, & de châtiment exemplaire pour la troisième, avec privation du droit de Cabaret contre le Cabaretier.   ...

B.M. Nancy. Cliché R. Carton.

le 5 septembre 1713 puisque « toutes les communautez nous ont fait tant de remontrances sur les dommages et les oppressions qu'elles souffriraient », Léopold annula l'édit de 1711, mais ne lâcha pas prise. Le 26 mai 1719 il abolissait de nouveau la mainmorte et réduisait la redevance de moitié (un ymal de froment ou de seigle et un ymal d'avoine) avec possibilité de la payer en argent. L'opposition se manifesta de nouveau. Alors Léopold prit la décision, le 30 septembre 1719, de supprimer la mainmorte sans contrepartie pour les seigneuries du domaine ducal. Les vassaux restaient libres de lever la redevance prévue. La mainmorte survécut en quelques lieux jusqu'en 1789.

Les expédients financiers n'épargnèrent pas les nobles, en particulier ceux qui avaient été anoblis depuis 1624, c'est-à-dire depuis la mort de Henri II et qui, en leur temps, auraient dû abandonner un tiers de leurs biens au profit du domaine. Les nobles qui se trouvaient dans cette situation devaient verser 6 000 francs ; ceux qui avaient obtenu la réhabilitation après dérogeance ou l'anoblissement par reprise de la noblesse de leurs mères étaient taxés à 3 000 francs. La Chambre des comptes de Lorraine — où se trouvaient beaucoup d'anoblis — refusa d'enregistrer la mesure, prétendant — entre autres observations — que « les familles des nobles sont communément pauvres ». L'entourage de Léopold lui déconseilla de persévérer et l'ordonnance fut abandonnée. Il est vrai que les usurpations avaient été nombreuses pendant le temps des troubles : le 14 février 1700, on demanda aux nobles d'apporter les preuves par actes authentiques depuis quatre générations ou de dix ans en dix ans depuis un siècle.

Musée lorrain, Nancy. Cliché P. Mignot.

La Cour ducale *accueillie, en face du château du Paquis à Frouard, par le marquis Ferdinand de Lunati-Visconti, colonel des Cent-Suisses* (peinture de Claude Jacquard).

Inventaire Général de Lorraine, © 1985. Spadem. Cliché P. Guillaume.

Neufchâteau : pavillon de l'hôtel Huguet.
« *Le pavillon appartient à une demeure aristocratique construite vers 1700, dite « des Goncourt », en fait, l'hôtel du maire Huguet, achetée après la Révolution par la famille Huot de Goncourt.*
Le pavillon de musique (ou orangerie ?) témoigne des pratiques culturelles dans le milieu aristocratique (une soixantaine de familles nobles à Neufchâteau) au XVIIIᵉ siècle.
Les statues étaient à l'origine sur les socles qui encadrent les trois ouvertures (les deux fenêtres de la partie droite ayant été percées ultérieurement) ; elles représentent les quatre saisons ; mais le pavillon tire son nom des cartouches entre les ouvertures illustrant des instruments de musique. » (Joudrier P.)

Ce fut en grande partie pour raison financière et aussi pour reconnaître les mérites de ceux qui le servaient à la Cour et dans les grandes institutions que Léopold procéda, pendant son règne, à l'anoblissement de deux cent quatre-vingt-trois personnes, soit neuf par an. C'était la moyenne la plus élevée de tous les règnes lorrains : Yves Des Hours « directeur des jardins, parcs et jets d'eau de Son Altesse Royale » (1715), Sébastien Palissot « architecte ordinaire de S.A.R. » (1722), Claude De Bavillier, ingénieur en chef des places du roi, qui vint enseigner aux fils du duc « l'art de la guerre et des mathématiques » (1726)... Léopold reconnut qu'il avait accordé « les lettres de noblesse très légèrement et en trop grand nombre ». Il accepta aussi de signer 92 actes de reprise, de confirmation ou de réhabilitation de noblesse : il fit 10 chevaliers, 39 barons, 18 vicomtes et comtes, et un marquis.

Deux actes importants du règne concernèrent les règles familiales. Depuis le milieu du XVIᵉ siècle la royauté française avait voulu lutter fermement contre l'illégitimité, le recel de grossesse et la présomption d'infanticide ; l'Eglise y voyait aussi la mort de jeunes enfants qui n'avaient pas été baptisés. Le gouvernement ducal ne fit que reprendre le 7 septembre 1711 une mesure maintes fois redite en France. Chaque fille ou veuve enceinte devait déclarer sa grossesse à la justice du lieu. La matrone (sage-femme) travaillait à l'accouchement. La mère était obligée « dans le détroit et les douleurs de l'enfantement » de désigner l'auteur de la grossesse. Celle qui se serait fait avorter subirait une peine « qui pourra même être du dernier supplice ». Des registres de déclarations de grossesses ont été conservés dans les dépôts d'archives : les plus anciens sont ceux de Villers-lès-Nancy (1712), du bailliage de Fénétrange (1718), du bailliage de Lixheim (1718). La juridiction de Haraucourt enregistrait les déclarations depuis 1676. Les actes du bailliage de Nancy sont pour la période de 1738-1790 au nombre de 3 353.

Jusqu'en 1723 l'âge de la majorité n'était pas uniforme dans les duchés : vingt, ou vingt-et-un, ou vingt-cinq ans. Estimant néfaste une « majorité précoce » où les jeunes gens étaient « peu capables de discerner ce qui leur est avantageux de ce qui leur paroit agréable », Léopold fixa le 8 mars 1723 la majorité à vingt-cinq ans pour tous ses états.

A l'exemple donné dans le royaume de France et particulièrement dans les Trois Evêchés, le nombre des officiers civils s'accrût considérablement par le système du dédoublement (et parfois plus) et de l'alternative des charges publiques, malgré les mises en garde des Chambres des comptes. Dans la bataille de libelles sur le problème de l'hérédité des offices, les avis étaient partagés. Certains encourageaient le duc à créer héréditaires les charges de la Cour souveraine : « outre le lien qu'elle ferait à l'état et au publique, S.A.R.

Anne Malriat.
Mariée en 1728 à Sébastien Claudot, tabellion général du comté de Salm, mère du peintre Jean-Baptiste Claudot.

attireroit quantité de gens riches et aisés des villes de Metz, Toul et Verdun et des autres endroits », car les officiers des Cours souveraines « se sont enrichis depuis trente ans et ils ont dans leurs coffres la plus grande partie des espèces ». Malgré l'annulation du caractère héréditaire de quelques charges, le groupe des officiers grandit en nombre et surtout en influence : ce fut surtout sensible à Nancy où étaient installés les plus importants services de l'Etat.

La progression des Juifs

L'affaire de Samuel Lévy avait nui à la petite communauté juive et accrû la méfiance de Léopold. Mais ses besoins d'argent et les impératifs économiques le contraignirent à faire appel aux marchands et aux prêteurs juifs. En 1721, il prit des mesures en apparence contradictoires. Le 12 avril chaque famille établie dans les duchés depuis le 1er janvier 1680 devait les quitter dans un délai de quatre mois. Par la déclaration du 20 octobre les autres familles pouvaient continuer leur résidence, « y exercer leur religion, tenir leur sinagogue dans une de leurs maisons, sans bruit ni scandale » : ils dépendraient tous de la synagogue principale de Boulay et Léopold les plaçait sous l'autorité d'un chef de communauté Moyse Alcan. Une liste publiait les noms des 73 familles réparties en 24 localités qui — à l'exception de Nancy, Malzéville et Laneuvelotte — étaient situées dans le quart nord-est des duchés : 19 familles à Boulay, 8 à Lixheim, 6 à Morhange, 5 à Puttelange. Au total, 14 familles seulement sur 73 résidaient en Lorraine francophone. Tous les autres Juifs étaient expulsés.

Malgré les restrictions, la décision de Léopold tranchait avec la politique traditionnelle : pour la première fois le culte israélite était toléré en Lorraine. En 1726 dans les localités où se trouvaient des Juifs, il devait leur être assigné une rue ou un quartier « dans les endroits les plus reculez et moins fréquentez » ; il leur était interdit de posséder des maisons et d'habiter en dehors de ces secteurs.

Les activités des Juifs, qui favorisaient les échanges, le crédit et parfois la spéculation, restaient suspectes aux yeux de la population dont l'antisémitisme était latent. Léopold, invoquant « le vol et la tromperie des Juifs », leurs pratiques usuraires surtout dans les villages, prenait le 30 décembre 1728 peu avant sa mort un édit interdisant les prêts, les ventes de toutes denrées et toutes conventions qui ne passeraient pas devant notaires et témoins. On n'y exceptait que les lettres de change et billets à ordre, d'usage licite, afin de ne pas perturber les activités bancaires.

Il reste que la pénétration des Juifs dans la finance et le commerce a été limitée, mais réelle sous le règne de Léopold sans que la suspicion à leur égard ne disparût.

L'ANTISÉMITISME À NANCY - 1712

« Sur les procès-verbaux et informations faictes, le unze juin 1711, par le sieur Marcol, prévôt et lieutenant de police, portant qu'ayant eu advis que trois ou quatre juifs, nommés Lambert Levy, Samuel Levy, Moyse Alcan, et autres, logez en la rue des Moulins, en la maison de Claude Aubry, en la maison où pend pour enseigne le Sauvage, paroisse Saint-Sébastien, auroient, le mesme jour, unze juin, parus aux fenestres de la chambre basse donnant sur la dite rue, fumant et ayant le chapeau sur la teste, lorsque la procession du Saint-Sacrement passoit, et que mesme deux autres juifs, estans à cheval, auroient courus à bride abattue, écartant le peuple, pour entrer à la maison du Sauvage, sans avoir porté le respect et la révérence qui est due au Saint-Sacrement, et que, dans tous les lieux où ils se trouvent, ils se doivent renfermer ou se mettre à genoux, chapeau bas. Et ledit sieur Marcol ayant entendu sur ce subject plusieurs tesmoins, M. Vignolle, premier conseiller, auroit esté chargé d'avoir l'honneur d'en parler à S.A.R. ; et, ayant receu ses ordres de traicter cette affaire sans éclat, en punissant néantmoins lesdits juifs d'une amande telle qu'il jugeroit à propos ; et l'un desdits juifs, nommé Moyse Alcan, ayant esté longtemps absent, sur les passeports de Sadite A.R., mondit sieur Vignolle n'auroit pu les rassembler qu'au mois de janvier dernier, et, après les avoir sévèrement réprimandés et leur fait connoître la peine qu'ils devoient supporter, les a seulement condamnés à 300 livres d'amande... pour estre employées à la décoration de l'église de la paroisse Saint-Sébastien, avec deffence à eux d'y récidiver, à peine d'emprisonnement et de punition corporelle, comme aussy audit Aubry et tous autres de loger les juifs dans les chambres qui prennent jour sur les rues publicques, à peine de cent francs d'amande et de punition plus grande s'il eschet. »

Arch. mun. Nancy, BB 21, Délibération du Conseil de Ville, 15 février 1712.

6

LA LORRAINE ET L'EUROPE

levé dans l'atmosphère de Vienne et marié à Elizabeth-Charlotte, nièce de Louis XIV, Léopold fut très tôt attentif à affirmer son rang vis-à-vis des Cours européennes. Se fondant sur la présence du royaume de Jérusalem dans ses armoiries, il prit lui-même le titre de *Son Altesse Royale,* qui figure dans des lettres de provision en date du 12 octobre 1698. L'empereur Léopold lui reconnut ces prérogatives royales et le titre recherché par les actes du 12 octobre 1700 et 10 septembre 1703. A Versailles, De Meuse, envoyé du duc, reçut l'ordre de l'employer, mais Louis XIV feignit de l'ignorer.

Musée lorrain, Nancy. Cliché P. Mignot.

Henry de Thiard de Bissy, *évêque de Toul de 1692 à 1704.*

Jean-Léonard Bourcier de Monthureux *(1649-1726), avocat au Parlement de Metz en 1675, procureur général de Lorraine et Barrois en 1698, premier président de la Cour souveraine de Lorraine et Barrois en 1721.*

Musée lorrain, Nancy. Cliché P. Mignot.

Le conflit avec Rome

Les relations de Léopold avec l'évêque de Toul restaient ambiguës ; Toul était en France et l'évêque Henri Thiard de Bissy (1692-1704), de vieille famille bourgui-gnonne et fils du gouverneur des Trois Evêchés, avait été profondément marqué par l'influence de la Sorbonne. Dans le royaume, la déclaration gallicane de 1682 avait engendré un conflit avec le pape Innocent XI qui refusait de donner l'investiture canonique à tous ceux qui approuvaient l'attitude du roi. Jusqu'en 1692, Bissy administra le diocèse sans investiture : l'évêque apparaissait comme un agent de Louis XIV. Or en Lorraine, où la Réforme catholique avait été profonde et efficace, la papauté gardait une autorité peu contestée.

Les premiers affrontements

Les difficultés entre l'Etat et l'Eglise furent issues des gains réalisés dans la compé-tence des tribunaux ecclésiastiques au détriment des institutions laïques. Ainsi les causes concernant les testaments, les divorces (nom donné aux séparations), et surtout le prêt à intérêt, étaient jugées par les officialités épiscopales. La controverse sur ce dernier point fut âpre et longue en raison des positions diamétralement opposées entre la Sorbonne, condamnant fermement le prêt à intérêt générateur d'usure, et la tradition lorraine de sa licéité. En Lorraine le prince fixait le taux légal de l'intérêt.

Quelques affrontements d'apparence médiocre marquèrent les premiers mois du règne effectif de Léopold. Dès le 14 mai 1698 ordre fut donné par le duc aux clercs de chanter un *Te Deum* pour célébrer son retour ; l'évêque Thiard de Bissy estima que lui seul avait qualité pour l'ordonner. Peu après, lorsqu'il vint saluer Léopold à Lunéville, on le fit attendre longtemps avant de lui donner, lors de la réception, une chaise et non le fauteuil traditionnel. C'était un procédé bien cavalier à l'époque de l'étiquette triomphante. Bissy se plaignit à Versailles et eut son fauteuil. De plus, ce fut le grand aumônier, l'abbé de Riguet, qui maria Léopold et Elizabeth-Charlotte, et non l'évêque.

Plus révélatrice des arrière-pensées·du duc et de son entourage fut la tentative, inspirée par le procureur général Léonard Bourcier de Monthureux, d'obtenir la création d'une officialité à Nancy. Bissy y vit — probablement avec raison — l'intention d'obtenir la création d'un diocèse purement ducal ; soutenu par Louis XIV, il refusa nettement.

Le conflit des compétences provoqua l'affaire de Pierre Bocard, curé de Vroncourt. Deux paroissiens, qui étaient ses créanciers, obtinrent de le citer devant l'officialité de Toul. Bocard porta le différend devant la Cour souveraine qui en profita pour annuler la citation de comparution à Toul. L'official, en son absence, le condamna et expédia un appariteur à Vroncourt. Bocard ameuta la population et signifia à l'appariteur l'arrêt de la Cour souveraine. Devant cette situation, l'évêque prononça l'excommunication du curé de Vroncourt en avril 1699, ainsi que celle d'un autre curé, celui de Lorey, cité aussi devant l'officialité. Ces affaires provoquèrent une floraison de pamphlets et de libelles, surtout lorsque la Cour annula les décisions de l'officialité.

En 1700, l'évêque voulut publier un *Rituel* pour le diocèse, enrichi de ses applications ; y figurait la liste des « cas réservés » à la compétence de l'évêque,

Cliché M. Maigret.

Mangiennes : chapelle de la Vierge.
Inscription commémorant son édification par Hubert Jacquemin, curé de Mangiennes (1719).

comme la connaissance des oppositions aux publications de mariage. La Cour souveraine accepta la diffusion de l'ouvrage sous réserve de quelques remaniements (26 avril 1700). En l'absence de l'évêque, son entourage réfuta les arguments présentés : le vicaire général, puis l'official lancèrent de nouvelles ordonnances, aussitôt annulées par la Cour souveraine.

L'affaire du Code Léopold

Ces affrontements révélaient des positions antagonistes bien affirmées. Le besoin se faisait sentir pour Léopold de retrouver son autorité quelque peu contestée et de fixer les règles de justice. Le maître d'œuvre fut le procureur général Léonard Bourcier de Monthureux, dont l'érudition, les qualités humaines et l'attachement à son souverain étaient partout reconnus. Ce fut, en juillet-août 1701, l'*ordonnance de S.A.R. pour l'administration de la justice*, vite appelée le *Code Léopold*, comprenant cinq parties : 1. Règlement des attributions des officiers de justice ; 2. Code de procédure civile ; 3. Code de procédure criminelle ; 4. Règlement général des eaux et forêts ; 5. Taxe des salaires et vacation des officiers de justice. Imprégné à la fois des principes de Colbert et des premières manifestations de l'esprit des Lumières, le document contenait des dispositions favorables à l'Etat et proches des conceptions gallicanes. Ainsi tout clerc pourvu d'un bénéfice devait, pour être apte à le posséder, fournir la preuve qu'il était lorrain et obtenir l'autorisation de la Cour souveraine. De plus, les litiges concernant des bénéfices ecclésiastiques étaient soumis à la justice laïque.

Thiard de Bissy ne réagit que six mois plus tard dans une lettre adressée au nonce, où il décrivit l'état de la Lorraine : « Son parlement s'est emparé de toute la juridiction ecclésiastique ; les évêques ne peuvent plus rien faire, excepté l'ordination ; le clergé y tombe dans de très grands désordres, la discipline ecclésiastique y est foulée aux pieds... La Lorraine a toujours été un pays d'obédience des plus soumis au Saint-Siège ; les ministres de cet Etat veulent en effacer jusqu'aux moindres vestiges et priver le Saint-Siège du droit d'appel dans toutes les matières ecclésiastiques dont ils nous refusent la connaissance en première instance ». Et Clément XI, le 22 septembre 1703, condamnait le Code avec interdiction de le lire et de l'imprimer.

L'affaire devint internationale et dura plusieurs années, chacun restant sur ses positions et multipliant les mémoires. Une *ordonnance ampliative*, qui comportait quelques modifications, fut également condamnée en 1704. On entama alors une longue période de négociations : conférences contradictoires à La Malgrange, appel à l'arbitrage de Louis XIV, et surtout ambassade lorraine à Rome dirigée d'abord par Bourcier, vite jugé indésirable par la Papauté, puis par Lefebvre, président de la Cour souveraine. Le remplacement de Bissy, devenu évêque de Meaux, par le modéré François Blouet de Camilly, facilita la conclusion de l'affaire.

ORDONNANCE
DE
SON ALTESSE ROYALE,
POUR L'ADMINISTRATION
DE LA JUSTICE.
DONNÉE A LUNÉVILLE
au mois de Novembre 1707.
NOUVELLE E'DITION,
revue, corrigée & augmentée.

A NANCY,
Chez J. & F. BABIN, Libraires, rue Saint Georges. N°. 252. 1770.

AVEC PRIVILÉGE.

Le duc rédigea un nouveau Code : *Ordonnance de S.A.R. pour l'administration de la justice* daté de novembre 1707 et publié en mai 1708. Si les droits des juridictions ecclésiastiques furent affirmés, les cas litigieux étaient laissés dans l'imprécision. En 1710 on s'entendit pour faire quelques modifications de détail.

En fait, on restait dans la même perspective affirmée en 1701 : la jurisprudence se référait au Code Léopold ; et la juridiction de l'Eglise s'effaçait devant celle de l'Etat. D'une certaine manière commençait une nouvelle période des relations entre les princes éclairés — ou en voie de le devenir — et leurs Eglises, de moins en moins dominatrices.

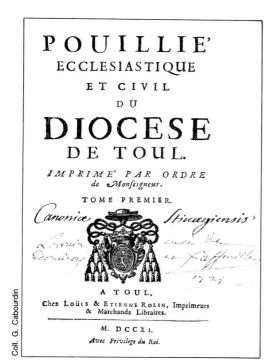

Le Pouillé de Toul

Les troubles du XVIIIe siècle avaient laissé des traces dans la géographie et la nature des bénéfices ecclésiastiques. Dès 1690 Thiard de Bissy avait demandé aux doyens ruraux de fournir toutes précisions sur la situation matérielle des paroisses. Les maires et les notables furent mis à contribution. L'évêque voulut rassembler toutes ces données dans un dénombrement spécial, appelé *Pouillé*.

Blouet de Camilly, devenu évêque en 1705, désigna pour réaliser ce travail le grand érudit toulois Benoît Picard, dit le père Benoît, qui préparait une importante étude sur le diocèse. Il dépouilla les procès-verbaux des visites canoniques et d'autres sources, moins nombreuses comme à l'accoutumée, sur les cures dépendantes des abbayes vosgiennes. Le *Pouillé ecclésiastique et civil du diocèse de Toul* fut publié à Toul même en 1711.

Or depuis 1702 et sur ordre de Léopold, un chapelain de Neufchâteau, Antoine Rice, travaillait à la confection d'un répertoire des bénéfices ecclésiastiques : *Etat du temporel des paroisses et des bénéfices situés dans les duchés de Lorraine et de Bar*. Les deux entreprises apparurent concurrentes. Bourcier présenta une requête devant la Cour souveraine qui déclara que Benoît Picard s'était trompé sur chaque article et interdisait la vente du Pouillé. En 1713, Rice finit son œuvre qui resta manuscrite. A regarder de près, les divergences sont beaucoup plus rares qu'on ne l'a prétendu à l'époque ; elles résultent plus d'un manque d'information que de la volonté de travestir la réalité.

Hippolyte de Béthune, *évêque de Verdun de 1681 à 1720, favorable au jansénisme.*
Palais épiscopal de Verdun. Cliché. B.M. Verdun.

Le jansénisme

Avec l'appui de la Cour souveraine, Léopold avait mené une politique modérément antijanséniste. Mais son esprit était surtout préoccupé par son désir de contrôler le clergé lorrain. Sur le fond il fut sensible aux thèses qu'officiellement il combattait. On évoque sa présence à la soutenance de thèse du père Gérard, pourfendeur de la scholastique et de la philosophie. Soutenu par sa réserve vis-à-vis de Rome, son penchant pour le jansénisme ne se manifesta pas ouvertement, mais les partisans de la nouvelle doctrine ne furent pas pourchassés en Lorraine.

Il fallut cependant prendre parti lorsque le pape Clément XI fulmina la Constitution *Unigenitus*. Mais Léopold, suivant l'attitude de l'empereur, choisit de laisser la Cour souveraine enregistrer la mesure pontificale, sans intervenir lui-même. L'ignorer permettait d'éviter les prises de position et les querelles. Léopold craignait que, par la voie de la répression, Rome n'accentuât de manière excessive son autorité. Les positions changèrent après 1717.

De Ryswick à la troisième occupation

Elevé en Autriche et très lié à l'empereur, le duc de Lorraine se sentait proche des Habsbourg malgré son mariage avec Elizabeth-Charlotte. Pour la cérémonie de l'hommage du Barrois mouvant, à laquelle il ne pouvait se soustraire, il vint à Versailles, logea au Palais Royal et reçut un accueil courtois de Louis XIV. Saint-Simon relata l'hommage prêté le 27 novembre 1699.

Léopold tint surtout à montrer les liens qui l'unissaient à l'Empire ; il donna un lustre éclatant au retour en Lorraine de la dépouille de son père, Charles V, qui avait exprimé le désir d'être enterré à Nancy. Une délégation lorraine, dirigée par le comte

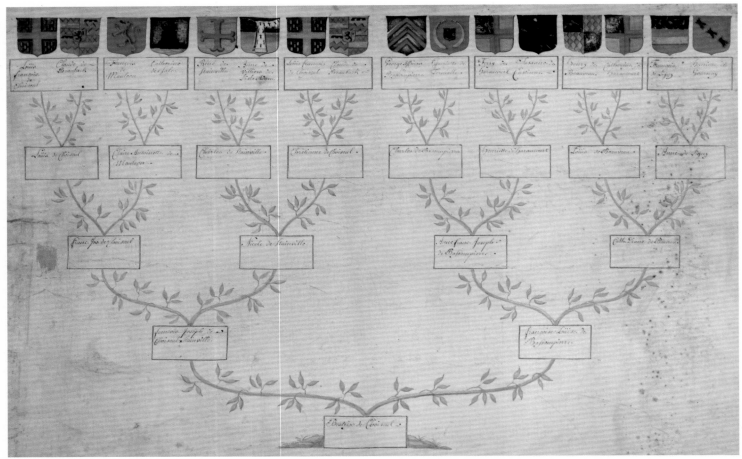

Les seize quartiers de noblesse de Béatrix de Choiseul-Stainville, apprébendée (dotée d'une prébende) au chapitre de Remiremont en 1733.

Par déclaration de janvier 1761, dans « le désir d'accroître autant qu'il est... le lustre des quatre chapitres de dames chanoinesses [Remiremont, Epinal, Bouxières et Poussay]... », Stanislas ordonnait que « les preuves de noblesse, pour y avoir entrée, seront faites de huit degrés du côté paternel, au lieu de quatre ; restraignant celles du côté maternel, aux mêmes huit degrés, pour la dernière mère seulement ». Ainsi le système des quartiers était abandonné, remplacé par celui des lignes. De plus ne seraient admis que les sujets lorrains et français.

LES CHANOINESSES NOBLES DE REMIREMONT

La Lorraine a compté quatre chapitres de chanoinesses nobles à Epinal, Poussay, Bouxières-aux-Dames et Remiremont. Ce dernier fut le plus renommé en raison de son ancienneté, de sa richesse et d'un recrutement sévère et de haut niveau social. En 1661 le chapitre était composé de quarante-six chanoinesses, titulaires de riches prébendes ; en 1682, soixante-et-une ; en 1788, cinquante. Pour être admise il fallait apporter la preuve de huit quartiers de noblesse (quatre du côté paternel et quatre du côté maternel). A partir du XVIIe siècle on exigea seize quartiers ; on fit de même à Epinal et Bouxières.

Les abbesses étaient, depuis 1290, « princesses d'Empire ». Au XVIIIe siècle, on les choisit parmi les familles de Lorraine, de Salm et de Saxe...

« En dehors des courts moments où elle retrouve ses compagnes à l'église et où elle joint sa voix aux leurs, la chanoinesse vit en sa maison et y conduit son ménage. En bien des points, elle ne se distingue pas d'une noble veuve, vivant en ville, s'entourant de domestiques, ornant sa maison et recevant ses amis. A Remiremont comme à Epinal, à Andlau comme à Mons, les chanoinesses vivent dans le siècle, ont un statut privilégié de femmes indépendantes avec le droit de posséder, d'hériter, de tester ; elles semblent n'avoir de religieux que le nom. Si telle apparaît la réalité à la lumière de beaucoup d'entre elles, on ne saurait pourtant oublier qu'il en est d'autres qui vécurent profondément leur vocation ».

Boquillon (F.), *Les Dames de Remiremont sous l'Ancien régime (1566-1790),* Th. dactyl., Nancy, 1988.

Les abbesses (1648-1786)

1648-1657 : Elizabeth d'Alençon, princesse d'Orléans.
1657-1660 : Marie-Anne de Lorraine.
1661-1703 : Dorothée de Salm.
1703-1711 : Charlotte Elizabeth de Lorraine.
1711-1738 : Béatrix Hiéronyme de Lorraine.
1738-1773 : Anne Charlotte de Lorraine.
1773-1782 : Christine de Saxe.
1782-1786 : Anne Charlotte de Lorraine-Brionne.

Le palais abbatial de Remiremont construit en 1752 par le nancéien Jean-Nicolas Jennesson.

Musée lorrain, Nancy. Cliché P. Mignot.

Béatrix de Lorraine - Lillebonne, abbesse de Remiremont de 1711 à 1738.

Musée Friry, Remiremont.

Chanoinesse en habit de chœur

Musée lorrain, Nancy. Cliché P. Mignot.

de Custine, se rendit en Autriche. Le cortège funèbre, parti le 18 mars d'Innsbruck, parvint à Nancy le 4 avril. Du 19 mars au 22 avril 1700 la pompe funèbre rappela, par sa magnificence, celle de Charles III. Le cercueil resta exposé pendant un an dans la chapelle ronde. Cette cérémonie, où l'on avait pu remarquer la place importante des anoblis, participait à la gloire du souverain régnant et magnifiait l'indépendance lorraine.

Le mirage milanais

Lors de sa venue à Versailles, Louis XIV avait envisagé avec Léopold la question de la prochaine succession d'Espagne en raison de l'état de santé du roi Charles II. Les projets conçus par la France, l'Angleterre et les Provinces-Unies furent rendus caducs par la mort du prétendant, Joseph Ferdinand de Bavière. Les nouvelles négociations aboutirent au traité du 3 mars 1700 : l'Espagne irait à l'archiduc Charles, fils de l'empereur et le Milanais au dauphin. Au cours de ces pourparlers on envisagea pour la première fois un échange entre le Milanais et la Lorraine. Louis XIV fit mine de ne pas rechercher l'annexion des duchés. Il écrivait au roi d'Angleterre : « L'acquisition de la Lorraine n'ajoutera presque rien à mon pouvoir, car cet Etat est si enveloppé de toutes parts par mes possessions qu'il est à jamais impossible à un duc de Lorraine de prendre parti contre moi. »

Pour aboutir à l'échange Milanais-Lorraine, il fallait l'accord de l'empereur et celui de Léopold. Louis XIV dépêcha à Nancy Monsieur de Callières, réputé pour ses qualités de diplomate. Il vit d'abord Carlingford le 23 mai 1700, puis le soir même Léopold qui ne manifesta pas d'hostilité. Milan était une des plus grandes villes d'Europe, et les revenus du duché, très largement supérieurs à ceux de Lorraine et Barrois : Callières parla de sept millions de livres au lieu de deux millions.

La nouvelle, vite divulguée, partagea l'entourage du souverain. Creitzen y était favorable ; les grands officiers pensaient au sort qui leur était réservé ; des « patriotes lorrains », comme Bourcier et Couvonges, n'opposaient pas un refus définitif. Seule l'opinion publique y était farouchement hostile.

Léopold qui avait dit à Callières « qu'il se trouvait bien d'un peuple depuis si longtemps dévoué à sa famille », donna le 16 juin après beaucoup d'hésitations son accord qui fut consigné par écrit. Il y mettait comme seule condition l'assentiment de l'empereur ; de plus, il garderait l'équivalent de six mois de revenus des duchés afin d'assumer les dépenses du transfert de la Cour de Nancy à Milan.

L'été 1700 fut agité par toutes les entrevues qui eurent lieu entre les grandes puissances et les principautés de moindre envergure. L'empereur refusait sa part de la succession espagnole ; les états italiens étaient hostiles à l'attribution des Deux-Siciles au dauphin de France ; la Savoie ne voulait pas de Léopold à Milan.

Charles II mourut enfin le 1er novembre 1700. Or, sous la pression de son entourage, il avait, un mois auparavant, rédigé un testament par lequel il s'opposait au démembrement de ses états. Dans ce but, il désignait, comme son successeur, le duc d'Anjou, Philippe, deuxième fils du dauphin, à condition que ce dernier renonçât à ses droits à la couronne de France. Sur le plan dynastique l'occasion parut inespérée à Louis XIV qui accepta le testament le 16 novembre. Le lendemain il demandait à Callières d'en informer Léopold qui ne put faire autrement que se soumettre et renoncer au Milanais. Beaucoup lui en voulurent d'avoir, un instant, songé à abandonner la terre de ses ancêtres.

De nouveau, la guerre

L'erreur de Louis XIV fut de garantir solennellement les droits éventuels de Philippe d'Anjou à la couronne de France. L'envoi de troupes françaises dans les Pays-Bas espagnols et les ingérences répétées dans la politique et dans les échanges de ce pays irritèrent et inquiétèrent les armateurs, les banquiers et les marchands anglais et néerlandais. La collusion des mécontents aboutit à la création, le 7 septembre 1701, de la *Grande alliance de La Haye* avec l'empereur, le roi d'Angleterre et les Provinces-Unies ; leur but n'était pas de chasser Philippe V, le nouveau roi espagnol, mais de trouver des compensations territoriales et des garanties pour l'exercice du commerce, particulièrement sur

Musée lorrain, Nancy. Cliché P. Mignot.

Le duc Léopold *en habit de guerre.*

LES PRÉPARATIFS DE L'OCCUPATION DE NANCY - 1702

« J'espère que les magasins de Metz pourront fournir à tout... Faites avancer des blés et des avoines à Marsal en toute diligence... Si vous prenez des foins ou des grains sur les terres de Lorraine vous les ferez payer jusqu'à ce que M. le duc de Lorraine se soit dé-claré, et garder à son égard les mêmes ménagements que l'on a eus depuis la paix, à moins que par le mauvais parti qu'il prendrait il n'oblige Son Altesse d'ordonner que l'on en use autrement... Sa Majesté ne croit pas qu'il soit besoin pour cette expédition d'un plus grand nombre de pièces de 16 et de 24 que celui de 18 ou 20. Vous avez une partie des affûts et des bois nécessaires pour raccommoder les défectueux ou en faire de nouveaux ; faites-y travailler sans perdre un moment ; mais en même temps ayez grande attention à cacher tous vos mouvements... Je vous envoie bien de l'argent pour vous mettre en état de payer les troupes et de fournir quelques secours à M. de Tallard en cas de siège pour répandre parmi les soldats et travailleurs ; il faudra distribuer de la viande et de l'eau de vie libéralement... Je ferai demain partir 1 600 tentes pour la cavalerie... Faites en faire pour l'infanterie le plus que vous pourrez... Le roi ne regarde point cette affaire comme une grande entreprise... »

Lettre de Chamillard, secrétaire d'Etat à la guerre, à Saint-Contest, intendant de Metz, nov. 1702, cité par BAU-MONT, *op. cit.*, p. 115-116.

mer. Quelques escarmouches intervinrent avant la déclaration de guerre à la France par les coalisés le 15 mai 1702.

Dès le début de l'année, les Evêchois, menacés par l'enrôlement dans la milice et surchargés d'impôts, avaient recherché un abri dans les duchés. Mais ceux-ci ne pouvaient pas rester à l'écart du grand conflit européen. Léopold n'était pas en mesure de mener une politique de totale indépendance. Dès juin 1701 il fut contraint d'accepter que les troupes françaises puissent se ravitailler en fourrage dans les vallées de la Moselle et de la Sarre. Avant même la déclaration de guerre, le prince de Bade menaçait l'Alsace septentrionale et Sarrelouis. Le maréchal Catinat plaça des troupes à Sarrebourg, à Marsal et, en terre ducale, à Bitche.

Léopold, lié à l'empereur et à Louis XIV, chercha à garder la neutralité. La Lorraine n'était déjà plus à l'abri des armées qui y lançaient quelques raids. A la fin de mai, le marquis de Varennes, parti de Metz pour inspecter les travaux de protection de la saline de Moyenvic, se fit enlever. L'affaire agita la Cour de Versailles. Après enquête, qui confirmait le rapt sur les terres ducales, Léopold demanda sa libération au prince de Bade qui en référa à l'empereur. Varennes resta en captivité pendant six mois jusqu'en novembre 1702.

L'entourage et les généraux de Louis XIV étaient unanimes à lui demander d'occuper les duchés, mais le roi se borna à autoriser la poursuite des Impériaux et à déléguer en juillet 1702, un envoyé permanent, Jean-Baptiste D'Audiffret, chargé de surveiller les agissements des Lorrains et de leur prince. Dans les instructions qui lui furent remises, on craignait que, dans l'éventualité d'une campagne impériale vers l'ouest, « Monsieur le duc de Lorraine ne reprît les premiers sentiments que sa naissance, son éducation lui ont donnés pour la Maison d'Autriche ».

La situation devint trouble en Lorraine. Des bandes de partisans impériaux exécutèrent des raids : on les vit près de Saint-Dié, de Rambervillers et même à proximité de Nancy dans la forêt de Haye (18-19 septembre 1702). D'Audiffret en rendit compte et y ajouta les inquiétudes qu'il nourrissait vis-à-vis des intentions de Léopold et de Carlingford.

Finalement, le 16 novembre 1702, l'ordre fut donné au comte Camille de Tallard de se tenir prêt à occuper Nancy. Le 29, celui-ci dépêchait des troupes sur Toul, Vic, Marsal et Pont-à-Mousson. Or, le 1er décembre, Callières vint mettre en demeure Léopold de consentir à l'installation d'une garnison à Nancy. Pour se défendre, la capitale lorraine n'avait qu'une fragile muraille. Après avoir quelque peu tergiversé, Léopold céda ; il n'avait aucune autre solution. Le lendemain Léopold, sa famille et son entourage quittaient Nancy pour Lunéville. Le 3, en matinée, l'armée française, sans rencontrer de résistance, pénétrait dans la ville par la porte Notre-Dame. La troisième occupation de la Lorraine commençait : elle allait durer près de onze années.

La Lorraine et la guerre européenne

Les soldats français ne reçurent pas l'ordre d'occuper la totalité des duchés. Mais le prince de Bade, à la tête des Impériaux, avait été tenté, un moment, de s'emparer des duchés, réservoir de mercenaires et de subsistances : il se contenta d'entrer à Bitche et à Hombourg. Villars, après avis conforme du roi, qui prévint Léopold, occupa à la fin décembre Fénétrange, Bouquenom, Sarralbe et Sarreguemines. Les Impériaux se retirèrent. Plus tard quelques troupes françaises s'installèrent à Boulay et Saint-Avold. Léopold se plaignit à Versailles ; on lui répondit que des points d'appui en avant de la Sarre étaient nécessaires.

La Lorraine en arrière-garde

La troisième occupation de la Lorraine ne fut en aucune façon comparable aux autres. Militairement, elle se bornait — à peu de choses près — à Nancy où le Palais ducal resta à la disposition du duc. Les grands services de l'Etat, comme la Cour souveraine et la Chambre des comptes, continuèrent à y siéger sans obstacle. L'administration, la justice et les fiscalités restèrent lorraines.

Les besoins de l'occupation et de la guerre conduisirent les Français à se fournir en fourrages et en subsistances mais en en payant le prix. Ainsi en 1703 les duchés fournirent 43 000 sacs de blé et d'avoine pour approvisionner l'armée du Rhin. Certes il y eut des exactions, mais elles restèrent très limitées. La Lorraine tenait loin des théâtres des opérations militaires une position et un rôle d'arrière-garde.

Sans qu'il y eût d'affrontement, le duc, sa famille et son entourage observaient, à propos du conflit, des attitudes diverses, fondées sur les origines de chacun. Léopold et Carlingford étaient favorables aux Habsbourg ; Elizabeth-Charlotte et le père Creitzen, aux Bourbon. Mais à quelques semaines d'intervalle en 1704, Creitzen, puis Carlingford mouraient, marquant la fin d'une époque, celle de la première Restauration. Léopold y perdait deux fidèles conseillers.

En août 1704 les Français, après quelques succès préliminaires, subissaient le désastre de Hochstaedt en Bavière. Ce fut l'occasion pour les généraux et certains conseillers de demander une occupation totale de la Lorraine pour, selon Villeroy, en « user... comme d'une province du royaume ». Louis XIV, avec modération, lui prescrivit l'établissement de quelques quartiers d'hiver pour la cavalerie avec, seulement, le logement et le chauffage. Des cantonnements furent donc installés sur les rives de la Sarre.

Ce fut en pleine guerre où étaient en jeu des grands intérêts nationaux que l'on régla le vieux problème des terres de surséance aux frontières franco-lorraines. A la suite de contestations sur les limites de trois villages entre Comté et Lorraine, Corravillers, Longchamp et Alaincourt, réglées par l'accord du 29 octobre 1703, il fut décidé d'enquêter sur toutes les terres de surséance et sur les villages mi- et tripartis. On procéda ensuite au partage général, se référant parfois aux conférences de Vesoul et de Fontenoy-le-Château (1613-1614). Selon le traité du 25 août 1704, au roi revint la terre et seigneurie de Fougerolles, Fresnes-sur-Apance, Corre, Alaincourt, Bousseraucourt et Amevelle ; au duc lorrain, « la partie de Fontenoy, dite la Coste-lès-Fontenoy, avec les villages du Mesnil, Trémonzey, Montmotier, Forge de Montmotier..., le village de Fontenoy-la-Ville..., la terre et seigneurie de Monthureux-sur-Saône, non seulement pour la partie de la seigneurie commune, qui est tenue en surséance, mais aussi pour la seigneurie dépendante de l'abbaye de Luxeuil », Ruaux, Lironcourt, Grignoncourt et Vougécourt. Une autre enquête permit aussi de déterminer les sujets du roi et ceux du duc dans six villages de la région de Gondrecourt. Ce fut peu après que Léopold laissait à Charles-Henri, le prince de Vaudémont, la principauté de Commercy (décembre 1707-janvier 1708).

Léopold, qui avait envoyé des observateurs auprès des armées impériale (Fournier) et royale (Protin), tenta de jouer au médiateur, mais sans succès. Au mois d'août 1705 son frère Joseph était tué à l'âge de vingt ans à Cassano dans les rangs impériaux. Trois mois plus tôt l'empereur Léopold était disparu ; le nouvel empereur fut Joseph 1er, qui rompit les contacts. Pour mieux surveiller la situation internationale et suivre des événements qui pourraient affecter la Lorraine, Léopold multiplia les agents à Londres, dans les Provinces-Unies, auprès des armées de France, de l'Empire et de l'Angleterre. Ce fut grâce aux informations fournies par ce réseau qu'il apprit le projet de Marlborough d'occuper Pont-à-Mousson pour surprendre Villars sur ses arrières. Mais le général anglais dut y renoncer.

L'affaire du Montferrat

Alors que Léopold paraissait en situation de médiateur, les rapports entre la Lorraine et l'Empire se tendirent à propos de la question du Montferrat, région piémontaise située sur la rive droite du Pô entre la Maira et le Tanaro. Le souverain en était Ferdinand-Charles de Gonzague, duc de Mantoue et de Montferrat. Or, afin d'amener dans son camp le duc de Savoie, l'empereur Léopold lui avait promis secrètement en 1703 ces territoires en désintéressant les héritiers légitimes. Charles V avait en 1678 épousé Eléonor-Marie, fille de l'empereur Ferdinand III et d'Eléonor de Gonzague ; leur fils était le duc Léopold, qui était donc, en tant que plus proche parent du duc de Mantoue, le prétendant à la succession du Montferrat.

En juillet 1708 mourait Ferdinand-Charles de Gonzague. Léopold voulut occuper Charleville et Arches, autre propriété des Gonzague, mais se heurta au

Musée lorrain, Nancy. Cliché P. Mignot.

Le duc Léopold à cheval.

prince de Condé. Le duc lorrain rédigea le procès-verbal d'occupation de ces deux villes et prit le titre de « duc de Montferrat, prince souverain de Charleville et Arches ». Officiellement Louis XIV affecta de ne pas se mêler du différend, mais le Parlement de Paris adjugeait les territoires de Charleville et Arches à Condé, qui s'empressa de garder les revenus viagers et de faire la cession à Louis XIV. Dans l'affaire, Léopold s'attaquait à plus fort que lui et il en garda quelque amertume à la mesure des efforts diplomatiques consentis. Le Montferrat alla à la Savoie et Mantoue à l'empereur. En 1723 le petit duché de Teschen, en Silésie, fut laissé par l'empereur à Léopold en titre de compensation.

Charles-Joseph de Lorraine.
Né et mort à Vienne (1680-1715), évêque d'Olmutz en 1695 et d'Osnabruck en 1698, primat de la Primatiale de Nancy, grand prieur de Castille et de Leon, prince du Saint-Empire.

Musée lorrain, Nancy. Cliché P. Mignot.

La France aux abois

Le sort des armes devint hostile à Louis XIV qui pria Léopold de faire des ouvertures à Vienne. Mais les envoyés lorrains furent fraîchement reçus. La crise de 1709, qui affecta si profondément l'économie de l'Europe occidentale, épargna la plus grande partie de l'Empire. La France, battue et épuisée, obtint l'ouverture de négociations à La Haye. Le bruit courut que Toul et Verdun seraient donnés au duc de Lorraine par Louis XIV, qui démentit l'information en mai 1709.

Voulant profiter des circonstances, le duc lorrain chargea son frère « l'évêque d'Olmutz et Osnabruck, de présenter à l'empereur ses griefs vis-à-vis de la France et de réclamer des territoires tels que l'Alsace, le Luxembourg... ». On accueillit assez bien ces propositions, mais on se borna à des promesses vagues. En fait, dans les préliminaires de La Haye du 28 mai 1709, il n'était aucunement question de Léopold.

Par la volonté de Louis XIV, la guerre reprit et Mercy, le général autrichien, qui était né à Longwy en 1666, entra en Alsace. Léopold donna alors au bailli de Vosge l'ordre — sous prétexte d'une grande chasse — d'obtenir des paysans plomb et poudre : était-ce pour venir renforcer l'armée impériale ? Mais Mercy, battu, repassait le Rhin à la fin du mois d'août 1709. Cette défaite était compensée par la victoire de Marlborough et du prince Eugène sur Villars à Malplaquet, le 11 septembre, au prix de très graves pertes dans les deux camps.

Les négociations reprirent à Gertruydenberg en juin 1710. Pour suivre les affaires et tenter d'infléchir le cours des événements, Léopold envoya le baron de Forstner à Londres et Le Bègue dans les Provinces-Unies qui se dévouèrent à la défense des intérêts ducaux.

Les pourparlers traînèrent en longueur et ne menèrent à rien. De plus la mort de l'empereur Joseph 1er en avril 1711 faisait de l'archiduc Charles à la fois le nouvel empereur et le prétendant à la couronne d'Espagne. L'Angleterre, qui ne voulait pas d'une collusion France-Espagne, ne désirait pas davantage une union des couronnes de l'Empire et de l'Espagne. Des préliminaires de paix furent signés à Londres le 8 octobre 1711. Une fois de plus, il n'était pas question de la Lorraine et de son duc profondément affecté par la mort de trois de ses enfants (4, 10 et 11 mai 1711), provoquée par la meurtrière épidémie de petite vérole.

De nouvelles négociations s'ouvrirent à Utrecht en janvier 1712. Léopold y dépêcha trois diplomates Le Bègue — auquel il reprocha sa naïveté —, le baron de Forstner et Jean-Léonard Bourcier de Monthureux, devenu baron de Moineville. Ils élaborèrent des mémoires toujours mal accueillis par les Français en raison des prétentions de Léopold. Or pendant ces pourparlers, les troupes impériales reprenaient le combat dans le nord de la France ; et quelques milliers de cavaliers traversèrent la Lorraine, sans commettre d'exactions. Louis XIV trouva suspecte cette « modération ». Il est vrai que Léopold menait progressivement une politique plus favorable aux Habsbourg et que le roi en était averti.

Le redressement français

La victoire de l'armée royale à Denain en juillet 1712, qui affligea la Cour de Lunéville, modifiait le rapport de forces entre les belligérants.

Une des questions les plus âprement disputées fut le sort du fils de Jacques II Stuart qui cachait son identité sous le pseudonyme de *chevalier de Saint-Georges*. Louis XIV souhaitait une résidence assez proche de Versailles et il chargea D'Audiffret d'en parler avec Léopold : « Il y a déjà longtemps que le roi d'Angleterre a pris la résolution de sortir de mon royaume... Il ne peut dans la conjoncture présente choisir un lieu convenable, pour cet effet, ailleurs que dans les états du duc de Lorraine et la ville de Bar est celle où il peut demeurer le plus commodément. »

Léopold ne fit aucune objection. Il alla accueillir l'exilé à Gondreville, puis à Lunéville, où la Cour lui fit fête, et à Commercy ; le prince de Vaudémont multiplia les spectacles et les banquets en son honneur. Jacques le Prétendant résida au château de Bar de 1713 à 1716. Dans cette affaire, Léopold avait voulu donner au roi un gage de bonne entente et il en attendait des retombées heureuses.

Or dans le traité d'Utrecht (11 avril 1713), une nouvelle fois, aucune clause ne concernait la Lorraine. Il est vrai qu'une paix séparée devait être négociée entre la France et l'empire. A Vienne l'envoyé de Léopold, le comte Charles des Armoises, constatait le peu d'intérêt de la Cour impériale pour les problèmes de la Lorraine.

Alors que continuaient les pourparlers, les opérations militaires n'étaient pas totalement arrêtées. Malgré ses réticences le duc n'osa pas refuser le transport, par des voituriers lorrains, de grains stockés à Verdun et destinés aux troupes qui allaient assiéger la place de Landau. Il essaya de nouveau de jouer un rôle de médiateur entre Vienne et Versailles, mais en vain. Il n'obtint pas davantage satisfaction lorsqu'il tenta d'obtenir la reconnaissance de la neutralité perpétuelle des duchés ; et le traité de Rastadt (6 mars 1714) les ignorait.

Aussitôt Léopold envoya à Versailles le marquis de Craon pour porter au roi ses compliments et obtenir le retrait des troupes de Nancy. Le dernier régiment français quitta la place le 11 novembre 1714 : c'était la fin de la troisième occupation française, entamée le 3 décembre 1702. Léopold ne rentra dans sa capitale que le 25 novembre, refusant les fastes d'une solennelle réception, mais les Nancéiens, en foule, allèrent l'accueillir à Laneuveville, montrant leur attachement à la dynastie ducale et au statut de leur pays. Dans cette longue guerre, qui affecta peu les Lorrains et leurs activités, Léopold ne sut guère peser sur les événements : ses liens de diverse nature avec les Habsbourg et les Bourbon auraient pu faciliter le seul rôle possible de médiateur, qu'il ne sut et surtout ne put assumer.

La Lorraine et la Régence

Absente des traités d'Utrecht et de Rastadt, la question lorraine était évoquée dans le traité signé à Baden, en Suisse, le 7 septembre 1714. Louis XIV s'engageait, en accord avec l'empereur, à appliquer toutes les clauses de Ryswick concernant les duchés. Il s'agissait dès lors d'ouvrir des négociations pour régler les problèmes pendants entre France et Lorraine ducale.

Les pourparlers

Louis XIV chargea l'intendant de la généralité de Metz, Saint-Contest, de rencontrer les plénipotentiaires lorrains Jean-Baptiste de Mahuet, qui avait déjà participé aux négociations de Ryswick, et Paul Protin. Les conférences de Metz, tenues entre mai et septembre 1715, furent difficiles. La France voulait régler le conflit entre l'évêque de Toul et le duc qui resta ferme sur ses positions ; elle contestait aussi les enclaves lorraines en Alsace.

Sur ces entrefaites Louis XIV mourait. Les négociations interrompues ne reprirent à Paris qu'en octobre 1716 avec Saint-Contest et Lefèvre d'Ormesson pour le régent et Jean-Baptiste de Mahuet, Paul Protin, François Barrois et Henri-François Lefebvre pour Léopold. Elles portèrent surtout sur la cession de Longwy à la France et sur l'échange qui y serait associé. Les pourparlers s'éternisaient : il fallut que le régent intervînt en personne en septembre 1717. Les dernières discussions portèrent sur la juridiction ecclésiastique et sur le titre de *Son Altesse Royale* dont Léopold voulait avoir la reconnaissance.

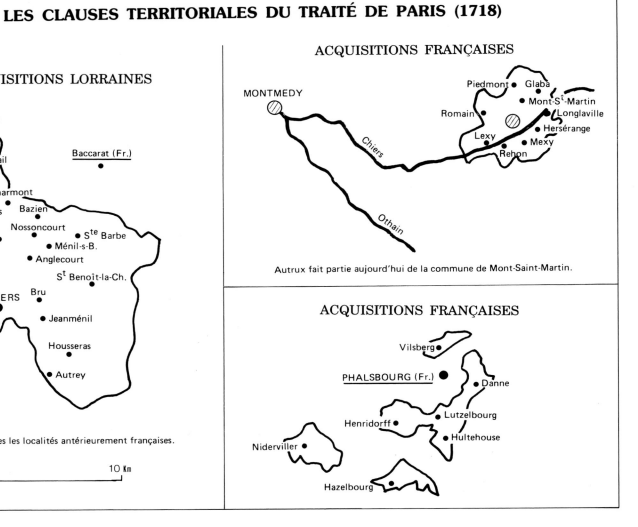

LES CLAUSES TERRITORIALES DU TRAITÉ DE PARIS (1718)

ACQUISITIONS LORRAINES

Moyen (Fr.)
Domptail
Baccarat (Fr.)
Ménarmont
Xaffévillers Bazien
Nossoncourt
Doncières Ste Barbe
Roville-aux-Ch. Ménil-s-B.
Anglecourt
St Benoît-la-Ch.
RAMBERVILLERS Bru
Jeanménil
Housseras
Autrey

Sont soulignées les localités antérieurement françaises.

0   10 Km

ACQUISITIONS FRANÇAISES

MONTMEDY
Piedmont Glaba
Mont-St-Martin
Romain Longlaville
Hersérange
Lexy Mexy
Rehon
Chiers
Othain

Autrux fait partie aujourd'hui de la commune de Mont-Saint-Martin.

ACQUISITIONS FRANÇAISES

Vilsberg
PHALSBOURG (Fr.) Danne
Lutzelbourg
Henridorff Hultehouse
Niderviller
Hazelbourg

Le traité de Paris

Le traité fut signé à Paris le 21 janvier 1718. Léopold cédait à la France ou confirmait la cession de Sarrelouis et six localités en vertu de Ryswick, ainsi que de Longwy et dix villages. En application du traité de Vincennes, il cédait Sarrebourg, Phalsbourg et sept localités. Le duc abandonnait aussi ses droits sur les abbayes de Saint-Evre et de Saint-Mansuy, sur le fief de Ban-Saint-Pierre (fief mouvant du duc en raison de sa châtellenie de Hombourg), sur le fief du ban de La Rotte, près de Morhange. Trois mille arpents (613 hectares) de la forêt de Kaldenhoven, près de Kerling-lès-Sierck, allaient à la France. Les villages mi-partis de la terre de Gorze étaient partagés : au roi, Villecey-sur-Mad, Hagéville, Jonville-en-Woëvre ; au duc, Olley et Arnaville. On procéda aussi à un échange entre Evendorff, devenu lorrain, et Fréching, au sud de Sierck.

La France cédait ou restituait divers territoires. L'essentiel était Rambervillers et la région (quinze villages). De plus était restituée à Léopold l'enclave de Saint-Hippolyte en Alsace ; il bénéficiait également de la renonciation aux prétentions sur Thanvillé, sur une partie de Sainte-Marie-aux-Mines et sur le Val-de-Liepvre. Diverses autres dispositions réglaient les points les plus minimes du contentieux franco-lorrain.

Dans les articles 33 à 64 était garantie la liberté de commercer entre les duchés et la généralité de Metz, donc dans l'ensemble de l'espace lorrain.

De plus la France, après l'empereur, reconnaissait le titre de *Son Altesse Royale* à Léopold qui le désirait ardemment et en espérait un surcroît de prestige. Il devait cette distinction à l'insistance d'Elizabeth-Charlotte de Bavière, la « princesse palatine », mère à la fois du régent et de la duchesse de Lorraine, au sujet de laquelle Saint-Simon écrivait : « Madame... avait une passion aveuglément allemande pour le duc de Lorraine, son gendre. »

A

SON ALTESSE ROYALE
MONSEIGNEUR

LEOPOLD par la Grace de Dieu Duc de Lorraine, Roi de Jerusalem, Marchis, Duc de Calabre, Bar, Gueldre, &c. Marquis du Pont à Mousson, & de Nomeny, Comte de Provence, Vaudemont, Blamont, Zutphen, Sarwerden, Salm, & Falkenstein, &c.

Musée lorrain, Nancy. Cliché P. Mignot.

Titulature officielle de Léopold *surmontée des armoiries des ducs lorrains. Certains titres ne sont plus que les énoncés d'anciennes revendications : Jérusalem, Calabre, Gueldre, Provence...*

Le traité, dont on avait exclu le plus délicat, c'est-à-dire le différend sur la juridiction ecclésiastique, n'était pas défavorable à Léopold. Le régent continuait la politique de Louis XIV mais avec plus de modération, sans perdre de vue qu'un jour ou l'autre l'absorption des duchés s'accomplirait ; dans son esprit il n'était pas utile d'en précipiter l'échéance. Rien d'important ne pouvait se faire sans l'agrément, formel ou non, du souverain français.

La Cour et le peuple de Lorraine se félicitèrent de l'issue des négociations ; ce fut la fête à Lunéville et Nancy. Puis Léopold, sous l'identité de *comte de Blâmont,* vint à Paris et y séjourna deux mois. Il logea au Palais royal et fut reçu avec faste à Versailles. A cette occasion il prêta le serment d'hommage pour le Barrois mouvant. Selon Saint-Simon, qui détestait beaucoup de ses contemporains et particulièrement Léopold : « Tout ce voyage et tous ces divers délais n'avaient d'objet que l'arrondissement de la Lorraine, dont aucun duc ne gagna jamais tant, si gros ni à si bon marché que celui-ci, et ne fut pourtant jamais si peu considérable. »

D'un rapprochement à l'autre

Le traité de Paris créait les conditions d'une nouvelle phase des rapports entre la France et les duchés dans la mesure où, soucieux d'éviter une collusion avec l'Empire, les hommes de la Régence avaient fait montre de modération. Il s'ensuivit quelques années d'entente cordiale.

La fin du différend franco-lorrain

Dans ce climat on parvint à s'entendre sur la plupart des problèmes mineurs qui restaient en suspens. Le premier concernait l'abornement de Sarrelouis, avec les difficultés à propos du village de Neu-Forweiler et du ban de Vaudrevange. Une fois de plus intervenait le différend à propos des mensurations en lieues françaises ou en lieues lorraines. En novembre 1718 on parvint à s'entendre dans un sens favorable à Léopold, à l'issue d'une conférence tenue à Sarrelouis.

Le principe d'une indemnité financière à la suite de la cession de Longwy avait été adopté dans l'article 33 du traité de Ryswick et repris dans l'article 12 de celui de Paris, mais cette dernière fois sans l'avoir chiffrée. Pour parvenir à une solution, Léopold dépêcha le conseiller d'Etat Alexandre Mouzin de Romécourt auprès du résident permanent à Paris. Le débat concernait l'évaluation des revenus de la prévôté avancés par les uns, contestés par les autres. Un compromis intervint sur ce point en juillet 1729.

D'autres affaires de moindre importance furent réglées grâce à la bonne volonté du régent. Léopold cherchait à acheter le comté de Ligny-en-Barrois et de Saulx, propriété de Charles-François de Montmorency, duc de Luxembourg qui avait l'intention de le vendre. Le 6 novembre 1719, la cession était faite moyennant 2 600 000 livres tournois. Or le Parlement de Paris fut saisi d'une demande de retrait lignager de la part de Paul Sigismond, duc de Montmorency-Châtillon, frère du vendeur, et il accéda à sa requête. Au-delà du retrait lignager (droit pour un parent de se substituer à l'acheteur en payant la même somme), le véritable enjeu était l'exercice des droits de Léopold sur le Barrois mouvant. Là aussi, selon l'avis du régent, une conférence se réunit et donna raison à Léopold en mars 1720.

En 1720 également, Léopold acheta pour 750 000 livres la baronnie d'Ancerville au régent qui en avait hérité de la Maison de Guise. Par ailleurs il laissait la principauté de Lixheim et ses dépendances au comte Jacques-Henri de Marsan à l'occasion de son mariage, en 1721, avec la jeune fille du prince de Beauvau Craon. Enfin par la mort, en 1723, du prince de Vaudémont, Charles-Henri, fils de Charles IV et de Béatrix de Cusance, revenaient à Léopold la principauté de Commercy et les importants biens-fonds qu'il possédait dans les Pays-Bas. La Cour souveraine, dite les Grands Jours de Commercy, fut normalement supprimée.

Le projet d'un évêché « lorrain »

Les ducs lorrains ont toujours ressenti avec force les inconvénients résultant de l'absence d'évêché en terre ducale. Depuis longtemps les abbayes vosgiennes, dont Senones et Moyenmoutier, et la grande prévôté de Saint-Dié estimaient qu'elles n'étaient pas soumises à la juridiction touloise ; leurs relations avec les évêques de Toul s'étaient encore dégradées depuis la venue de Léopold. Un incident porté devant Rome amena la curie à reconnaître l'état de fait, c'est-à-dire l'exemption de la juridiction de Toul pour les établissements vosgiens. Les vigoureuses protestations de l'évêque François Blouet de Camilly provoquèrent l'ajournement de la décision. Mais Léopold y vit une réelle opportunité de reprendre le projet d'érection d'un « diocèse ducal » ; le siège épiscopal se situerait à Saint-Dié, en territoire contesté. Après plusieurs mois de démarches, il fit la requête officielle à Rome en 1717. Il fallait aussi l'aval de la France. Or la royauté n'avait aucun intérêt à se désaisir d'un moyen d'intervenir dans les duchés. Mais Rome hésitait, gardant à l'esprit les dangers de la propagation du jansénisme. Léopold abandonna la modération dont il avait fait preuve en ce domaine. D'ailleurs la nouvelle doctrine avait pénétré dans les abbayes vosgiennes. Et lorsque le nonce Joseph Firrao vint en visite en Lorraine, il fut favorablement impressionné par la situation générale et par la personnalité et les intentions de Léopold. Sur son avis Rome était prête à créer le diocèse demandé. Mais la vigueur des réactions de Paris, de Trèves et de Toul firent échouer le projet en 1720. Sur cet important problème, le régent s'était opposé fermement à Léopold : l'heure de la défiance réciproque était revenue.

François Blouet de Camilly *évêque de Toul de 1705 à 1723.*

Musée lorrain, Nancy. Cliché P. Mignot.

MARIE LESZCZYNSKA, ÉPOUSE DE LOUIS XV

La timide Marie, seule fille survivante de Stanislas Leszczynski et Catherine, allait sur ses vingt ans. Le roi exilé fit des démarches pour trouver un époux à Marie. Mais tour à tour Henri de Bourbon, arrière-petit-fils du grand Condé et veuf depuis 1720, puis son frère Charles, comte de Charolais, enfin le prince de Bade Louis-George refusèrent avec assez de morgue. Or à Wissembourg Marie n'était pas insensible au charme d'un descendant de Louvois, Louis Le Tellier, marquis de Courtanvaux, que l'on appelait surtout le chevalier de Louvois. Agé de vingt-huit ans en 1723, il commandait à Wissembourg un régiment de cavalerie. Informé, Stanislas, qui adorait sa fille, donna son accord à condition que Courtanvaux devint duc et pair. Mais la famille de Louvois était tombée en disgrâce à la Cour et le mariage ne se fit pas.

Or sur ces entrefaites, le régent mourut et, grâce à Fleury, précepteur de Louis XV, ce fut le duc Henri de Bourbon qui lui succéda. La grande affaire était alors le mariage de Louis XV. Le clan des Orléans avait auparavant songé à lui faire épouser l'infante d'Espagne qui n'était encore qu'une très jeune enfant. Henri de Bourbon risquait d'y perdre toute influence. Cela inquiétait surtout sa maîtresse, Agnès Berthelot de Pléneuf, mariée dès sa quinzième année au marquis de Prie.

Dès la fin de 1724, grâce à un impressionnant réseau d'agents, une liste de cent « concurrentes » fut établie. Puis on écarta successivement les dix filles de médiocre origine, les trop vieilles (quarante-quatre ayant plus de vingt-quatre ans), et les trop jeunes (vingt-neuf ayant moins de douze ans). Il en resta encore dix-sept, dont Elizabeth-Thérèse, fille du duc Léopold de Lorraine. Nouveau tri où furent éliminées les princesses luthériennes, celles de l'empire germanique, et les prétendantes qui ne paraissaient pas posséder une bonne santé. Quatre triomphèrent de tous ces obstacles : Anne (quinze ans) et Amélie-Sophie (treize ans), petites filles du roi anglais George Ier, Mesdemoiselles de Vermandois (vingt et un ans) et de Sens (dix-neuf ans), sœurs du duc de Bourbon.

Il fallait faire vite car la santé fragile de Louis XV (15 ans en février 1725) avivait les appréhensions du duc de Bourbon et de Madame de Prie. Un comité de sept « sages » fut réuni : on y trouvait Fleury, le maréchal de Villars, etc. Le choix se porta sur Mademoiselle de Vermandois. Encore fallait-il qu'elle se montrât compréhensive et qu'elle ne s'opposât point à l'influence de Henri de Bourbon et de sa maîtresse. Aussi Madame de Prie se rendit au couvent de Fontevrault où vivait l'élue, afin de se rendre compte par elle-même. Méprisante, Mademoiselle de Vermandois déplut à Madame de Prie : sa chance était passée.

Force fut de reprendre la recherche d'une nouvelle prétendante. Madame de Prie songea alors à la fille d'un roi polonais exilé. Marie Leszczynska figurait sur la liste des cent, mais non sur celle des dix-sept. Elle y avait été inscrite par Charles-François Noirot, chevalier de Vauchoux qui avait connu Stanislas en Pologne et était l'amant de « la Texier », veuve d'un ancien caissier de Berthelot, le père de Madame de Prie. Vauchoux lui vanta les mérites et la discrétion de Marie. Informé, le comte d'Argenson passa par Wissembourg et apprécia la jeune princesse. Le régent Henri de Bourbon se laissa convaincre et, en secret, on envoya le peintre Pierre Gobert faire le portrait de Marie.

Stanislas n'était pas tenu au courant de ce mirifique projet. Il espérait, au mieux, qu'il s'agissait de l'éventualité d'un mariage avec le régent lui-même. Le 2 avril 1725, il apprit, au retour d'une chasse, l'incroyable nouvelle : il remercia aussitôt Henri de Bourbon dans une lettre enthousiaste.

Ce fut seulement le 27 mai qu'après dîner Louis XV annonça publiquement son futur mariage. Un concert de protestations s'éleva en France et à l'étranger. Le roi d'Espagne fut ulcéré, car on lui « renvoya » l'infante. A la Cour de Versailles, on jasa, prétendant que Marie, fille d'un roi exilé, était, de surcroît, mal constituée. Il fallut des certificats rassurants de médecins dépêchés à Wissembourg. Le 3 juillet, les Leszczynski s'installèrent à Strasbourg, reçus par la famille d'Andlau. Le mariage eut lieu à Strasbourg par procuration le 15 août 1725, puis, de nouveau à Versailles le 5 septembre.

Le revirement 1720-1726

Dans le but de régler les questions espagnoles et italiennes, se constitua, en 1718 sous l'impulsion du futur cardinal Dubois, la Quadruple alliance (France, Grande-Bretagne, Provinces-Unies, Empire). Toutes les démarches de Léopold, désireux de s'y intégrer, échouèrent. Comme dans l'affaire de l'évêché de Saint-Dié, le régent ne pouvait admettre tout ce qui était susceptible de provoquer un amoindrissement de l'influence française dans les duchés. La participation à une grande coalition européenne les aurait amenés à une audience internationale et à un niveau qui, jusqu'à présent, n'était pas le leur. La bienveillance du régent avait d'impératives limites.

Léopold, incapable de tenir un rang dans le concert européen, conçut de l'amertume et peu à peu retrouva le chemin de Vienne. Il y envoya Lefebvre à partir de novembre 1720. Celui-ci obtint sans difficulté le consentement de l'empereur à l'adhésion de Léopold à la Quadruple alliance. Après de longues hésitations, le duc accepta en compensation du Monferrat le duché de Teschen, en Silésie, malgré la médiocrité de ses revenus.

L'affaire du comté de Falkenstein traînait encore en 1723. En effet, laissé aux mains de Léopold par le prince Charles-Henri de Vaudémont lors de l'échange avec Commercy, il était placé en investiture dans les mains du comte de Schomborn. Or la Cour aulique se saisit de l'affaire, considérant le comté comme un fief impérial ; elle ne l'adjugea à Léopold qu'en 1723.

Le 4 juin 1723 mourait Léopold-Clément. Son frère François, né en 1708, devenait l'héritier des duchés. Peu après, proclamé majeur, il était envoyé à Vienne pour y parfaire son éducation en compagnie de son précepteur le baron Pfützchner, du marquis de Craon et d'une nombreuse suite. L'empereur le reçut avec beaucoup de solennité et de cordialité. Puis la suite lorraine reprit la route de Lunéville. L'empereur plaça auprès de François des gens à lui dévoués dont le comte de Cobenzel comme premier gouverneur. Déjà on y caressait l'espoir d'un mariage entre François de Lorraine et Marie-Thérèse, la fille de l'empereur.

A Versailles, le régent disparaissait en 1723. Son successeur, le duc de Bourbon, hostile à la Maison d'Orléans, fut l'artisan du mariage de Louis XV avec Marie Leszczynska, à la grande déception de Léopold et de sa femme qui avaient présenté la candidature de leur fille aînée Elizabeth-Thérèse.

La « neutralité »

A défaut de participation officielle à la coalition internationale, Léopold envisagea une neutralité perpétuelle dès l'hiver 1723-1724. L'évolution des événements diplomatiques le renforça dans ce projet et il confia la négociation à François-Joseph de Choiseul, marquis de Stainville, négociation qu'il allait lui-même assurer par la suite. A Versailles on laissa entendre que seule la France aurait le passage libre des armées et le ravitaillement en subsistances.

L'accord franco-lorrain se fit sur ces bases par une déclaration publique et officielle, signée le 14 octobre 1728 par le roi de France : « Par ces présentes signées de notre main, disons... qu'en cas de rupture, infraction, invasion, guerre ou hostilité de quelque nature et pour quelque raison que ce soit entre Nous et les autres puissances de l'Europe, Notredit Frère le Duc de Lorraine et de Bar et ses successeurs jouiront d'une neutralité pleine et entière, perpétuelle et irrévocable pour tous leurs Estats, Terres, Villes, Bourgs, Villages, hommes et biens sans aucune exception ni réserve... le tout sans préjudice du traité de paix de Ryswick... et notamment l'article 34 ». En contrepartie le négociateur lorrain remettait une déclaration secrète où, tout en restant neutre, Léopold affirmait ne pas déroger à cette neutralité si le roi était obligé, en cas de nécessité absolue, d'agir autrement. Curieuse dérogation au principe de neutralité où on « distingue avec subtilité les principes et les applications. On y voit un désir de gagner du temps — en attendant les liens nouveaux qui doivent se forger avec l'empereur — et, également une volonté de se placer sous la protection des puissances européennes, en brisant le cadre étroit des relations avec la France, par une diplomatie en étoile fort active sinon fort efficace » (Georges Livet).

*

Depuis 1722 Léopold souffrait d'une fistule anale que l'on soigna d'abord avec des purges et des saignées et que finalement le célèbre chirurgien français La Peyronie opéra avec réussite.

CHARLES-CLAUDE DE LAIGLE,
Abbé de Mureau, Grand Archidiacre de Toul, Official ;
Vicaire Général.

TOUS les Curés & autres Supérieurs des Eglises de Lorraine & Barrois qui sont dans le Diocese de Toul, en N. S. J. C. Ce n'est qu'avec une peine extrême que nous vous annonçons la Maladie de SON ALTESSE ROYALE, connoissant comme nous faisons, vôtre tendre & fidel attachement pour vôtre Auguste Souverain ; Nous craindrions de vous exposer à être trop allarmez, si l'on vous dérobait la connoissance d'un événement qui doit vous toucher si sensiblement. Nous esperons de la bonté du Pere des Misericordes, que cette Maladie n'aura point de suitte fâcheuse.

La nécessité néantmoins de recourir promptement à Dieu dans une occasion, où tout l'Etat est si interessé, ne nous permet pas de vous laisser ignorer ce que vous n'apprendriés d'ailleurs que trop-tôt, vous ne sentés pas moins que Nous la nécessité de le faire sans aucun délay.

C'est donc pour satis-faire à nos devoirs communs, que dans l'esperance d'obtenir de Dieu un prompt & parfait rétablissement de la santé de S. A. R. Nous Ordonnons, qu'aussi-tôt nôtre present Ordre reçû, on fera l'Oraison de quarante heures avec Exposition du très St. Sacrement dans vos Parroisses d'abord, & successivement dans les autres Eglises de chaque Ville jusques à ce qu'il ayt plû à Dieu de finir nos inquietudes par la parfaitte guérison de S. A. R. Nous nous promettons de vôtre zele, que vous nobmetrés rien de tout ce qui dependra de vous pour exciter la Pieté des fideles commis à vos soins, & les engager par leur propres interêts à joindre avec ferveur leurs Prieres aux vôtres, afin de faire à Dieu dans une conjoncture si interessante une espece de violence, que Tertulien Nous apprend luy être agreable.

Tous les Prêtres en offrant à Dieu le St. Sacrifice de la Messe diront la *Collecte*, *la Secrete*, & *la Post Communion pro infirmo*, en y exprimant le Nom de S. A. R.

Donné à Toul le 25. Mars 1729. *Signé*, DE LAIGLE.

Le duc lorrain mourut le 27 mars 1729 après avoir contracté une fièvre au cours d'une promenade au château que Craon faisait construire à Ménil, près de Lunéville. Sa dépouille fut transportée de nuit à Nancy, où le cérémonial de la pompe funèbre se développa selon la tradition du 7 au 10 juin. Mais la cérémonie de la salle d'honneur était pratiquement supprimée ; il n'était plus question de l'effigie ni du repas.

Ainsi s'achevait un règne qui avait marqué le renouveau des duchés de Lorraine et de Bar, dû non seulement à la conjoncture internationale mais aussi à la personnalité de leur souverain, certes prodigue et peu rigoureux, mais attaché à reconstruire son pays et à lui redonner quelque crédit sur le plan international.

L'ACTE DE DÉCÈS DE LÉOPOLD

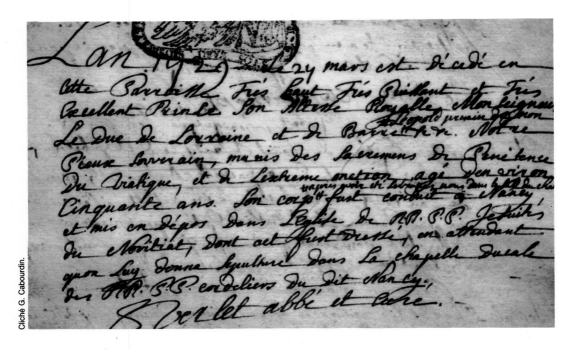

Cliché G. Cabourdin.

L'an 1729 le 27 mars est décédé en
cette Parroisse Très Haut Très Puissant et Très
Excellent Prince Son Altesse Royalle Monseigneur
Le Duc de Lorraine et de Barre Léopold premier du nom et Notre
Pieux Souverain, munis des sacremens de Pénitence
du Viatique, et de l'extrême onction âgé d'environ
cinquante ans. Son corps après avoir été levé par nous dans
[la Salle du château, fust conduit à Nancy,
et mis en dépôs dans Léglise de R.R.P.P. Jésuites
du Noviciat, dont act fust dressé, en attendant
quon luy donne sépulture dans la chapelle ducale
des R.R.P.P. cordeliers dudit Nancy ».

Registres paroissiaux de Lunéville

Au temps des lumières

7

DESTINS ENTRECROISÉS 1729-1737

En l'espace de quelques années, au gré de la conjoncture internationale, le sort de la Lorraine ducale — et par là-même celui de tout l'espace lorrain — allait être réglé en ménageant, par ailleurs, de singulières transitions. Le destin des duchés s'inscrivit dans le cadre d'une certaine mutation des états européens et de leurs territoires au cœur du XVIIIe siècle, alors que la généralité de Metz s'efforçait, sous l'autorité de Belle-Isle, d'entamer sa rénovation.

La régence d'Elizabeth-Charlotte

La mort subite de Léopold surprit les Cours européennes. L'héritier du trône ducal, né le 8 décembre 1708, François-Etienne séjournait depuis l'âge de quinze ans à la Cour des Habsbourg à Vienne. Par lettres patentes, l'empereur Charles-VI l'avait fait colonel en 1726. Le nouveau duc François III n'apprit la disparition de son père qu'au début d'avril. Or dès le 28 mars, la duchesse Elizabeth-Charlotte s'était fait octroyer la régence.

Charles Alexandre de Lorraine, *né à Lunéville en 1712, gouverneur général des Pays-Bas ; il épousa en 1744 Anne-Marie de Habsbourg qui disparut en décembre de la même année. Il mourut à Tervueren près de Bruxelles en 1780.*

B.M. Nancy. Cliché R. Carton.

La prise du pouvoir

En effet au lendemain de la mort de Léopold, sa veuve s'empressa de réunir un Conseil, composé spécialement pour la circonstance, du jeune frère de François III, Charles-Alexandre ; des « princes du sang » Emmanuel-Maurice de Lorraine-Elbeuf, Anne-Marie-Joseph de Lorraine, prince de Guise-Harcourt, Jacques-Henry de Lorraine, prince de Lixheim ; des titulaires des grands offices de la couronne et des membres du Conseil d'Etat, soit au total trente personnes. On donna lecture du testament rédigé par Léopold le 8 septembre 1719 par lequel il affirmait le caractère inaliénable du domaine ducal, l'exclusion des filles de la succession et fixait les pensions des princes et princesses de Lorraine. Un codicille, en date du 16 décembre 1726, prévoyait de remettre la régence à un Conseil, composé de quelques grands officiers de la couronne, du maréchal de Lorraine, du garde des sceaux, des premiers présidents de la Cour souveraine et de la Chambre des comptes, du secrétaire d'Etat et du maître des requêtes qui seraient de quartier (en fonction par trimestre).

Elizabeth-Charlotte était ainsi écartée de la régence. Mais ceux qu'elle avait réunis et qui lui étaient dévoués ne firent aucune objection à sa désignation : ils la reconnurent « pour seule et unique régente des états... avec pouvoir de les régir, gouverner et administrer ; d'établir tel Conseil qu'Elle jugera à propos et d'exercer en toutes choses les droits de la souveraineté. »

Le 31 mars, la Cour souveraine de Lorraine et Barrois se réunissait pour l'enregistrement de ces dispositions. L'avocat général, Toustaint de Viray, déclarait dans son adresse : « Hâtons-nous, Messieurs, de donner à cette résolution importante une forme d'autant plus essentielle, qu'étant un acte de justice la plus pure, il est tout à fait convenable qu'il reçût son être ou sa perfection dans le milieu de ce corps immortel d'une Compagnie souveraine destinée à la rendre. Louons ce dépôt de l'autorité absolue, qui lui est fait sans aucune restriction, de peur de mettre des bornes à ce prélude de notre bonheur ». Le premier président, le comte Nicolas-François de Gondrecourt, et les trente-et-un conseillers « tous en habits de cérémonies » procédèrent, sans trop de difficulté, à l'enregistrement de l'arrêt du Conseil provisoire et à sa confirmation en avril, sur avis conforme de François III.

L'héritage financier

Le duc ne vint en Lorraine que huit mois après la mort de son père, période pendant laquelle la conduite de l'Etat incomba totalement à Elizabeth-Charlotte.

Le problème le plus grave était sans conteste le déséquilibre des finances, car Léopold avait beaucoup emprunté et beaucoup donné. Jacques Masson, conseiller aux finances ducales, estimait, dans le mémoire qu'il dressa en avril-mai 1729 pour la régente, que pour l'année en cours les revenus seraient d'environ cinq millions de livres lorraines. La subvention (compte tenu des droits de recette) devait rapporter 1 844 933 livres ; et la vente des sels 2 020 000 livres (dont il fallait défalquer 520 000 livres pour les frais de fourniture des bois). Apparemment les dépenses se monteraient à trois millions, avec les gages et appointements, le fonctionnement de la Cour, les pensions et les rentes diverses, et la « dépense ordinaire que Son Altesse Royale faisait à Vienne » (500 000 livres). Et Masson se demandait où étaient passés les excédents de recettes de deux millions par an ainsi que l'argent qui provenait de la création de divers offices. Il signalait que « Son Altesse Royale m'a fait l'honneur de me dire dans le mois de février 1728 que depuis son voyage à Paris les négociations étrangères luy coûtoient plus de quatre millions de livres en dépenses qui ne pouvoient être connues. » On a aussi souvent reproché à Léopold ses libéralités excessives aux princes du sang : le prince d'Elbeuf (26 000 livres pour 1728), le prince de Guise-Harcourt (24 000), le prince de Lixheim (24 000 promises par le contrat de mariage). Les Craon reçurent encore plus : « La fortune du prince seroit assurément grande s'il n'avait pas des dignités à soutenir avec ses dix-sept enfants ». Ces pensions et d'autres étaient assignées sur la Ferme générale.

De plus, les acquisitions territoriales du duc défunt avaient coûté et coûtaient encore cher. Le comté de Ligny — signalé plus haut — avait été acquis pour 2 600 000 livres tournois dont 120 000 comptant. Le Fermier général s'était obligé par l'article 69 de son bail à payer au duc de Luxembourg sur six ans les intérêts à 4 % des 1 400 000 restantes ; en échange, il percevrait pendant onze années les revenus du comté. Si l'on y ajoute les 16 % de change pour convertir la somme au cours de Lorraine, le Fermier général devait payer pour le comté de Ligny 3 330 800 livres lorraines. Ainsi cette acquisition a privé le duc et l'État d'une partie considérable du produit des droits et revenus de la Ferme générale. Pour l'achat de la terre d'Ancerville, il avait fallu payer près d'un million de livres lorraines en raison de la disparité au change et des intérêts dus au financier Pâris qui s'était entremis.

On estimait la totalité des dettes exigibles et non exigibles immédiatement à plus de dix millions de livres lorraines. Il fallait aussi tenir compte de l'habitude qu'avait prise Léopold, après la mort du père Creitzen, de se servir directement dans les coffres. Il est donc malaisé de chiffrer avec exactitude les éléments du budget. Masson estimait que « feu S.A.R. a plus dérogé ses affaires par le défaut d'ordre dans l'administration de ses finances que par les dons réels qu'il a fait, quelque grand qu'en ait été le nombre. »

Autorité et austérité

Avant même la venue de François III, Elizabeth-Charlotte prit des mesures énergiques à la fois pour asseoir son autorité, pour limiter les ambitions de certains hauts officiers et pour restreindre les dépenses. En juillet 1729, sous le prétexte « d'exciter leur émulation » et d'alléger l'appareil étatique, elle supprima les lettres d'expectative ou de survivance qui permettaient aux titulaires des charges les plus importantes de les conserver pour leurs descendants. Il était aussi interdit à quiconque de prendre « la qualité de notre conseiller d'Etat, ni celle de conseiller de nos finances », hormis ceux qui composaient alors le Conseil d'Etat et de Régence, les grands officiers de la couronne, le gouverneur de Nancy et les premiers présidents de la Cour souveraine et des Chambres des comptes. Deux mois plus tard étaient supprimés les titres de « conseillers-secrétaires entrants au Conseil d'Etat », secrétaires du Cabinet, secrétaires des commandements et des finances ; officiers de l'Hôtel ducal ; par là étaient révoqués les privilèges et exemptions diverses qui y étaient jusque-là attachés.

On a beaucoup reproché au duc défunt d'avoir échangé, vendu, donné, cédé et hypothéqué des parties du domaine de la couronne en principe inaliénable. Jacques Masson évaluait à 220 000 livres lorraines la diminution des revenus par suite de ces aliénations. Le 14 juillet 1729 « toutes les terres, seigneuries, biens et droits dépendants ci-devant du domaine », aliénés depuis 1697, y étaient réincorporés. Seules échappaient à cette mesure les terres en friche, les usines et les maisons ruinées, cédées pour être remises en valeur. En exécution de cet édit, cinq commissaires furent nommés pour examiner et régler les prétentions des vassaux et sujets concernés, qu'ils devaient exposer avant le premier janvier 1730, délai prorogé jusqu'à la fin de février. Le retour des terres aliénées provoqua la réorganisation de la carte administrative et le rétablissement des prévôtés et grueries

A
SON ALTESSE ROYALE
MADAME LA DUCHESSE
DE LORRAINE
ET DE BAR, &c.

Musée lorrain, Nancy. Cliché P. Mignot.

Elizabeth-Charlotte d'Orléans *(1676-1744), fille de Philippe, duc d'Orléans, frère de Louis XIV. Elle épousa Léopold en 1698 et fut régente des duchés de 1729 à 1737. Elle vécut au château de Commercy de 1737 à sa mort, le 23 décembre 1744.*

jusqu'alors supprimées de Pont-Saint-Vincent (pour le comté de Chaligny), de Mandres-aux-Quatre-Tours (en y incorporant Bouconville), de l'Avant-Garde (avec siège à Pompey), de Condé, de Norroy-le-Sec, de Châtenois (pour la prévôté seule) et de Morley (pour la gruerie seule).

Pour obtenir de l'argent, le droit de *Joyeux avènement,* fixé à 380 610 livres pour la Lorraine et 174 710 livres pour le Barrois, fut levé sur tous les exemptés et particulièrement sur ceux qui avaient été anoblis depuis 1697. Les sujets résidant dans le Barrois mouvant intentèrent une action contre cette mesure devant le Parlement de Paris, qui fit défense de l'appliquer. Sur la plainte de François III, le Conseil du roi accepta finalement que l'on procédât à la levée du *Joyeux avènement* dans les pays de la mouvance de France.

Le bref séjour de François III

Le duc, qui se plaisait à Vienne, n'apparut à Lunéville que le 29 novembre 1729. C'était un étranger, austère et guindé, qui arrivait avec une suite de quelques gentilshommes germaniques. D'Audiffret, l'envoyé de Louis XV, remarquait : « Monsieur le duc de Lorraine a infiniment d'esprit et ne plaît que lorsqu'il a intérêt à le faire, naturellement dur et peu compatissant, d'une hauteur extraordinaire. Il est devenu fort allemand depuis qu'il fut envoyé à la Cour de Vienne ».

Il est évident qu'il n'était pas dans les intentions de François III de séjourner, sa vie durant, dans ses duchés. Mais il lui fallait affirmer son autorité souveraine, assurer la rentrée des impôts et en tirer quelque lustre sur la scène internationale. Dans ce but, il consacra le mois de décembre 1729 à la réorganisation administrative et monétaire de ses états.

Continuant la politique que la régente avait menée en son nom, il installa, le 9 décembre 1729, le Conseil d'Etat ; il y nomma vingt-huit conseillers à la tête desquels il plaça Jacques-Henri de Lorraine, prince de Lixheim, Marc de Beauvau, prince de Craon, et le garde des sceaux, le comte Joseph Le Bègue, avec la qualité de chef du Conseil.

L'état des finances conduisit François III à supprimer la charge de contrôleur général que détenait François de Rutant, et à la remplacer par un Conseil des finances. Joseph Le Bègue en était également « chef et président », assisté de conseillers d'Etat : Jean-François Humbert de Girecourt, Jean-François de Tervenus, Nicolas-Bernard Raulin, Louis Barbarat qui fut fermier général des domaines du duc, et François de Rutant. Ultérieurement les relations du Conseil des finances et de la régente allaient être fort tendues.

Ce fut encore au mois de décembre 1729 que François III s'occupa de la situation monétaire. La frappe, en août 1728, de cent mille marcs de bas billon en menues pièces avait perturbé les échanges en raison de la disproportion avec les espèces d'or et d'argent ayant cours dans le pays : il fallut, le 13 décembre 1729, réduire le cours des pièces de trente deniers à seulement vingt-quatre deniers, et faire de même avec les pièces de douze sols six deniers, déjà abaissées à dix sols en août 1728 et dorénavant à neuf sols trois deniers. Ces mesures ne firent qu'atténuer le désordre monétaire.

Ce fut seulement le 3 janvier 1730 que le duc entra dans sa capitale. Après avoir reçu les représentants du clergé, des corps constitués et de l'université de Pont-à-Mousson, il prit soin de participer à la procession qui, le 5 janvier, rappelait la victoire des Lorrains sur le Téméraire.

Le 27, il quittait de nouveau Lunéville afin d'aller rendre son hommage pour le Barrois mouvant à Louis XV qui l'accueillit avec faste, l'emmena avec lui à la chasse et fit donner, en son honneur, des représentations théâtrales. Il reprit la route de Lunéville le 15 février. On le revit à Nancy, pour peu de temps, à la fin du mois d'août où il assista, dans le bel Opéra construit par Bibiena, à la comédie de Regnard, intitulée, *Démocrite.* Peu après, toute la Cour vint passer quelques jours dans le château de Commercy.

Pendant son bref séjour lorrain, François III réorganisa en 1730 la maréchaussée, la milice bourgeoise de Nancy, la « maison de force » où l'on enfermait les mendiants ; les quarteniers de Nancy ; les postes et messageries.

Pour limiter le nombre des personnes auxquelles, depuis 1698, Léopold avait accordé des franchises et exemptions, le duc les contraignit à présenter leurs titres au greffe du Conseil d'Etat : « lettres d'anoblissement, lettres de reprise de

FRANÇOIS III À NANCY

FRANÇOIS ÉTIENNE DE LORRAINE
Né le 8 Décembre 1708. Marié le 12 Février 1736.
Grand Duc de Toscane le 10 Juillet 1737.
Empereur 13 Septembre 1745. Mort le 18 Aout 1765.

Musée lorrain, Nancy. Cliché P. Mignot.

« Le 3 janvier 1730, S. A. R. vint pour la première fois ici depuis son retour, accompagné du prince Charles et des autres princes et seigneurs de la cour. S. A. R. fut reçu à la porte Saint-Nicolas par le marquis de Custine, gouverneur de Nancy, qui lui présenta les clefs de la ville, au bruit des acclamations et d'une triple décharge de canons chargés à boulet. Les rues où passa S. A. R. étaient tendues de tapisseries, et le soir il y eut des feux de joie et de belles illuminations par toute la ville. L'Hôtel-de-Ville était magnifiquement décoré par des peintures, des emblèmes et une grande quantité de lampions, et plus de cent fontaines de vin coulèrent pour le peuple.

Le 4, les Cours souveraines, le clergé et le magistrat en corps eurent l'honneur de complimenter S. A. R. sur son avènement à la couronne.

Le 5, S. A. R. assista à la procession de la veille des Rois. Après cette cérémonie, S. A. R. donna audience à M. l'envoyé de France et, l'après-midi, elle alla chasser à la Garenne.

Le 6, S. A. R. alla diner à la Malgrange et de là elle retourna à Lunéville. »

NICOLAS (J.-F.), « Journal de ce qui s'est passé à Nancy depuis la paix de Ryswick conclue le 30 octobre 1697 jusqu'en l'année 1744 inclusivement », *M.S.A.L.,* 1899, p. 216-386 (p. 289).

FRANÇOIS III À PARIS

« Il arriva à Paris le 29 & se rendit le soir au Palais Royal dans les Carosses du Duc d'Orléans, qui étoit allé au devant de lui jusqu'à Claye. Il demeura *incognito* jusqu'au premier Fevrier, sous le nom de Comte de Blamont.

Il partit de Paris le premier de Février & arriva à Versailles à trois heures après midi, le même jour il prête ses fois & hommages, en la manière suivante : le Roi étoit dans sa Chambre assis dans un fauteuil & couvert. Le Duc de Lorraine y étant introduit fit trois reverences en s'approchant de S. M. qui ne se leva & ne se découvrit point. Le Duc de Lorraine ayant quitté son épée, son chapeau et ses gants, qui furent reçus par le premier Gentilhomme de la Chambre, il se mit à genoux sur un quarreau qui étoit au pied du Roi, & Sa Majesté lui tint les mains jointes entre les siennes, pendant que le Chancelier de France lût le serment à haute voix. M. Chauvelin, Garde des Sceaux, Ministre & Secrétaire d'Etat & le Comte de Maurepas étant presens : & le Duc promit de l'observer, ensuite le Roi se leva, se decouvrit, puis se couvrit aussitôt ; & fit couvrir le Duc de Lorraine. Le Duc d'Orléans, le Duc de Bourbon, le Comte de Charolois, le Comte de Clermont, le Prince de Conti, le Prince de Dombes, le Comte d'Eu & le Comte de Touloufe qui étoient auprès du Roi, fe couvrirent aussi. Un moment après le Duc de Lorraine s'étant retiré, S. M. rentra dans son cabinet.

Les Ducs & Pairs n'assistèrent pas à cette cérémonie, pour n'être pas obligés d'y demeurer debout & découverts, quand le Roi, le Duc de Lorraine & les Princes seroient couverts après l'hommage prété. »

CALMET (dom A.), *Histoire de Lorraine...*, t. VII, 1757 (col. 287).

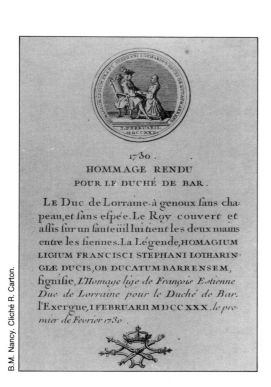

1730.

HOMMAGE RENDU
POUR LE DUCHÉ DE BAR.

LE Duc de Lorraine à genoux fans chapeau, et fans efpée. Le Roy couvert et affis fur un fauteüil lui tient les deux mains entre les fiennes. La Légende, HOMAGIUM LIGIUM FRANCISCI STEPHANI LOTHARINGIÆ DUCIS, OB DUCATUM BARRENSEM, fignifie, *L'Hommage lige de François Eftienne Duc de Lorraine pour le Duché de Bar.* l'Exergue, I FEBRUARII MDCCXXX. *le premier de Fevrier 1730.*

B.M. Nancy. Cliché R. Carton.

noblesse maternelle, lettres de réhabilitation ou de confirmation », obtenus pour la plupart « sans cause légitime à ce que l'on prétend » (19 décembre 1730). Tout autre octroi de franchise était soumis à la même procédure de vérification par Nicolas-Joseph Lefebvre, président de la Chambre des comptes de Lorraine et les conseillers : le baron Charles de Pfütschner et Emmanuel de Richecourt.

Avant de quitter ses états, le duc donna une réglementation à l'*Académie* que Léopold avait fondée en 1699 pour former de jeunes nobles. Hormis la pratique des armes et l'initiation aux civilités, on y enseignait « le droit public, l'histoire, la philosophie naturelle et expérimentale, la connaissance des antiquités romaines, les mathématiques, la géographie ancienne et nouvelle, les langues italienne, française et allemande et, à titre facultatif, le droit civil et canonique ». François III mit à la tête de son Académie un curieux personnage venu d'Allemagne, le baron danois Ulrich de Schack.

Le goût du duc pour la musique, qu'il aimait pratiquer ou écouter à Lunéville avec quelques proches, l'entraîna à établir une *Académie de musique* à Nancy et à la doter de statuts le 6 avril 1731. L'Académie devait donner deux concerts par semaine, le jeudi et le dimanche : « Tous les académiciens ordinaires pourront conduire deux dames au concert : les académiciens associés, une dame seulement. » Les auditeurs pouvaient contracter des abonnements pour un ou deux trimestres. Le siège de l'Académie était le petit hôtel des pages, place de la Carrière.

Le 25 avril 1731, laissant par la déclaration du 23, la régence à sa mère, François III partait de Lunéville pour ne plus y revenir. Il visita le Luxembourg, les Pays-Bas, les Provinces-Unies, l'Angleterre, les pays allemands. En Moravie il fut informé que l'empereur l'avait fait, le 28 mars 1732, vice-roi de Hongrie. Il s'installa à Presbourg (Bratislava) d'où il entretint des rapports épistolaires avec sa mère.

Les duchés de 1731 à 1736

Selon un mémoire rédigé en 1734, « S.A.R. sortant en 1731 de ses états et laissant la Régence à S.A.R. Madame s'était réservé tout ce qu'elle croyait convenir immédiatement au souverain comme la distribution des grâces et des emplois, le droit législatif et la connaissance de certaines affaires ».

Le problème financier restait préoccupant et les rapports se tendirent entre le nouveau Conseil des finances d'une part, le Conseil d'Etat et la régente de l'autre. On reprochait au premier d'agir à sa tête, d'accorder des exemptions de la subvention ou de la marque des fers, de céder à moitié prix du bois aux privilégiés, de s'occuper d'affaires étrangères aux finances. Lorsqu'Elizabeth-Charlotte voulait se prononcer au sujet de quelques affaires, le Conseil des finances « lui objectait que S.A.R. s'en était réservé la décision ».

Il est vrai que le duc se faisait envoyer le projet de budget et, s'il acceptait, pour sa « cassette », quinze mille livres par mois, il tranchait dans les dépenses, estimant que la moitié de la somme prévue pour les réparations dans les salines et usines domaniales devait suffire ; que « l'on ne fera en dépense d'écurie que ce qui sera indispensable » ; que l'on avait prévu d'abord quinze mille livres pour la construction de la Comédie à Lunéville et qu'il était maintenant question de trente mille livres.

Comme le duc avait pris souvent des décisions contre l'avis du Conseil des finances, celui-ci, sans soutien, laissa peu à peu la régente gouverner pratiquement à sa guise. Les conseillers exprimèrent leur désapprobation en 1734. Selon Tervenus, le duc était maître de prendre tout, mais il fallait que cela fût rendu public. Quant à Girecourt, il estimait que François III « pouvait bien vivre de ce que l'empereur lui donne ».

Musée lorrain, Nancy. Cliché P. Mignot.

Représentation d'une tragédie et d'une comédie *lors de la traditionnelle distribution des prix en 1736 à l'université de Pont-à-Mousson.*

Musée lorrain, Nancy. Cliché P. Mignot.

Pont-à-Mousson resta le centre universitaire de la Lorraine jusqu'à son transfert à Nancy en 1768.

Pour assainir la situation monétaire, on songea à acheter des lingots d'or et d'argent en Angleterre et à installer une « affinerie d'or » à l'Hôtel de la Monnaie à Nancy. Mais les avis divergeaient dans les nombreux mémoires que l'on sollicita sur ce sujet. Or la présence des troupes françaises perturba, une nouvelle fois, le marché de la monnaie. On procéda néanmoins, d'après l'édit du 2 décembre 1735, à la frappe de François d'or et de testons d'argent.

La succession de Pologne, ouverte en février 1733, provoqua au mois d'octobre suivant la guerre entre le roi de France et l'empereur. Aussitôt Belle-Isle, devenu gouverneur des évêchés de Metz et Verdun, occupa Nancy le 13 octobre et Bar-de-Duc le 26. Elizabeth-Charlotte, prévenue le 12, ne put rien faire malgré la neutralité déclarée des duchés. L'occupation n'allait s'achever officiellement qu'en avril 1736, après avoir pesé modérément sur les habitants qui y trouvaient l'occasion de vendre du froment, de l'avoine et du foin. Elizabeth-Charlotte avait pris de son côté les dispositions pour éviter les rixes et affrontements entre Lorrains et Français. Les duchés ne furent pas atteints directement par les combats et restèrent pays de passage, de quartiers d'hiver et de ravitaillement.

Vers la réunion des duchés au royaume

L'essentiel, qui scella le destin de la Lorraine ducale, se passait ailleurs entre les grandes puissances. En France Fleury menait une politique résolument pacifique ; à l'entente franco-anglaise, il adjoignit, en 1729, l'alliance avec l'Espagne. L'empereur germanique Charles VI (1711-1740) ne songeait qu'à faire reconnaître la *Pragmatique Sanction* qui devait assurer la succession à sa fille Marie-Thérèse née en 1717. A l'est, la Suède se désagrégeait après la mort de Charles XII, alors que la Prusse entamait son ascension. Or la Pologne, monarchie élective naguère pièce maîtresse du dispositif des alliances françaises en Europe orientale, révélait ses faiblesses structurelles lors des successions.

Stanislas, roi de Pologne

Les campagnes, alors victorieuses, de Charles XII de Suède interrompirent le règne du roi de Pologne Auguste II, d'origine saxonne. Les Polonais influents désignèrent l'un d'entre eux, Stanislas Leszczynski, pour aller négocier avec le Suédois victorieux. L'entrevue, qui se fit à Heilsberg en mars et avril 1704, permit à Charles XII d'apprécier la subtilité diplomatique de Stanislas. Il choisit de le faire roi et, le 12 juillet, la plupart des électeurs, réunis dans le champ de Kolo sous la « protection » des troupes suédoises, le portèrent sur le trône : ce roi était voulu par les Suédois mais, à la différence de son prédécesseur, il était Polonais.

Le nouveau roi, âgé de vingt-sept ans, était issu d'une famille bohémienne, les Perstyn, immigrée en Pologne à une date inconnue. En 1470 l'empereur Frédéric III octroya à l'un des Perstyn, le titre héréditaire de comte de Leszno, d'où dériva le nom de famille des Leszczynski. Tous les ancêtres de Stanislas depuis plus de deux siècles occupèrent des fonctions en vue dans l'administration polonaise ; d'autres membres de sa famille firent carrière dans l'Eglise.

Raphaël Leszczynski, le père de Stanislas, devint grand trésorier de la Couronne ; en 1676 il avait épousé Anna Jablonowska, fille du grand général de l'armée de la couronne, personnage coloré, diplomate, orateur, chef militaire réputé. De ce mariage naquit à Lwow, le 20 octobre 1677, Stanislas. On veilla à lui donner d'excellents précepteurs qui lui enseignèrent les disciplines littéraires et scientifiques en vogue. Le jeune homme sut vite parler et écrire l'allemand, l'italien et le latin ; en français il s'exprimait avec une réelle élégance, mais son orthographe resta toujours approximative. A l'âge de dix-huit ans, un long périple en Europe occidentale acheva de lui donner une culture assez rare parmi la noblesse polonaise.

En 1698 Stanislas, qui avait obtenu la charge de palatin de Poznanie, abandonnée par son père, épousa Catherine Opalinska ; elle lui apportait un domaine important et l'appui d'une famille fort influente. Six années plus tard Charles XII le hissait à la charge suprême de l'Etat. Le 4 octobre 1705, l'archevêque de Lwow le sacrait roi dans la cathédrale Saint-Jean de Varsovie.

Musée lorrain, Nancy. Cliché P. Mignot.

Stanislas Leszczynski, *élu roi de Pologne en 1704 à l'âge de vingt-sept ans.*

L'errance de Stanislas

Le temps, les circonstances et la force de caractère firent défaut à Stanislas qui ne parvint pas à refaire l'unité d'une Pologne meurtrie et divisée. Et lorsque le destin de Charles XII bascula sous les coups de Pierre le Grand, victorieux en 1709 à Poltava, c'en était fait de la souveraineté de son protégé polonais, menacé par la double invasion russe et saxonne. Avant l'encerclement de Varsovie, Stanislas parvint à s'enfuir à Stettin (aujourd'hui Szczecin) en Poméranie suédoise où il retrouva sa femme et ses deux filles.

De nouveau menacé, il gagna l'île de Rügen, puis Stockholm. Désireux d'abdiquer, il lui fallait « l'autorisation » de son protecteur. Or Charles XII, d'abord réfugié et hôte des Turcs, avait été ensuite retenu prisonnier dans la forteresse de Demotika. Pour le convaincre, Stanislas, que ne rebuta jamais une folle équipée, résolut d'aller sur place. Déguisé en officier français et accompagné de deux hommes, il traversa l'Europe de l'est pendant le dur hiver 1712-1713. Les Turcs l'assignèrent à résidence à Bender dans des conditions acceptables : pension, domesticité, garde d'honneur. Il y prit le goût des réalisations architecturales turques et en garda le souvenir.

Charles XII, libéré en 1714, laissa à Stanislas, en l'attente de la reconquête de la Pologne, la jouissance d'une lointaine possession suédoise : le duché de Zweibrucken ou Deux-Ponts, aux portes du royaume de France. Nanti de papiers d'identité au nom du comte de Cronstein, Stanislas avec quelques compagnons, quitta Bender, traversa la Moldavie, les montagnes de Transylvanie et la plaine hongroise. Il passa par Vienne et, par le sud des terres impériales et la Lorraine (il fit halte à Lunéville), parvint à Deux-Ponts aux termes d'un périple d'un mois et demi.

Duc « par délégation du roi de Suède », le roi déchu constitua autour de lui une petite Cour polonaise avec quelques fidèles comme le baron de Meszek et le père Radominski. Trois mois après son arrivée, son épouse Catherine et ses deux filles Anna et Maria le rejoignirent.

A Deux-Ponts, Stanislas se familiarisa avec la culture occidentale et se prit de passion pour la philosophie et les sciences. Les revenus du duché étaient médiocres mais ils suffirent pour édifier une agréable demeure princière entre Deux-Ponts et Contwig : curieux ensemble baroque aux bâtiments répartis sur trois niveaux, où, selon le goût de l'époque, les jeux de l'eau dans les bassins et les cascades s'accordèrent avec l'harmonie des terrasses, des escaliers, des balustrades et des galeries. Stanislas lui donna le nom turc de *Tschifflick* (souvent transcrit en *Schifflique*), en souvenir de son séjour à Bender.

Il vécut à Deux-Ponts un peu moins de cinq années et connut une grande douleur ; sa fille aînée Anna mourut en 1717, à l'âge de dix-huit ans. On l'enterra au prieuré de Grafenthal.

En décembre 1718 son protecteur, le roi de Suède Charles XII, était tué sous les murs de Frederikshall. Dès lors Stanislas dut quitter le duché qui revenait au comte palatin Samuel-Léopold. Avec l'autorisation du régent, il s'installa en Alsace française à Wissembourg. Il ne lui restait plus rien, ou presque, de ses domaines polonais que le roi de Pologne Auguste II avait distribués. Installé, depuis mars 1719, dans l'hôtel que la famille Weber avait édifié, il n'avait autour de lui qu'une petite poignée de fidèles. Pour vivre, il fallait quémander ; quelques subsides lui permirent de subsister chichement. Il passait son temps à fumer sa longue pipe, à se promener, à chasser et même à parler très simplement avec les habitants. Dans cette atmosphère calme et quelque peu morose, rien d'inattendu ne devait, apparemment, se produire. Or son destin allait basculer de la manière la plus imprévue, par une union avec la toute-puissante maison de France : le roi Louix XV épousait en septembre 1726 Marie Leszczynska.

Stanislas et sa petite Cour séjournèrent à Chambord jusqu'en 1733. L'annonce de la mort d'Auguste II le décida à retourner à Varsovie et, le 12 septembre 1733, il était élu, pour la seconde fois, roi de Pologne. Mais la guerre de la Succession de Pologne éclatait. Insuffisamment secouru, Stanislas échappait de justesse en juillet 1734 à la tragédie de Dantzig écrasé sous les projectiles ; il parvenait à gagner la Prusse, où Frédéric-Guillaume 1er lui donna l'hospitalité jusqu'en 1736. La diplomatie de Fleury, pour lequel le principal centre d'intérêt était dorénavant la lutte contre les Habsbourg, avait condamné le deuxième règne de Stanislas.

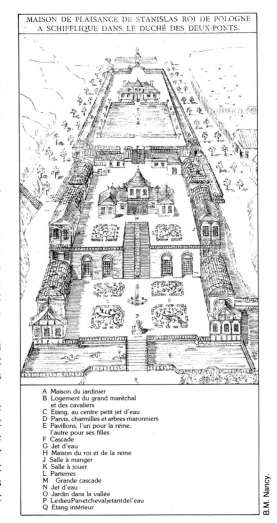

MAISON DE PLAISANCE DE STANISLAS ROI DE POLOGNE A SCHIFFLIQUE DANS LE DUCHÉ DES DEUX-PONTS.

A Maison du jardinier
B Logement du grand maréchal et des cavaliers
C Etang, au centre petit jet d'eau
D Parvis, charmilles et arbres maronniers
E Pavillons, l'un pour la reine, l'autre pour ses filles
F Cascade
G Jet d'eau
H Maison du roi et de la reine
J Salle à manger
K Salle à jouer
L Parterres
M Grande cascade
N Jet d'eau
O Jardin dans la vallée
P Le dieu Pan et cheval jetant de l'eau
Q Etang intérieur

B.M. Nancy.

Le château de Tschifflick.

Marie Leszczynska. *Peinture à l'huile attribuée à Stanislas.*

Musée lorrain, Nancy. Cliché P. Mignot.

ELIZABETH-CHARLOTTE ET LE SORT DE LA LORRAINE - 1736

« Je resoit, Madame, vostre compliment sur la grâces que le roy veut bien me permettre de rester isy, dans mon abitations, qui m'a été donné par contra de mariage. D'abord que le roy le permet, je n'en sortiray sûrement pas, et je ne suis pas comme mon fils, qui préfère d'estre simble suget de l'empereur à estre souvereint. Je ne reconois en rien mon sang dans tout ce qui vient de faire contre luy mesme, son frère et ces sœur, et je l'orois cru plus de fermeté. Pour le cadet, en a baucoup, et n'a rien consanty à tout ce que les ministre de l'empereur on voulu sur le chapitre de la cessetions de la Lorraine, et je l'en aime encore davantage. Pour l'éné, vouderoit aussy me rendre suget de cette empereur, qui coupe la gorge à sa fille énée et à tout mes enfans, en me voulant faire aler à Bruselle ; mes c'est à quoy je ne consantiray jamais, et resteray isy, puisque le roy le trouve bon, pour y finir mes jours. J'ayme fort et la Lorraine et les Lorrains ; je n'en suis point hais, et, par concéquand, je resteray avec eux jusqu'à la fain de mes jours ; mes, pour l'empereur, j'aymerois mieux mourir tout à leurs que d'estre sous sa dominations. Je vivray de ma vie, car je ceray isy, ou bien à Paris, sy le roy le veut. Pour à luy, il est le chef de ma maison, et je luy obéirray toujours, mes à nulle autre puissance ; et, comme il me permet de rester isy, j'y finira mes jours, à ce que j'espère. Je croy que vous trouveray que j'ay raison ; je vous conte trop sur vostre amitié pour ne pas croire que vous pancé comme moy sur cela... »

A Lunéville, ce 11 juin 1736

Lettre d'Elisabeth-Charlotte à Antoinette-Charlotte de Lenoncourt, marquise d'Aulède, *Recueil de documents sur l'histoire du la Lorraine*, Nancy, 1865 (p. 316-317).

Les négociations de Vienne

La guerre s'éternisait. On piétinait en Italie, et les finances des belligérants étaient en mauvais état. De part et d'autre il fallait négocier. Or le bruit d'un mariage entre Marie-Thérèse, l'héritière de l'Empire selon la Pragmatique Sanction, et François III, duc de Lorraine et vice-roi d'Hongrie, s'était répandu dans les cours européennes. Pour les Français il n'était pas admissible de voir les Autrichiens à Nancy, Lunéville et Bar-le-Duc. Chauvelin, le secrétaire d'Etat aux affaires étrangères, le déclarait avec fermeté : « Nous ne souffrirons jamais la Lorraine et la couronne impériale dans la même main. » L'abdication de François III en faveur de son frère Charles-Alexandre, très aimé des Lorrains, aurait pu être la solution ; mais l'empereur Charles VI s'y opposa.

La proposition de placer Stanislas sur le trône ducal apparaît dans une lettre du diplomate français de La Baune, envoyée à Vienne et adressée à Fleury le 16 août 1735. Mais il est certain que l'idée fut envisagée au cours de l'hiver précédent dans les longues soirées passées à Berlin et à Koenigsberg avec le roi de Prusse. Malgré son attachement à la Pologne, Stanislas ne se faisait guère d'illusion sur l'éventualité de son retour, alors que la solution lorraine lui permettait de rester proche de sa fille très aimée, la reine de France.

Le 22 août l'accord se fit entre La Baune et les plénipotentiaires autrichiens Zinzendorf et Bartenstein : « Les duchés de Bar et de Lorraine, tels qu'ils avaient été possédés par le dernier duc, seraient présentement cédés au roi Stanislas en dédommagement de la couronne de Pologne à laquelle il renoncerait volontiers pour le bien de la paix, et qu'à sa mort les deux duchés passeraient à la reine de France et à ses enfants ». Il était envisagé de laisser le grand-duché de Toscane à François III lors du décès de Jean-Gaston de Médicis, très malade et sans enfant. Le désir de Fleury d'aboutir à la paix à tout prix l'amena à faire des concessions apparentes dans les clauses des *Préliminaires de Vienne* le 3 octobre 1735, conclus hors de la présence de Stanislas et de François III. Le roi polonais abdiquerait et obtiendrait le duché de Bar. A la mort du grand duc Jean-Gaston, la Toscane irait à François III ; et en échange Stanislas aurait dès ce moment la jouissance viagère du duché de Lorraine. A son décès, les duchés seraient réunis à la couronne de France.

Mais il fallait que Stanislas voulût bien signer son acte d'abdication par lequel toutefois il gardait le titre de roi. Il s'inclina finalement devant les arguments des envoyés de Fleury, l'abbé Langlois et Orlick ; l'acte fut paraphé le 27 janvier 1736 à Koenigsberg. Deux semaines plus tard, le 12 février, le nonce du pape bénissait, dans l'église des Augustins de Vienne, l'union de l'héritière du trône impérial Marie-Thérèse et de François de Lorraine. Devenu gendre de l'empereur, ce dernier, qui n'avait pas consenti à l'abandon de ses états héréditaires, était peu disposé à assouplir sa position, d'autant plus qu'il avait été laissé à l'écart des négociations. De Lorraine, sa mère lui adressait des lettres pathétiques, évoquant « la consternation... aujourd'hui générale dans tous les états de Son Altesse Royale ». Les aristocrates lorrains, venus pour le mariage de leur prince, plaidaient à Vienne la cause de l'indépendance ; et le prince Charles à son tour était venu les rejoindre. En Lorraine l'inquiétude et l'affliction furent grandes. Elizabeth-Charlotte écrivait à une amie : « Je suis, je vous assure, aussi désolée que toute la Lorraine, et c'est tout dire ».

La *Convention d'exécution* [des préliminaires] était signée le 13 avril 1736 ; elle prévoyait la cession du duché de Bar dans les six semaines qui suivaient la ratification. François n'avait pas été tenu au courant du déroulement des négociations, ni de leur issue, mais, malade et pressé par l'empereur, il se résolut à donner son accord. Quant à Stanislas, qui n'avait plus rien à faire en Prusse, il quitta le 5 mai un pays qui lui avait été très accueillant et le roi de France l'installa dans le château de Meudon. Les courtisans y affluèrent à sa grande satisfaction.

A la Cour de Lunéville, l'affliction était générale. Elizabeth-Charlotte se plaignait dans sa correspondance, qualifiant l'empereur « cause de tous nos maux » et accusant son fils François d'avoir été d'une faiblesse insigne. Mais, une fois de plus, le sort des duchés échappait à la volonté de leur souverain. Des doléances furent adressées en grand nombre à Presbourg. On lit dans l'une d'entre elles cette supplique digne et énergique : « Permettez, Monseigneur, à ces malheureux de remontrer très respectueusement à Votre Altesse Royale que les souverains ne sont pas dispensés de l'observation des lois, et qu'au senti-

François-Etienne de Lorraine (1708-1765).

Marie-Thérèse de Habsbourg, épouse de François-Etienne de Lorraine (1717-1780).

ment d'un des plus savants docteurs de l'Eglise, la possession d'un grand royaume n'est pas exempte de crime quand elle n'est pas fondée sur la justice des lois et qu'elle manque d'une affection paternelle envers les peuples ». (cité par Pierre Boyé).

Les choses traînèrent quelque peu en longueur. Ce fut seulement le 28 août 1736 que la convention, préfiguratrice du traité final, fut signée par l'envoyé français Jean-Gabriel de La Porte du Theil et les Impériaux Zinzendorf, Starhemberg et Harrach. Elle fixait les conditions de la cession des duchés : dès que l'empereur aurait en sa possession ce qui était prévu par les préliminaires, que

LA DÉCLARATION DE MEUDON - 1736

« Devant nous rendre incessamment dans les États dont la souveraineté nous est acquise, tant en vertu des préliminaires du 3 octobre 1735, que par la convention signée à Vienne le 11 avril 1736 entre S. M. T. C. et S. M. I., et considérant que des États qui après notre déceds doivent appartenir à la France ne peuvent trop tôt être régis selon les maximes et principes du gouvernement de S. M. T. C., nous avons jugé ne pouvoir mieux faire que de convenir pour les détails, de manière qu'il ne reste aucun doute sur la forme de l'administration des duchés de Lorraine et de Bar. En conséquence nous déclarons :

1° Qu'accédant pleinement et entièrement aux préliminaires et à ma convention signée entre S. M. T. C. et S. M. I. le 11 avril de la présente année, nous exécuterons et ferons exécuter toutes les conditions dans l'étendue de nos nouveaux États regardant ladite convention, comme si elle était icy insérée de mot à mot.

2° Ayant fait connaître à S. M. T. C. qu'au lieu de nous charger des embarras des arrangemens qui regardent l'administration des finances et revenus des duchés de Bar et de Lorraine nous préférerions qu'il nous fût assigné une somme annuelle sur laquelle nous puissions compter, nous nous sommes contentés de la somme de 1,500,000 livres, monnaye de France, à compter du premier jour d'octobre de la présente année jusqu'à la mort du grand-duc, comme aussi, ledit cas de mort du grand-duc arrivant, de nous faire augmenter ladite somme de 1,500,000 livres jusqu'à celle de deux millions monnaye de France, le tout payable de mois en mois.

3° Au moyen de ce dont nous nous tenons content, nous consentons et agréons que S. M. T. C. se mette en possession dès à présent et pour toujours des revenus du duché de Bar et de ceux du duché de Lorraine, lorsque nous en aurons la souveraineté réelle et actuelle, auxquels revenus nous renonçons, à condition néanmoins que l'administration s'en fera toujours en notre nom, comme souverain desdits duchés, et étant aux droits du duc de Lorraine. Renonçant pareillement à faire aucune imposition ni établissement d'aucun nouveau droit à notre profit, sous quelque nom et patente que ce puisse être.

4° En conséquence nous déclarons que notre intention est que toutes impositions de quelque nature qu'elles soient ou puissent être, soient levées au profit de S. M. T. C. que les fermes, salines, domaines, bois, étangs, et tous autres droits tant du duché de Lorraine que de celuy de Bar, soient administrés ainsy que S. M. T. C. le jugera à propos, et par les officiers qu'il lui plaira de commettre et de choisir, lesquels cependant seront pourvus par nous, et que le produit d'impositions, fermes, domaines, bois, salines, étangs et tous autres droits usités de toute nature affermés ou régis, et de quelque façon qu'ils soient administrés, soient perçus au profit de S. M. T. C. sans que nous y puissions rien prétendre pour le présent ni pour l'avenir.

5° Nous conserverons la nomination de tous les bénéfices, emplois de judicature et militaires, nous engageant à ne nommer auxdits bénéfices et emplois qu'avec le concert de S. M. T. C. et les brevets, commissions ou provisions seront expédiés en notre nom.

6° Nous nous engageons aussy à ne vendre aucun office, et à n'en créer aucun nouveau soit de justice, militaire et de finance, et en cas que sadite M. T. C. jugeât à propos d'en créer mesme moyennant finances ; nous promettons d'y donner notre consentement et d'accorder auxdits officiers les provisions nécessaires sans rien prétendre dans le produit de la finance.

7° Nous nommerons un intendant de justice, police et finances dans le duché de Lorraine et de Bar, ou autre personne sous tel titre et domination qui sera jugé à propos, lequel sera choisi de concert avec S. M. T. C. Ledit pré-

tendant ou autre exercera en notre nom le mesme pouvoir et les mesmes fonctions que les intendants de province exercent en France. Il sera établi en Lorraine ou Barrois un conseil de finances composé de personnes nommées de concert avec S. M. T. C., et pourvu par nous, à la tête duquel conseil sera l'intendant ou autre personne choisie, et ce conseil aura le pouvoir de décider en dernier ressort de toutes les contestations et jugements des tribunaux ordinaires, concernant les revenus ordinaires ou extraordinaires, domaines, bois, droits et impositions du pays.

8° Il sera libre à S. M. T. C. d'établir, de concert avec nous, des troupes qui sont à son service en telles places de nos États qu'il sera jugé convenable, comme aussy de mettre en quartier dans le plat pays tel nombre de troupes d'infanterie et de cavalerie que S. M. T. C. jugera nécessaire pour le bien et la seureté du pays, lesquelles troupes y auront le mesme traitement qu'elles ont dans les provinces de nouvelle acquisition comme l'Alsace et la Franche-Comté.

9° Ne seront cependant placées aucunes troupes françaises dans notre résidence sans notre consentement.

10° Sera pareillement libre à S. M. T. C., aussi de concert avec nous, de faire fortifier tel endroit ou place qu'elle jugera à propos.

11° Enfin, en mesme temps que nous recevrons le serment actuel de fidélité de nos nouveaux sujets, nous le ferons prester éventuel au nom de S.M.T.C.

En foy de quoy nous avons signé le présent acte, et y avons fait apposer le sceau de nos armes ».

Fait au château de Meudon, le 30 septembre 1736.

Signé Stanislas, roy.

S. M. T. C. : Sa Majesté Très Chrétienne, c'est-à-dire le roi de France.
S. M. I. : Sa Majesté Impériale, c'est-à-dire l'empereur.

les garnisons impériales seraient installées en Toscane, et qu'il lui serait donné les actes nécessaires de cession et de renonciation par l'Espagne et les Deux-Siciles, « le duché de Lorraine serait remis aux personnes commises pour cet effet par le roi, beau-père de Sa Majesté Très-Chrétienne ».

Louis XV s'engageait à ne pas porter atteinte aux statuts et privilèges de l'Eglise, de la noblesse et du tiers état, et à payer chaque année au duc de Lorraine, depuis le jour de sa prise de possession jusqu'à la vacance de la couronne de Toscane par la mort de Jean-Gaston de Médicis, la somme de 4 500 000 livres lorraines, c'est-à-dire 3 483 871 livres tournois. On y prévoyait aussi le sort matériel de la veuve et des enfants de Léopold. De plus, le roi réglerait les dettes pendantes, soit 8 711 726 livres 11 sous.

La possession du Barrois

François III, qui jusqu'alors n'avait pas signé de texte officiel, tergiversa quelque temps, mais dut se résoudre, le 24 septembre, à donner son consentement à l'abandon du Barrois. Aussitôt, il donna des ordres pour enlever l'ameublement des châteaux de Bar, Ligny et Commercy et les conduire à Bruxelles où il comptait résider en attendant la vacance de la couronne de Toscane.

La déclaration de Meudon, que Stanislas dut accepter le 30 septembre 1736, fixait les conditions imposées par la France principalement dans le domaine financier, ne laissant au roi polonais que l'apparence du pouvoir. Il s'agissait alors de rendre effective, dans un premier temps, la prise de possession du Barrois. Pour y procéder, Fleury choisit Antoine-Martin Chaumont de La Galaizière, beau-frère de Philibert Orry, contrôleur général des finances. Louis XIV le fit chancelier et le chargea de cette prise de possession avec le baron polonais Constantin de Meszek.

En la Chambre des comptes de Bar, puis au château devant les baillis, le 8 février 1737, les sujets de François III étaient déliés de leur serment de fidélité par trois commissaires du duc. Puis La Galaizière, après lecture des lettres patentes, fit procéder au serment de fidélité d'abord à Stanislas, puis à Louis XV en ces termes : « promettons qu'arrivant le décès du roi de Pologne, duc de Lorraine et de Bar, notre seul et légitime souverain actuel, nous garderons et rendrons à Sa Majesté Très Chrétienne, la même fidélité, obéissance et service dont nous nous sommes tenus envers notredit souverain

---

LA CÉRÉMONIE DE PRISE DE POSSESSION
DE LA LORRAINE

« Pendant cette cérémonie [de prise de possession, 21 mars 1737, à la Cour, dans la salle dite des princes], on fit une décharge de canon, et toutes les troupes qui étaient rangées en bataille firent un salut de leur mousqueterie. A onze heures, Messieurs les commissaires se rendirent à la paroisse Saint-Sébastien, où M. l'évêque de Toul entonna le *Te Deum,* qui fut chanté en musique par les musiciens et trompettes des plaisirs du roi Stanislas, et qui fut suivi d'un *Domine salvum fac regem.* Les Cours souveraines assistèrent en corps, de même que les chapitres et généralement tout le clergé séculier et régulier de Nancy. Pendant le *Te Deum,* on fit une seconde décharge de canon et de mousqueterie, et une troisième au *Do-*

mine salvum fac regem. L'église de la paroisse était remplie, mais de jeunes gens et d'étrangers, et il resta fort peu de monde au *Domine.*

Après cette cérémonie, les bourgeois quittèrent leurs postes, les grenadiers du régiment de Bretagne s'emparèrent du château et relevèrent les butiers qui y faisaient garde, depuis la sortie des 3 compagnies de soldats du régiment aux Gardes de S. .A. R. le 3 mars. A midi, il y eut un grand repas à la Cour, où toute la noblesse fut invitée, de même que les Compagnies souveraines. A 9 heures, le château fut illuminé et il y eut ordre de faire des feux et des illuminations par toute la ville. Il y eut un feu d'artifice sur la Carrière, qui était fort beau. Il était celui qui avait

été préparé pour le mariage de la reine de Sardaigne. Pendant qu'on tirait le feu d'artifice, on fit plusieurs décharges de canon et salves de mousqueterie. Les régiments de Bretagne, Anguin et Vivarais étaient rangés en bataille sur la Carrière. Pendant cette cérémonie, on jeta quelque argent à la populace qui criait : *Vive S. A. R.* Tout cela se fit au son des trompettes et timbales des plaisirs du roi. Il n'y avait que des jeunes gens qui allèrent voir le feu d'artifice. Toute cette cérémonie se passa assez tristement ».

NICOLAS (J.-Fr.), « Journal de ce qui s'est passé à Nancy... », Bibl. nat., Nouvelles Acquisitions Françaises, ms 4568.

LA LORRAINE *RÉUNIE* A LA FRANCE
Du Regne de LOUIS XV, sous le Ministere de S.E. Monseigneur le Cardinal de *FLEURY*
EN L'ANNÉE 1737.

seigneur actuel ». Les sceaux de François III furent rompus et remplacés par ceux où figuraient les armes de Stanislas. Ainsi, par l'intermédiaire d'un roi polonais, le Barrois mouvant et non mouvant allait passer au royaume de France.

La possession du duché de Lorraine

Restait à régler de la même manière le sort du duché de Lorraine. Le 13 février 1737 François III y avait renoncé. On fixa la cérémonie au 21 mars. Le 5, la Cour dans tout son apparat était réunie pour assister aux fiançailles et au mariage du roi de Sardaigne représenté par un lointain cousin, Victor-Amédée, prince de Carignan, et d'Elizabeth-Thérèse, fille de Léopold et Elizabeth-Charlotte. Le lendemain, cette dernière accompagnée de ses deux filles, la jeune mariée Elizabeth-Thérèse et Anne-Charlotte, quittaient le château de Lunéville pour Haroué, puis Commercy. Tous les chroniqueurs retracèrent avec une émotion parfois grandiloquente, la réelle

Dieudonné-Emmanuel comte de Richecourt.

LES LORRAINS EN TOSCANE

Le prince Marc de Beauvau-Craon, arrivé à Florence peu avant la mort de Jean-Gaston Médicis (9 juillet 1737) prenait, le 12, possession du grand-duché de Toscane au nom de François de Lorraine. Le 29 août arrivait Dieudonné-Emmanuel, comte de Richecourt, né à Saint-Mihiel en 1697. Les honneurs allèrent à Beauvau-Craon, mais « Richecourt fut en fait pendant vingt ans le maître de la Toscane qu'il gouverna avec des pouvoirs de souverain ».

La Cour de Lorraine déménagea, passant par Bruxelles, Anvers et Ostende d'où partirent en novembre cinq bateaux : le premier avec cent-cinquante personnes et les effets de la couronne et de la gendarmerie ; le deuxième avec cent-vingt personnes, officiers, gens de la Cour, domestiques ; le troisième avec les Cent-Suisses, les archives, les tableaux, de la vaisselle... ; les quatrième et cinquième avec les gens de service et les objets moins précieux. A l'arrivée les Florentins manifestèrent leur hostilité envers les Lorrains. François et Marie-Thérèse, mieux accueillis, firent leur entrée à Florence le 20 janvier 1739. En avril trois conseils de gouvernement furent institués : le Conseil suprême de la Régence, présidé par Beauvau-Craon ; le Conseil des Finances, présidé par Richecourt ; le Conseil de la Guerre, présidé par le marquis Rinuccini.

« François de Lorraine semblait prendre plaisir à se trouver au milieu des Toscans... A l'instigation de son bibliothécaire Jamerai Duval, il fondait à Florence une académie de jeunes gentilshommes sur le modèle de celle de Lunéville ; il prenait sous sa protection la société de botanique créée par Antonio Micheli et Pompeo Neri ; il donnait maints encouragements aux lettrés et aux savants florentins. Presque chaque jour il réunissait le Conseil du nouveau gouvernement pour discuter avec lui les réformes financières et économiques qui lui semblaient les plus urgentes. Il ne voulait rien ignorer et il se faisait rendre compte par Richecourt des détails... de l'administration... Il prêta une attention particulière aux discours du savant archidiacre de Sienne Sallustio Bandini, qui était venu l'entretenir de l'amélioration de la Maremme toscane. »

Mais le couple princier fut rappelé à Vienne par l'empereur Charles IV, malade dès la fin d'avril 1739.

En 1740-1742, malgré l'avis défavorable de Richecourt, on fit venir 2 400 cultivateurs lorrains pour peupler et mettre en valeur la marécageuse Maremme ; la malaria fit mourir nombre d'entre eux. Ce fut finalement un échec total.

D'après POULET (H.), « Les Lorrains à Florence », *Revue Lorraine Illustrée*, 1909, p. 25-48, 65-88, 129-146.

---

tristesse du peuple lorrain. Durival, la décrivait ainsi : « On ne saurait peindre la désolation des habitants de Lunéville, les cris, les sanglots, les larmes : les voitures ne pouvoient sortir, le peuple était pêle-mêle à genoux entre les chevaux sous les roues ». Ironie du sort : c'était une princesse d'origine française qui était devenue le symbole de la Lorraine indépendante, face au royaume dominateur. La mémoire collective garda longtemps le souvenir d'un départ qui marquait la fin d'une longue histoire.

A son tour on suivit pour le duché de Lorraine le même rite que pour le Barrois, à l'exception du bris des sceaux jugé humiliant par François III. La cérémonie eut lieu le 21 mars dans la grande Salle des princes dans l'Hôtel de ville, situé alors à l'emplacement de l'actuelle place du Marché.

Il restait à Stanislas et aux siens à venir en Lorraine. Evitant Nancy, le nouveau duc arrivait à Lunéville le 3 avril 1737. Son épouse Catherine, de santé fragile, ne le rejoignit que dix jours plus tard.

Le traité définitif ne fut officiellement conclu que le 2 mai 1737. On le connaît dans l'histoire sous le nom de *Troisième traité de Vienne* puisqu'il y eut un premier traité en 1725 avec l'Espagne et un deuxième en 1731 avec la Grande-Bretagne. Le troisième traité fut confirmé à Vienne le 18 novembre 1738, ratifié par l'empereur le 31 décembre et par Louis XV le 7 janvier 1739, finalement publié à Paris le 1er juin 1739.

Du patrimoine de Léopold, François ne gardait que le petit comté de Falkenstein, qui avait été — on l'a vu — déclaré fief impérial par la Cour aulique. Il en était de même pour le duché de Teschen en Silésie, dont Léopold avait été investi en 1723 en compensation du Montferrat. François, sous la dénomination ancienne de marquis de Nomeny, gardait le droit de siéger et de voter à la Diète impériale. Il conservait le titre honorifique de *Son Altesse Royale de Lorraine* et les armoiries ducales.

Le 9 juillet 1737 mourait le dernier des Médicis, Jean-Gaston, grand-duc de Toscane. Depuis quelques semaines le prince Marc de Beauvau-Craon avait été envoyé à Florence avec les pleins pouvoirs pour prendre possession des droits de François (appelé en Italie François-Etienne) et pour recevoir le serment de fidélité des sujets toscans. Il institua, dès le 11 juillet, un Conseil provisoire de régence, que lui-même dirigea ; le lendemain était faite la prise de possession. De Richecourt, dépêché par François, arriva à Florence le 29 août et prit place quelques jours plus tard au Conseil de régence. Ce ne fut qu'au soir du 20 janvier 1738 que François-Etienne et sa femme Marie-Thérèse entrèrent à Florence. Le destin du dernier duc héréditaire allait dorénavant se réaliser totalement hors de la Lorraine. Cet homme secret, austère mais non dénué de qualités, fut le fondateur de la branche de Lorraine-Habsbourg, empereur en 1745, époux de la grande Marie-Thérèse qui lui laissa peu d'initiatives. Il mourut à Innsbruck le 18 août 1765.

François-Etienne de Lorraine *(1708-1765), devenu l'empereur François Ier (1745-1765).*

Marie-Thérèse de Habsbourg *(1717-1780). Elle succéda à son père l'empereur Charles VI, mort en 1740.*

150

8

STANISLAS ET LES DUCHÉS

Stanislas Leszczynski (1677-1766).

Le chancelier Antoine-Martin Chaumont de La Galaizière (1697-1783).

Souvent attachés à la dynastie traditionnelle, les Lorrains, certes réservés, ne se montrèrent pas toujours systématiquement opposés à la venue d'un roi polonais qui évitait l'annexion redoutée par beaucoup. Les illusions durèrent peu : la France était là, par monarque interposé. Mais la robuste constitution physique du nouveau souverain, pourtant âgé de soixante ans, allait différer jusqu'en 1766 l'inéluctable réunion de la Lorraine au royaume.

La mise en place du système français

Par la volonté du gouvernement français le règne de Stanislas allait constituer une période de transition au cours de laquelle les institutions et les pratiques du royaume devaient être mises en place. Louis XV confia cette tâche à l'intendant de la généralité de Soissons, Antoine-Martin Chaumont de La Galaizière.

L'artisan de l'assimilation

Par un édit pris à Meudon le 18 janvier 1737, Stanislas, sur les indications de son royal gendre, créait l'office de chancelier et garde des sceaux et désignait pour l'occuper La Galaizière. Comme beaucoup le firent en France au XVIIIe siècle, ce dernier se hissa rapidement au faîte des honneurs et des responsabilités.

Originaire de Namur, son père Antoine Chaumont (1671-1753), négociant en grains et, à l'occasion, usurier, avait épousé une jeune courtière en dentelles. Il sut accroître avec habileté sa fortune personnelle en fournissant des subsistances aux armées royales, en spéculant pendant la guerre de la Succession d'Espagne et en avançant des sommes importantes au gouvernement français. A l'issue du conflit Chaumont ne reçut que des reconnaissances de dettes et des actions, notamment de la Compagnie des Indes. Pour mieux suivre le sort de ces opérations, les Chaumont s'installèrent à Paris. Spéculateurs heureux, il leur restait à acquérir les charges et les titres qui leur permettraient d'accéder à la haute société en dépit de la modestie de leurs origines. L'affaire se fit en quelques mois des années 1719 et 1720. Antoine put acheter une charge anoblissante de secrétaire du roi et, pour son fils Antoine-Martin (1697-1783), un office de conseiller au Parlement de Metz. Puis Antoine procéda à l'achat de plusieurs terres et seigneuries, notamment à Ivry-sur-Seine, à Mareil-le-Guyon (près de Montfort-l'Amaury), à Lucay-le-Mâle (près de Châteauroux) et à La Galaisière (près de Nogent-le-Rotrou). En juin 1720, la famille Chaumont devenait française en obtenant des lettres patentes de « naturalité ».

Antoine-Martin, devenu conseiller au Parlement de Metz, s'empressa de se rendre à la Cour de Lunéville. Grâce à quelques intermédiaires bien payés, il obtint de la duchesse Elizabeth-Charlotte une lettre par laquelle elle priait son frère, le régent, de rembourser, en argent comptant, une partie des billets de reconnaissance de dettes, détenus par les Chaumont. L'opération leur permit d'asseoir plus fermement encore leur assise financière.

L'office de conseiller à Metz n'était qu'une étape dans la carrière du jeune homme. En 1720 il devenait maître des requêtes au Parlement de Paris et, quatre ans plus tard, il entrait dans un des clans qui se disputaient la faveur du roi et le gouvernement du royaume : il épousait Louise-Elizabeth, sœur de Philibert Orry, intendant de la généralité de Soissons qui allait devenir en 1730 contrôleur général des finances. Tout était ainsi réuni pour couronner l'ascension sociale de roturiers étrangers : la constitution d'une fortune par le jeu des fournitures aux armées et des manœuvres spéculatives ; des créances sur l'Etat ; l'acquisition de charges, de titres et de seigneuries ; l'entrée, par alliance, dans une famille qui avait la faveur du roi.

Antoine-Martin fut à son tour en 1731 intendant de la généralité de Soissons et il s'y distingua par ses qualités d'administrateur lucide et rigoureux, attaché à faire respecter, à tout moment, l'autorité royale. Sa réputation fut vite faite et, — grâce à l'appui de son puissant beau-frère Philibert Orry —, Chaumont, marquis de La Galaizière, devint le chancelier de Lorraine et Barrois.

ANTOINE CHAUMONT ET SA DESCENDANCE

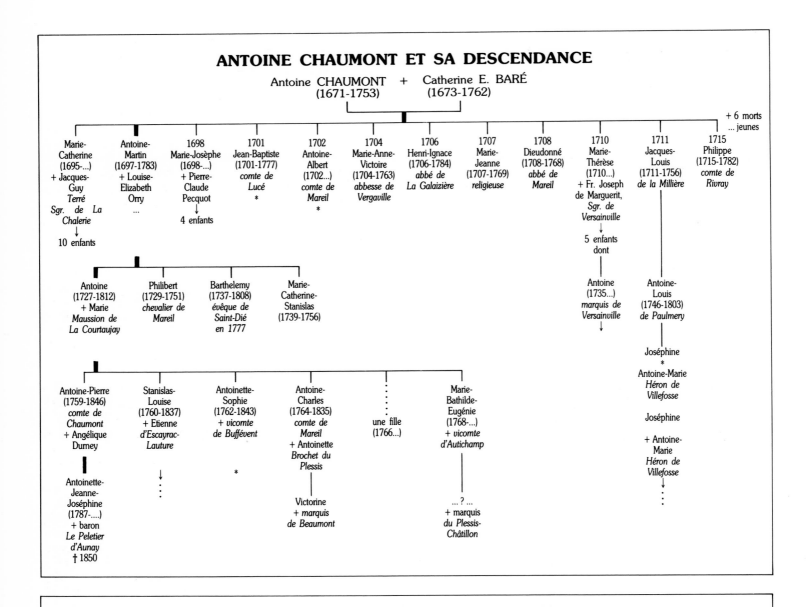

LA FAMILLE CHAUMONT ET LA LORRAINE

Dans sa fameuse lettre à Stainville, Bagard, dès 1740, écrivait au sujet des proches de La Galaizière : « A sa suite, on voit toute sa famille accourir en Lorraine comme dans un pays de conquête, et pour peu que chacun d'eux tire encore de son côté il ne restera pas grand chose à glaner pour les naturels ». La suite des événements ne vint pas infirmer ces propos sévères.

Qu'on en juge par les places et les profits que tirèrent frères et sœurs, neveux et nièces, descendants du puissant chancelier !

Et d'abord d'importants bénéfices ecclésiastiques. Sa sœur, Marie-Anne-Victoire, abbesse de Vergaville ; son frère, Henri-Ignace, dit *l'abbé de La Galaizière*, coadjuteur de l'abbaye de Saint-Avold et grand doyen du chapitre de la primatiale de Nancy ; un autre frère, Dieudonné, dit *l'abbé de Mareil*, archidiacre de Marsal, vicaire général de Metz, prieur de Neuviller, grand prévôt

de Saint-Dié, évêque *in partibus* de Sion en Asie mineure ; son troisième fils, Barthélémy, né en 1737, abbé de Saint-Mihiel, prieur d'Haréville et d'Insming, lui aussi grand prévôt de Saint-Dié, et plus tard abbé d'Autrey en 1775 et premier évêque de Saint-Dié en 1777. Puis des charges militaires : Antoine-Albert, dit *comte de Mareil,* et Philippe, dit *comte de Rivray,* tous deux frères du chancelier, devinrent, l'un après l'autre, colonels du régiment de Royal-Lorraine, sans omettre leurs offices honorifiques de grands baillis d'épée à Saint-Mihiel et à Vézelise. Un fils du chancelier, Philibert, *chevalier de Mareil,* fut à douze ans lieutenant en second des Gardes lorraines ; à dix-huit, il était capitaine des Gardes du corps de Stanislas, mais il disparaissait peu après.

D'autres collatéraux et descendants obtinrent des charges en vue dans l'administration de la justice. Jacques-Louis, frère du chancelier et que l'on

appelait *de La Millière,* fut intendant du Limousin. Son fils, Antoine-Louis Chaumont de Paulmery, fut élevé à Lunéville et à Pont-à-Mousson ; il obtint en 1764 l'office d'avocat général près la Cour souveraine de Lorraine et Barrois.

Parmi ceux qui connurent les honneurs les plus importants, Jean-Baptiste, dit *comte de Lucé,* nommé en 1745 représentant officiel de Louis XV auprès de Stanislas ; il devint un des personnages principaux de la Cour, amoureux des lettres et des arts, habile et charmeur. Quant à Antoine (1727-1812), fils aîné du chancelier, il obtenait, après des études à Paris, la charge de maître des requêtes au Parlement de Paris. Il devint intendant à Montauban, puis fut nommé aux mêmes fonctions pour la Lorraine et le Barrois en 1758 ; il allait les occuper jusqu'en 1777. A sa tâche, il apporta une modération qui ne fit que rehausser l'autoritarisme de son père.

Stanislas, homme affable, s'entendit assez bien avec Chaumont, qui resta en Lorraine jusqu'en 1766. Les Lorrains détestèrent le chancelier puisqu'il représentait la France et était l'interprète de ses lourdes exigences. Il avait tous les pouvoirs, ainsi que l'exposait en avril 1737 devant la Cour souveraine le procureur général Bourcier de Monthureux : « Le chancelier est l'organe et l'interprète des volontés du roi... Il préside dans le sanctuaire sacré du souverain, il est le chef de la justice dans tous les tribunaux, il est le protecteur des lois, le centre du bon ordre, l'âme de la police publique et le premier mobile du mouvement de tous les membres de l'Etat... Ce magistrat renferme en lui seul le principe des différentes fonctions. »

L'essentiel était entre les mains de La Galaizière et Stanislas dut bien s'en accommoder. Au château de Lunéville le chancelier occupait la partie haute de l'aile qui bordait l'avant-cour. Au premier niveau, son appartement ; au second, les bureaux de la chancellerie et un logement dont il pouvait user à sa guise. Dans les autres résidences royales, à La Malgrange ou à Commercy, un appartement était réservé à La Galaizière qui suivait Stanislas dans ses déplacements.

Les outils de l'assimilation

La première tâche à laquelle s'attacha La Galaizière fut de doter les duchés d'une nouvelle administration. Le *Conseil d'Etat,* installé par Léopold, était pourvu de trop de pouvoirs pour qu'il puisse être maintenu. Dès le 25 mai un nouveau Conseil était créé qui permettait à La Galaizière, sous couvert de Stanislas, « d'apporter... une attention continuelle à l'administration générale de la justice et au maintien de l'ordre dans toutes les parties du gouvernement ». Le Conseil comprenait le chancelier, deux conseillers-secrétaires et six conseillers ordinaires, auxquels furent joints les trois premiers présidents et les trois procureurs généraux de la Cour souveraine et des deux Chambres des comptes. Le Conseil d'Etat se réunissait chaque vendredi et fut d'une remarquable docilité. Il en fut de même du nouveau *Conseil royal des finances et*

La Galaizière créé chancelier et garde des sceaux de Lorraine et Barrois par Stanislas à Meudon le 18 janvier 1737. *Tableau de François-André Vincent réalisé en 1778 à la commande de l'ancien chancelier, qui a voulu glorifier sa famille. Ainsi sont représentés à gauche l'abbé de Mareil ; derrière le chancelier, son père ; à droite, l'élégant comte de Lucé et l'abbé de La Galaizière ; dans la loge, la mère et l'épouse du chancelier.*

Musée lorrain, Nancy. Cliché P. Mignot.

153

commerce, composé du chancelier, d'un conseiller-secrétaire et de trois conseillers ordinaires ; il avait compétence pour juger toute affaire concernant le domaine, les finances et le commerce. Restaient donc en place deux anciennes institutions : la *Cour souveraine de Lorraine et Barrois,* juridiction d'appel au civil et au criminel ; et les deux *Chambres des comptes* l'une pour la Lorraine, l'autre pour le Barrois, qui vérifiaient les comptabilités publiques et avaient compétence pour juger dans le domaine de la monnaie et de la fiscalité. Ces trois Cours, dont les membres regrettaient souvent l'ancienne dynastie, étaient les seuls organismes qui se permirent de protester et parfois d'entrer en conflit avec le tout-puissant chancelier.

La carte administrative resta d'abord en l'état. Mais en 1751 on supprima les anciens bailliages et prévôtés, avec les offices qui y étaient rattachés. Invoquant les besoins de l'exercice de la justice, on distingua dorénavant dix-huit bailliages royaux, dix-sept bailliages ordinaires et sept prévôtés, trop petites pour y établir des bailliages. C'était faire table rase du passé et créer des offices provoquant l'émergence d'un nouveau personnel. Cette mesure était capitale pour préparer l'incorporation officielle au royaume français. La suppression de certains offices au profit de nouveaux allait dans le même sens, en particulier dans le domaine des finances. D'autres mesures prises en 1738 contribuèrent à renforcer l'assimilation : tout sujet du roi de France pouvait, sans avoir besoin de lettres de naturalité, posséder en Lorraine « offices, bénéfices, dignités et tous autres titres et états, de quelque nature et qualité qu'ils soient ». De plus, les jugements rendus en France pouvaient être exécutés, sans autre formalité, dans les états de Stanislas. Quant à la peine des galères — inconnue, et pour cause, en Lorraine —, elle devint applicable aux meurtriers, faux-monnayeurs et même aux contrebandiers.

Les tâches majeures du chancelier

Pour préparer les duchés à leur proche annexion, La Galaizière devait se préoccuper d'atteindre plusieurs objectifs essentiels : l'ordre public, l'amélioration de la fiscalité, la modernisation du pays. Tout problème de caractère militaire était du ressort du gouverneur Belle-Isle.

L'ordre et la sécurité

En 1699 Léopold avait organisé un corps de maréchaussée pour maintenir l'ordre et réprimer le brigandage. La Galaizière estima qu'il n'accomplissait pas les tâches qui lui étaient assignées « tant par le défaut des qualités nécessaires à ses fonctions... que par la modicité des appointements des archers qui les oblige presque tous à faire commerce, valoir des biens », donc à délaisser leurs obligations. Le 25 octobre 1738 était mise sur pied une nouvelle maréchaussée sous le commandement d'un prévôt général, titulaire d'un office héréditaire que l'on pouvait acheter pour 40 000 livres tournois. Cette nouvelle compagnie était placée sous l'autorité directe et unique du chancelier, qui détenait là une pièce maîtresse de son pouvoir. D'autres mesures visaient aussi au maintien de l'ordre public. Ainsi en 1740 il fut procédé au déboisement de chaque côté des routes sur environ soixante-douze mètres ; en 1699 Léopold avait choisi de déboiser sur près de quatre-vingt-six mètres. En 1739 disparurent, sur ordre du chancelier, les vieilles compagnies et confréries d'arbalétriers, d'arquebusiers et de butiers (armés d'une grande arquebuse) ; il était interdit à tout roturier de détenir des armes à feu, afin d'éviter abus, brigandage et accidents. Toutes ces mesures furent entérinées sans difficulté par la Cour souveraine. De plus pour éviter toute manifestation hostile la procession du 5 janvier, au jour anniversaire de la victoire de René II, fut supprimée.

La fiscalité

Une des préoccupations principales du chancelier était de faire rentrer de l'argent dans les caisses de l'Etat. Dès l'arrivée de Stanislas s'était présentée l'opportunité de lever le traditionnel droit de *Joyeux avènement* sur les privilégiés qui ne payaient pas la subvention : il rapporta 620 000 livres lorraines.

Musée lorrain, Nancy. Cliché P. Mignot.

Brigadier des Gardes en grand uniforme.

154

La subvention restait l'impôt essentiel qui se fondait à la fois sur les biens fonciers et sur les facultés communes ou présumées des contribuables, ainsi que sur les activités industrielles et commerciales. Le rendement de cet impôt resta à peu près constant de 1737 (1 815 620 livres lorraines) à 1766 (1 825 000). Il en fut de même pour l'imposition dite des Ponts et Chaussées (100 000 et augmentation de 5 000 livres pour frais de répartition). Dans ces deux catégories la fiscalité n'apparaissait pas plus lourde sous Stanislas qu'auparavant. En étaient exempts les clercs, les nobles, les habitants de Nancy, Lunéville et Bar-le-Duc, beaucoup d'officiers et les étrangers venant s'établir en Lorraine. Mais de nouvelles impositions furent levées : pour les fourrages des troupes françaises (de 575 345 livres en 1739 à 400 000 environ à la fin du règne), pour l'entretien de la nouvelle maréchaussée (à peu près 120 000 livres), pour l'habillement de la milice (par exemple 143 552 livres en 1748), d'autres encore de moindre importance.

Le dernier bail de la Ferme générale avait été obtenu, en 1730, pour neuf années par Pierre Gillet. L'institution, amenée par les Français au siècle précédent, s'était étendue peu à peu au détriment des fermes particulières. La Galaizière résilia dès 1737 le bail en cours. Un nouveau fut contracté pour sept années avec un bourgeois de Lunéville, Philippe Lemire, qui ne se cacha pas d'être le prête-nom des fermiers généraux français. Lemire versait chaque année 3 300 000 livres alors que Gillet laissait au receveur général des finances 2 600 000 livres. Dans le nouveau bail plus large étaient compris les revenus de toutes les salines lorraines (1 848 300 livres), ceux des domaines et droits domaniaux (1 071 406 livres), du tabac, de la foraine, des postes et messageries. Dorénavant les baux de la Ferme générale de Lorraine et de celle de France étaient renouvelés à la même date. Les fermiers généraux de France désignaient toujours un des leurs pour séjourner en Lorraine et faire des rapports pour défendre leurs intérêts : on compte parmi eux Claude Dupin, Jean-François de La Borde et Alliot. A partir de 1762, le dernier bail fut accordé à Jean-Jacques Prévôt, déjà adjudicataire de la Ferme de France. De même ce fut Charles Primard, adjudicataire général de la Ferme des poudres et salpêtres de France, qui obtint pour huit années le bail des poudres et salpêtres de Lorraine et Barrois, dont les poudreries de Nancy, Bar et Ligny et les moulins de Pont-à-Mousson.

L'intérêt des gens du roi était aussi attiré par les « arbres-chênes » des duchés dont la marine française avait un urgent besoin. A leur instigation et malgré l'hostilité de la Cour souveraine, des mesures furent prises par le Conseil royal des finances et du commerce pour réglementer la coupe des arbres « dans les forêts situées à six lieues des rivières navigables et ruisseaux flottables y affluans ».

L'amélioration des activités économiques

Léopold avait laissé à ses successeurs un bon réseau routier. Les impératifs stratégiques et les nécessités du commerce commandaient de le parachever. Mais la construction des ponts et des routes ne put être réalisée qu'au prix de dures corvées imposées aux habitants. En collaboration avec Belle-Isle qui avait la haute main sur les questions militaires, La Galaizière fit établir des liaisons commodes entre les places fortes, les centres industriels et les provinces voisines : Alsace, Champagne, Franche-Comté et Bourgogne. On s'attacha aussi à améliorer la traversée des Vosges méridionales pour faciliter l'écoulement du sel vers la Suisse. Nancy put devenir un important centre d'entrepôt et de transit en relation avec les foires de Lyon, de Champagne et même de Francfort. Toutes les marchandises arrivant à Nancy devaient être présentées à la *Caffouse*, à la fois magasin pour entrepôt et consignation, et bureau de douane.

Grâce à la paix et à un essor démographique perceptible jusque vers 1760 la production industrielle connut une assez belle période. La Galaizière et son fils, qui devint intendant, accordèrent des privilèges pour de nouvelles manufactures au détriment parfois, des métiers traditionnels, paralysés par leurs règles corporatives.

Mais l'essentiel restait le sel et la convention de Meudon laissait à l'administration royale la totalité des salines. Pour améliorer la concentration du sel, on expérimenta le procédé de la « graduation » à Rosières et à Dieuze : ce fut

Signature du chancelier Chaumont de La Galaizière.

LA PROSPÉRITÉ DU COMMERCE D'ENTREPÔT À NANCY

« [Le commerce d'entrepôt] exploite en amont les voies ouvertes par la vente des vins et bois locaux et emprunte en aval les circuits créés par le commerce ou la contrebande des tabacs et cotonnades et ceux suivis par les soieries. Hollandais par ses origines, même si nombre de denrées achetées à Amsterdam viennent de France (indigo, sucre), il est helvético-germanique dans ses aboutissements, car les provinces étrangères ont su lui donner un caractère fort rémunérateur. La valorisation des sucres importés sous forme de liqueurs, confitures, sucreries — dragées de Verdun et mirabelles confites de Metz ont une réputation européenne et la valeur de leur exportation égale celle... des textiles messins en 1786 — entraîne par ricochet des achats massifs d'eau-de-vie languedocienne, d'agrumes et de fruits secs, marrons, amandes... provençaux et stimule la bouteillerie lorraine. Les 100 000 bouteilles de liqueurs exportées par Nancy en 1760 selon Coster, trouvent une confirmation éclatante dans les registres des entrées à la douane. En 1770, Nancy a reçu 127 000 bouteilles vides, 1 200 hl d'eau-de-vie, achetés à Lyon et Chalon-sur-Saône 700 kg de bouchons et au moins vingt tonnes d'amandes et de marrons pour les confiseries, au profit quasi-exclusif des frères Boisserand qui accaparent 75 % des bouteilles, 50 % des alcools et y ajoutent 25 hl de vin muscat et huit tonnes de sucre pour leurs mélanges. Au total, sucres et cafés s'affirment pleinement et grâce à eux de puissants négociants, tel Villiez de Nancy qui importe en 1770, 22 tonnes de sucre et douze de café, Nancy redistribue les cafés achetés à Orléans, Reims ou Rouen car la Lorraine demeure exempte des taxes imposées à ses voisines en 1767. Les cinquante tonnes reçues en 1770 sont 250 en 1763. La valeur des achats de sucre passe de 230 000 livres tournois (1737) à près d'un million en 1786 pour la seule Lorraine. Nancy en reçoit 190 tonnes en 1770, 220 en 1786 ; Metz en voit passer 120 en 1773 et 500 à 600 en 1786, comme 420 à Strasbourg... officiellement. A leur échelle, les provinces étrangères sont un des théâtres de la « bataille du sucre » qui oppose France et Angleterre. Malgré les détaxes consenties par Versailles en 1785 pour briser le dumping anglais et favoriser l'écoulement des sucres bordelais et nantais, elles restent fidèles à la Hollande où les prix, transport compris, sont inférieurs de moitié ».

LE MOIGNE (F.-Y.), « Le commerce des provinces étrangères — Alsace, Evêchés, Lorraine — dans la deuxième moitié du XVIIIe siècle », *Aires et structures du commerce français au XVIIIe siècle* (Colloque C.N.R.S. Paris), Lyon, 1975, p. 173-200 (p. 187-188).

l'occasion d'une querelle qui aboutit à l'abandon du procédé. D'ailleurs la saline de Rosières fermait en 1760 en raison, entre autres, de la baisse du taux de salinité. Contrôlant l'ensemble de la production lorraine, le royaume put mener une active politique du sel et s'imposer sur les marchés périphériques. A partir de 1756 la Ferme lorraine s'orienta vers la fabrication du « gros sel façon Cologne », plus pur et obtenu par cuisson lente, que les acheteurs préférèrent au « menu sel ». Ce gros sel fut vendu à bas prix à l'exportation alors que le menu restait à un prix élevé, réservé à la gabelle.

Le nombre des établissements métallurgiques — cinquante-quatre en 1729 — s'accrut encore au cours du XVIIIe siècle. Leur implantation était toujours conditionnée par la présence de forêts et de cours d'eau. Les centres restaient le pays meusien, les confins des Vosges et de la Comté et surtout la partie septentrionale de la Lorraine avec les forges de Moyeuvre et de Hayange. En 1751, fut établi à Saint-Avold un « établissement de forges d'acier en barre pour

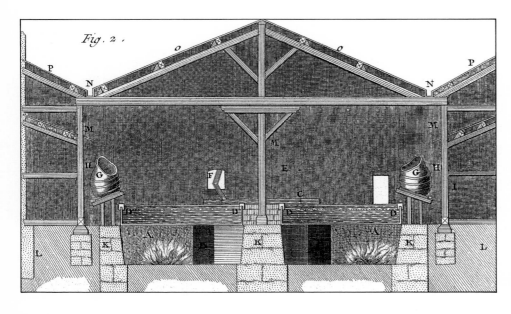

Saline de Moyenvic. *Coupe des deux « poesles » publié dans l'Encyclopédie (1751-1772).*

LA FAÏENCERIE LORRAINE

Bénitier de Niderviller *(1760-1765).*

Vase de pharmacie de Lunéville *(1760-1770). Il contient la thériaque, remède contre les morsures et composé de plus de soixante-dix ingrédients.*

Assiette de Lunéville *(vers 1750) évoquant les postes lorraines.*

Ecritoire de Lunéville *ou de sa région (1755-1760).*

Céramique lorraine. Chefs-d'œuvre des XVIIIe et XIXe siècles, Metz-Nancy, 1990 (n°s 5, 6, 24, 124).

épées, couteaux, coutelas, faux, faucilles et autres ustensiles de cette nature » alors que les Wendel, déjà propriétaires des forges d'Hayange depuis le début du siècle, mettaient en place les fondements de leur fortune à Hombourg-Bas, Creutzwald et Sainte-Fontaine.

Dans les Vosges, on recommença les travaux d'extraction des minerais, essentiellement le plomb argentifère et le cuivre. En fait les gisements étaient pratiquement épuisés et il fallait lutter sans fin contre les infiltrations d'eau.

La première moitié du XVIIIe siècle connut une phase de remarquable essor des verreries. Léopold s'était attaché à relever celles qui étaient ruinées et à en créer de nouvelles. Mais cette prospérité fut stoppée par la décision prise en 1746 de frapper les verres lorrains de droits d'entrée dans le royaume de France, leur principal débouché. Les établissements vosgiens en furent profondément atteints. La réduction des droits n'intervint qu'en 1759. Aussitôt ce fut la renaissance de la verrerie de Portieux et l'apparition de celles de Vannes-le-Châtel (1766) et de Saint-Louis, non loin de Bitche (1767).

Sous le règne de Léopold était apparu un nouveau secteur d'activité avec l'industrie de la faïence. Aux établissements en activité en 1737 (Lunéville, Champigneulles, Badonviller, Pexonne et Niderviller en terre évêchoise) s'ajoutèrent ceux de Bellevue près de Toul, de Saint-Clément près de Lunéville, de Moyen, d'Epinal et, en Argonne, de Wally, Clermont et les Islettes. La production de la manufacture lunévilloise, créée par Jacques Chambrette, fut certes influencée par le style pratiqué dans l'établissement strasbourgeois des Hannong, mais elle sut se diversifier, même après la mort du fondateur en 1758 : services de tables, fontaines murales, pots, vases, animaux.

Après sa réorganisation dans le premier tiers du siècle, l'industrie textile connut des jours difficiles sous la pression de la conjoncture internationale et la mauvaise gestion des manufacturiers. La Galaizière, profitant des besoins provoqués par l'essor de la militarisation, put rétablir dans l'ensemble la situation. Pour veiller à l'observation des règlements, un inspecteur des manufactures, Jean-Joseph Cathala, fut nommé en 1750 pour les duchés. L'industrie textile, présente à peu près partout, était particulièrement importante entre Nancy et le massif vosgien ; le chanvre et le lin étaient travaillés notamment à Epinal, réputé pour la qualité de ses fils, à Gérardmer, à Magnières et à Rambervillers. Ce fut au milieu du siècle qu'après quelques essais infructueux on introduisit l'industrie cotonnière. En 1756 la première tentative d'envergure fut à Epinal le fait d'un rouennais, Desmottes ; mais il abandonna, vaincu par les entraves fiscales. D'autres établissements réussirent mieux dans la région de Gérardmer, La Bresse et Remiremont.

La trame industrielle était complétée en Lorraine par les actifs moulins à papier, dont l'écoulement des produits était entravé par les barrières douanières conservées par le royaume.

Quant à Nancy, elle bénéficia d'un essor des manufactures, dû essentiellement à La Galaizière, soucieux de trouver un équilibre entre privilèges et libertés économiques.

L'empreinte de Stanislas

Par tempérament et par nécessité Stanislas dut se résigner à laisser son chancelier gouverner à sa place. D'après l'accord intervenu avec son gendre, le roi de France, il devait recevoir une pension d'un million cinq cent mille livres, puis très vite — François III étant devenu grand-duc de Toscane — de deux millions de livres. Sur cette somme il lui fallait entretenir la Cour, les courtisans et le personnel, mener à bien une œuvre architecturale considérable et doter ses œuvres charitables.

Les résidences royales

Le cadre de la Cour avait été réalisé à Lunéville sous Léopold, mais les salles et appartements étaient vides, car François III avait pris soin de déménager ses meubles ; une autre partie avait été envoyée par Elizabeth-Charlotte à Commercy, chef-lieu de la principauté qui lui fut laissée jusqu'à sa mort en 1744.

LA PRINCIPAUTÉ DE COMMERCY 1737-1744

Dès son arrivée dans la principauté qui lui était laissée à titre viager, la duchesse Elizabeth-Charlotte rétablissait une juridiction souveraine : les Grands Jours. Elle nommait le comte de Girecourt « chancelier, garde des sceaux et chef de ses Conseils » et cinq conseillers d'Etat. Elle s'entourait d'une Maison importante où figuraient des membres de familles restées fidèles à l'ancienne dynastie : Spada, Gallo, Bouzey, Gourcy, Mercy...

Elizabeth-Charlotte s'était refusée à aller dans les états de l'empereur. Mais la grossesse de sa belle-fille l'amena à faire le voyage d'Innsbruck en juin 1739 où elle revit ses deux fils François et Charles-Alexandre.

La duchesse douairière eut à se débattre continuellement avec des difficultés financières. Malgré ses prières Fleury refusa de lui venir en aide, ne lui accordant que l'autorisation d'établir une loterie : « Votre Altesse mariée dans une maison étrangère ne peut donc rien demander de plus au Roy ».

La veuve de Léopold mourut le 23 décembre 1744. On observa à la Cour de Lunéville un deuil d'un mois seulement. La Galaizière, désireux d'éviter toute manifestation d'hostilité à la présence française, interdit de publier — malgré l'usage — l'oraison funèbre. La principauté passa, sans autre formalité, à Stanislas. Les gens de la Maison de la duchesse se dispersèrent : beaucoup rejoignirent Vienne ou Bruxelles pour se mettre au service des fils de Léopold, l'ancien duc François ou Charles-Alexandre, gouverneur général des Pays-Bas.

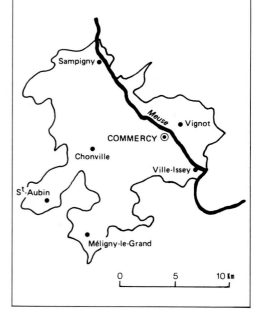

Coll. Minnie de Beauvau-Craon.

Château d'Haroué : le salon chinois. *Les peintures de Pillement étaient appréciées à une époque où le goût pour l'art oriental était très fort.*

159

Musée lorrain, Nancy. Cliché P. Mignot.

DOMOS ET DVLCIA LIMINA MVTANT.
Virgil. Georg. lib. II. v. 511.

Sal. Kleiner delin. et aere incidit.Vien.

Lunéville : le départ de la duchesse Elizabeth-Charlotte. *Gravure de Kleiner.*

Stanislas décida de modifier la distribution des diverses pièces et veilla personnellement à les garnir avec un nouvel ameublement. La grande aile, qui avait vue sur les beaux jardins des Bosquets, abrita les appartements royaux. De la salle à manger, on accédait à droite à ceux de la reine et à gauche à ceux de Stanislas ; selon la disposition classique des demeures royales, se succédaient l'antichambre, la chambre de parade où seuls quelques visiteurs de grande qualité étaient reçus avec solennité, le cabinet du Conseil (dit aussi Salle du Trône) où se tenaient les audiences et les réunions des Conseils, la chambre à coucher et, à l'angle, le cabinet de jour où Stanislas rédigeait sa correspondance. Le reste du château était aménagé pour le chancelier et ses bureaux, pour les grands dignitaires et pour les étrangers de passage. Un vaste appartement était réservé au premier étage de la partie centrale, appelée « le Donjon », à la duchesse Ossolinska, épouse du grand maître de la Maison du roi et maîtresse de Stanislas.

Les goûts du souverain polonais l'entraînaient à faire œuvre architecturale dans le cadre même de ses résidences, construites avant lui à Lunéville, La Malgrange, Commercy et Einville, et dans la capitale de ses états. Il sut confier ces tâches à des artistes de talent, Jean-Nicolas Jennesson (1686-1755) et Emmanuel Héré (1705-1763).

Les premières réalisations surprirent par leur allure exotique : le *Kiosque* (dit aussi *Bâtiment à la turque*) et le *Trèfle*, constructions excentriques où la fantaisie se donnait libre cours, inspirée par l'idée que l'on se faisait des styles turc et chinois. En contre-bas des Bosquets, Stanislas fit construire un Grand-Canal qui prenait ses eaux dans la Vezouze proche. A l'angle, dominant la perspective vers le couchant, le *Pavillon de la cascade* étalait, dans une élégante composition architecturale, un décor de pierres, de stucs et de vitres, jouant avec l'eau. Sur les bords du Grand-Canal, au pied du château, s'offrait aux regards étonnés le *Rocher,* où, sur fond rocailleux, s'animaient quatre-vingt-six automates de grandeur naturelle, acteurs d'une vaste pastorale, due à l'habileté du wallon François Richard (1678-1759). En mettant en branle les automates du Rocher, Stanislas jouait en quelque sorte le rôle d'un être supérieur, garantissant le bon fonctionnement des mondes imaginés par les utopies du XVIIIe siècle (J. Ostrowski).

La plus belle réalisation architecturale fut vraisemblablement à l'extrémité de la longue perspective centrale, le *Salon* de Chanteheux, inspiré de la villa Rotonda de Palladio, avec les quatre façades identiques, ses trois niveaux en retrait les uns sur les autres, ses vastes fenêtres en plein cintre, ses terrasses avec balustrades.

Façade du château de Commercy *depuis le Fer à cheval.*

Le Pont d'Eau *sur l'arrière du château, avec ses colonnades faites d'eau ruisselante sur des treillis de fil de fer. A l'horizon, le château d'eau ou le Pavillon royal.*

Le Fer à cheval *édifié de 1714 à 1717 sous Stanislas, les bâtiments des écuries ont été ornés de balustrades au long des toitures. A l'horizon, le rendez-vous de la Fontaine royale.*

Cliché G. Cabourdin.

Cliché G. Cabourdin.

LUNÉVILLE : LE CHÂTEAU DE STANISLAS

① **Partie centrale du Rocher**. *Sur 250 mètres, 86 automates, de grandeur naturelle, s'animaient grâce à d'ingénieuses installations hydrauliques exécutées par François Richard. A gauche, une boutique de maréchal au-dessus de laquelle apparaît, par une fenêtre, un joueur de violon.*

② **Le salon de la Cascade** : *déccration intérieure et dessin du plafond où Phoebus dissipe, autour de son quadrige, les Vents et les Nuées.*

③ **Vue vers le sud.** *Sur l'avant, les Chartreuses (petits pavillons d'été laissés temporairement à des favoris), puis le Grand-canal, la Roseraie et le Rocher ; enfin l'arrière du château.*

④ **Le Trèfle**, *pavillon excentrique, d'inspiration « chinoise » avec trois ailes et toit débordant, évoquant une pagode.*

⑤ **Plan du Trèfle** *avec un salon rond au centre, et, tout autour une galerie.*

③

④

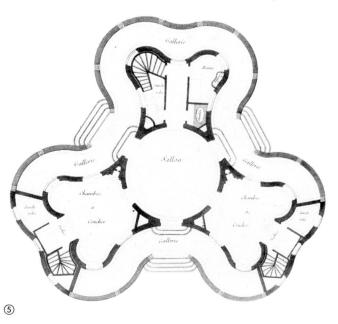

Cliché G. Cabourdin.

⑤

163

Dans le même esprit fait de grâce, d'exotisme et de gaieté, sans renier le classicisme à la française, il fit édifier La nouvelle Malgrange, entièrement revêtue de carreaux de faïence peints ; les pavillons verts et la *Tabagie* à Einville ; et surtout, il créa le royaume de l'eau dans les jardins de Commercy. Toutes les constructions étaient à l'image du souverain et de sa Cour, élégantes et extraordinairement fragiles : elles disparurent avec eux.

La vie à la Cour a été maintes fois décrite. Autour du roi, bonhomme et curieux de tout, gravitait une société avide de jouir des plaisirs du corps et de l'esprit. Des philosophes, comme Voltaire, des savants, des écrivains et des artistes firent de Lunéville un lieu où l'on se plaisait à venir et séjourner. Les mœurs y étaient libres, mais en général sans excès. On aimait, à l'exemple du roi, discuter philosophie et religion, chasser le cerf dans la forêt de Mondon, écouter l'ensemble vocal et instrumental, riche de soixante musiciens, apprécier les vers de François Devaux, dit Panpan, ou de Jean-François de Saint-Lambert. En une époque où la recherche du plaisir était revendiquée comme règle de vie, les jeux de l'amour et les intrigues égayaient le microcosme de la Cour où, depuis l'effacement de Catherine Ossolinska, régnait Marie-Catherine de Craon, marquise de Boufflers, l'influente favorite.

Le quart de la liste civile que touchait Stanislas était consacré aux appointements, gages et pensions pour les officiers et les domestiques de la Maison du roi : 756 personnes en 1764, soit environ deux mille à deux mille cinq cents, si l'on y inclut leur famille. C'est dire la place de la Cour et des emplois qu'elle dispensait directement, sans omettre toutes les activités économiques qu'elle avait suscitées. Au faîte de la hiérarchie, François-Maximilien Ossolinski, grand-maître de la Maison du roi, polonais naturalisé en 1736, que l'on appelait à Lunéville « Monsieur le duc ». Lui et sa femme Catherine, née Jablonowska, maîtresse du roi depuis l'épisode tragique de Dantzig, tenaient une véritable Cour où le luxe s'étalait sans retenue : mais Stanislas ne s'en offusquait point.

La Cour de Lunéville, déjà cosmopolite sous Léopold, réunissait à demeure des Polonais, des Français et des Lorrains. De ses équipées dans son pays d'origine, il avait gardé la fidélité de quelques compatriotes, les uns de modeste origine, les autres de rang élevé comme le baron Stanislas-Constantin de Meszek, grand maréchal de la Cour qui resta, jusqu'à sa mort en 1747, très attaché à son souverain. Parmi les Polonais, une place de premier plan fut tenue par le grand aumônier Joseph-André Zaluski d'une très vaste culture : il constitua une des plus belles bibliothèques de son temps. Peu à peu, certains Polonais parvinrent à s'insérer dans la société lorraine en se mariant avec des autochtones, en obtenant des seigneuries, des terres ou des bénéfices ecclésiasti-

François Devaux *dit Panpan, né à Lunéville en 1712. Il tint un salon littéraire très fréquenté. Mort en 1796.* Musée lorrain, Nancy. Cliché P. Mignot.

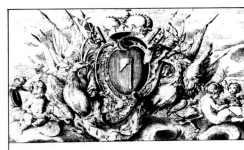

Titres du duc Ossolinski.

Gabrielle-Emilie Du Châtelet, *amie de Voltaire et de Saint-Lambert, née en 1706 et morte à Lunéville en 1749.*

Catherine Opalinska *(1680-1747). Elle épousa Stanislas en 1698.*

Françoise de Graffigny, *née à Nancy en 1695. Elle anima un salon littéraire à Lunéville, puis s'installa en 1747 à Paris où elle mourut en 1758.*

François-Nicolas Marquet *(1686-1759), doyen du Collège royal de médecine de Nancy, « médecin botaniste » à la Cour.*

Musée lorrain, Nancy. Cliché P. Mignot.

ques, en se faisant octroyer des lettres de naturalité. A la mort de Stanislas quelques survivants regagnèrent leur pays d'origine ; les autres, assimilés, restèrent sur place.

Malgré le rôle que joua La Galaizière et les besoins de ses services à la chancellerie, le nombre des Français resta, à la Cour, peu important. On y remarquait ceux qui occupaient les charges de conseillers-secrétaires d'Etat, comme Lecey de Changey, ou de conseillers ordinaires, par exemple Daniel, conseiller au Parlement de Metz. Le plus influent auprès de Stanislas fut Pierre-Joseph de La Pimpie, chevalier de Solignac qui, dès 1733, occupa les fonctions de secrétaire particulier. A partir de 1742 un autre Français, François-Antoine Alliot fut intendant aulique, c'est-à-dire de la Cour, dont il tint les comptes avec minutie et rigueur.

Quant aux Lorrains, une fois passé le temps de la nostalgie, des regrets et des réticences, les représentants des plus réputées familles de la chevalerie acceptèrent de tenir des fonctions à la Cour. D'ailleurs au fur et à mesure les rangs des Polonais s'éclaircirent ; Lorrains et Français furent nommés aux charges libres.

Cliché G. Cabourdin.

Lunéville : église Saint-Jacques, *commencée par Romain, sur les plans de Boffrand et achevée en 1747 par Héré. La nef principale comporte quatre travées en plein cintre avec des colonnes ioniques légèrement renflées. Au fond, la tribune d'orgues, œuvre de Héré, avec deux galeries superposées et une décoration très théâtrale. Les tuyaux des quarante-quatre jeux sont dissimulés dans les fûts de colonnes corinthiennes.*

Cliché G. Cabourdin.

Lunéville : église Saint-Jacques. *Entre les deux tours de style rococo, sur le fronton, une horloge est soutenue par une statue représentant le Temps entouré d'angelots.*

L'urbanisme Paradoxalement les noms de Nancy et de Stanislas sont indissolublement liés, alors que le roi polonais n'y résida pas. L'idée première ne fut pas d'embellir la capitale, mais de créer un ensemble architectural ordonné de telle manière que — dans la tradition des places royales — il puisse témoigner de la majesté du souverain. En fait cet hymne de pierre et de fer forgé devait être rendu non à Stanislas, mais à Louis XV : c'était redire avec éclat quel était le destin de la Lorraine appelé à s'insérer totalement au sein du royaume de France.

Après l'abandon d'un premier projet mesquin et impopulaire remaniant la place du Marché, l'idée naquit d'utiliser l'emplacement à la jonction des deux villes. Cédant à l'insistance de Stanislas, Belle-Isle, responsable de l'état des fortifications de Lorraine, accorda l'autorisation nécessaire en y imposant les contraintes de conserver les bastions de l'ancienne enceinte. Comme il fallait les dissimuler, le premier architecte du roi Emmanuel Héré conçut un projet d'une place bordée de vastes bâtiments, avec des pavillons bas sur le côté septentrional. Pour ce faire, Stanislas détruisit la majeure partie du bastion d'Haussonville sans en référer à Belle-Isle.

La réalisation du complexe architectural fut, pour l'époque, d'une grande rapidité. Entamée en 1752, elle était achevée en 1755. La place Royale était au cœur d'un dispositif de trois places (Royale, de la Carrière, d'Alliance) et de sept rues, et la statue de Louis XV symboliquement placée au centre.

La remarquable réussite de cet ensemble tient à la fois à l'unité de conception, à l'harmonie des lignes, à la complémentarité des influences classiques et baroques, et à l'union intime de la pierre et du fer, dispensant de propos délibéré une atmosphère de majesté tranquille. Jamais la ferronnerie d'art n'avait été à ce point maîtrisée, grâce à Jean Lamour. Quant à l'élégante statue de Louis XV, malheureusement détruite, elle était, comme les fontaines et les sculptures, l'œuvre du nîmois Barthélemy Guibal (1699-1757) et du brugeois Paul-Louis Cyfflé (1724-1806).

L'environnement de la place Royale comprend l'Arc de Triomphe, par lequel on accède à la Carrière, l'Hémicycle et le Palais du gouvernement ; et, vers le sud-est, la place Saint-Stanislas, qui prit le nom de place d'Alliance, en mémoire de l'alliance entre France et Autriche.

Ainsi entre Ville-Vieille et Ville-Neuve s'était placée la ville de Stanislas. Les perspectives furent en 1762 closes par deux portes : Sainte-Catherine à l'est et Saint-Stanislas à l'ouest. La parure royale de Nancy était parachevée.

En 1757, à l'occasion d'un véritable désastre s'offrit l'occasion de reconstruire la ville de Saint-Dié qui, déjà gravement incendiée en 1065, 1155 et 1554, fut de nouveau atteinte les 27 juillet et 6 septembre 1757, détruisant cent vingt-trois maisons et laissant sans abri deux cent quarante ménages. Le plan de recons-

Cliché G. Cabourdin.

Saint-Dié : Fronton de l'Hôtel de Ville, *recons-truit vers 1760.*

LA SOCIÉTÉ DU NOUVEAU SAINT-DIÉ

« Désormais il y aura deux beaux quartiers sur la rive droite de la Meurthe : celui des chanoines autour de la cathédrale, pittoresque mais démodé, et celui des bourgeois dans la ville neuve...

Ce plan imposé de Lunéville est en effet un véritable acte politique du pouvoir central contre le chapitre qui représente la puissance féodale et autonome ; à la noblesse de l'architecture s'ajoutera l'animation de la ville... Grâce à la nouvelle route qui tirera droit sur Lunéville sans passer par le quartier des chanoines, toute l'activité extérieure de la cité sera orientée, espère-t-on, vers la capitale lorraine. Ce qui était facile du point de vue politique et administratif l'était moins au plan commercial. Le centre réel des échanges... était le Vieux Marché du faubourg, largement ouvert sur le chemin de Lorraine, mais aussi sur celui d'Alsace où les hommes de corvée charroyaient pour le chapitre depuis tant de siècles, et d'où venaient les céréales, les légumes et le vin...

Enfin les cinquante laboureurs, les manouvriers, les artisans (ils sont 326 en 1754) ont dû quitter le centre ville. Ils s'établissent au faubourg par-delà la Meurthe ou derrière la porte Saint-Stanislas dans le nouveau quartier Saint-Eloi, ou même plus loin au bord des routes ».

RONSIN (A.), *Saint-Dié des Vosges, 669-1969*, Saint-Dié, 1969 (p. 60-61).

---

truction fut confié à l'ingénieur Jean-Jacques Baligand et la réalisation à l'architecte Jean-Michel Carbonnar. Les règles d'harmonisation furent rigoureuses : strict alignement des maisons ; un seul étage ; corniches uniformes ; toits de tuile ou d'ardoise. La nouvelle configuration de la ville fut articulée autour des rues Royale et Saint-Stanislas disposées en T. De plus la reconstruction modifiait profondément la physionomie de la ville et la répartition des groupes sociaux. « C'était la fin de l'emprise du chapitre sur la ville pour le profit du pouvoir central et de ses agents locaux issus de la petite noblesse et de la bourgeoisie ». (A. Ronsin).

Le roi et la société lorraine

Stanislas Leszczynski voulut épouser les idées novatrices de son temps. Dans l'étroite marge de manœuvre que lui laissaient les Français, il eut l'ambition de philosopher sans démériter et de contribuer à diffuser les progrès de la connaissance pour améliorer le sort de l'humanité d'une manière générale, et plus particulièrement de ses sujets.

Sur le plan social, les évolutions n'étaient guère sensibles. Le roi accorda pendant son règne une cinquantaine de « lettres de gentillesse » qui permettaient à leurs destinataires d'avoir la qualité de gentilhomme. Il s'agissait en général de personnages importants : conseillers, avocats généraux, lieutenant généraux qui ainsi franchissaient une nouvelle étape dans la notabilité. A la différence de Léopold qui en avait abusé, Stanislas se contenta de délivrer dix-huit « lettres de noblesse » : aux côtés des officiers de la Cour et de l'administration, elles récompensèrent les mérites d'Emmanuel Héré, de Richard Mique, de Jean-Jacques Baligand, ingénieur en chef des ponts-et-chaussées et inspecteur des bâtiments des domaines et des salines, et de certains négociants fournisseurs de la Cour.

Cet apport de nouveaux nobles ne modifia pas la physionomie d'un ordre déjà dominé par les gens de robe. Or le monde de la roture avait, lui aussi, subi la poussée des officiers de l'administration et de la justice, des avocats et des notaires. L'évolution économique leur était favorable. Parvenus à l'aisance, ils continuaient à rechercher des terres, des seigneuries avec l'espoir, « vivant noblement », de devenir réellement nobles. En 1765 Nancy comptait 282 avocats pour une population de 27 000 habitants. D'autres officiers gravitaient autour de la Cour souveraine et du bailliage. A Nancy et ailleurs, dans la ville comme dans la campagne, le trait dominant fut, pour les groupes moyens et inférieurs de la société, l'aggravation continuelle des conditions de vie, creusant de sérieux clivages. Ainsi s'explique, dans ce mouvement de paupérisation, le

①

Cliché P. Mignot.

L'ENSEMBLE ARCHITECTURAL DE NANCY

① **Perspective depuis le sommet de l'Hôtel de ville,** *au-delà de la place Stanislas, les Trottoirs Héré, l'Arc-de-Triomphe ou Porte Royale, la place de la Carrière, l'Hémicycle et le Palais de l'Intendance (aujourd'hui, Palais du Gouvernement).*

② **La place d'Alliance.** *Elle garde le souvenir de l'alliance, conclue en 1756 des Maisons des Bourbon et des Habsbourg. En son centre, une fontaine coulée par Cyfflé.*

③ **Les grilles** *avec le travail des tôles épaisses et minces, et l'application de fines feuilles d'or battu. A remarquer le décor fleurdelisé.*

④ **La fontaine de Neptune,** *avec les grilles forgées par Jean Lamour et les statues sculptées par Barthélemy Guibal.*

Cliché P. Mignot.

②

Cliché P. Mignot.

③

④

nombre croissant de domestiques, de ruraux poussés vers la ville, de marginaux, vagabonds et mendiants. La discordance apparaissait flagrante avec le monde des nantis de l'époque.

Stanislas, animé du souci d'allier le rôle de la religion et les progrès de la raison, pratiquait une foi tranquille. Il aimait, comme en Pologne, se plonger dans l'atmosphère de sensibilité religieuse qu'il retrouvait à l'église baroque Notre-Dame de Bon-Secours. Autour de lui les jésuites gardèrent une influence considérable ; ils ne furent pas, grâce à Stanislas lui-même, inquiétés lorsque la compagnie fut dissoute en France en 1764.

Cliché Inventaire général © SPADEM.

Mance : maison de manouvrier non datée. *Maison à deux rains (travées). A gauche : petite exploitation avec une étable et une gerbière (petite porte-fenêtre) pour permettre l'accès au grenier. A droite, le logis formé de deux pièces en profondeur.*

Cliché Inventaire général © SPADEM.

Cattenom : importante ferme datée 1770. *A gauche, la partie réservée aux récoltes, au matériel et aux animaux. A droite, belle habitation sur deux niveaux.*

Saint-Benoît-en-Woëvre : le palais abbatial.
Ruine de l'avant-corps de l'importante construction monastique après les dommages subis pendant la Première Guerre mondiale.

Reçu des péages d'Alsace, 1760.
Arch. M.-et-M., 49 B 22.10.

Stanislas, « le philosophe bienveillant » qui dissertait sur le sort des peuples et sur la paix universelle, ne resta pas insensible devant les malheurs de ses sujets. La répartition des compétences entre La Galaizière et lui-même lui laissait la possibilité d'œuvrer dans ce qui relevait de la bienfaisance. Il eut recours au procédé des fondations charitables, malgré la faiblesse du budget qui lui avait été accordé par la France. Il continua l'œuvre entamée par Léopold, redonnant vie à l'*Aumône publique* et réservant ses bienfaits aux seuls pauvres des duchés.

Le roi était sensible à la situation des malades nécessiteux. Il affecta en 1748 une rente destinée à soulager ceux de Nancy et de tous les lieux où il faisait résidence « ne voulant pas qu'il reste des malheureux dans aucun des lieux... honorés de sa présence » : ce fut la *fondation du bouillon,* puisqu'on fournissait du bouillon, du linge, des couvertures et du bois. Peu après en 1750 il établit une fondation par laquelle neuf, puis dix frères de Saint Jean-de-Dieu apportèrent leur compétence « en chirurgie et pharmacie » en accompagnant les missions des jésuites et en soignant quelques pauvres malades dans leur maison de Nancy. D'autres mesures furent prises pour les soins donnés à Plombières ou à l'hôpital Saint-Julien aux prisonniers tombés malades.

Il secourut ainsi en 1756 les « pauvres honteux des villes dont la naissance ou l'état ne permettaient de montrer autrement leurs besoins », mesure étendue en 1761 à une quarantaine de villes et bourgs. Furent aussi assistés ceux qui avaient été victimes de calamités : épidémies, incendies, catastrophes naturelles. Pour lutter contre la défaillance des subsistances, Stanislas créa en dix-huit localités, des *magasins à blé,* institution qui apporta la preuve de son utilité lors des difficultés de 1759-1760.

L'œuvre du roi polonais dans le domaine de l'action sociale et culturelle peut paraître mince et fragmentaire : ses ambitions furent à la mesure de son esprit « éclairé », mais les moyens lui manquèrent. Il confia aux frères des écoles chrétiennes quelques établissements à Nancy, à Lunéville et à Bar-le-Duc. Il se préoccupa aussi des jeunes orphelins pauvres, des fils et filles des nobles vivant dans la gêne, des cadets gentilshommes : l'école des cadets gentilshommes accueillait, pendant trois années, quarante-huit jeunes nobles lorrains, barrois, polonais et lithuaniens ; 564 cadets, au total, y furent formés.

A l'exemple des sociétés littéraires qui se créèrent dans les villes d'Europe, Stanislas voulut, dès son arrivée en Lorraine, rassembler l'élite intellectuelle. La Galaizière y fut longtemps opposé, craignant de voir se constituer un foyer d'opposition à la présence française. L'idée refit surface en 1750 sous la forme d'une bibliothèque publique et de la fondation d'un prix littéraire et d'un prix

La magnifique bibliothèque de l'abbaye bénédictine de Saint-Mihiel.
Edifiée de 1765 à 1775 elle contenait plus de dix mille ouvrages.

scientifique, qui seraient décernés par quatre censeurs. Dans un premier temps, avec l'accord du chancelier, la bibliothèque fut créée, et Solignac fut le premier bibliothécaire. Cette ébauche fut à l'origine de la *Société royale des sciences et belles lettres de Nancy* qui reçut ses statuts en décembre 1751. Stanislas y était très attaché et parlait volontiers de « Mon Académie » ; elle ne devint *Académie de Stanislas* qu'en 1850. Elle fut le creuset où s'exprimèrent les idées nouvelles, parfois critiquées par des esprits attachés à défendre le rôle de la religion, comme le père De Menoux. Les procès-verbaux des séances conservent les échos de ces affrontements et le rôle conciliateur de Stanislas qui obligea De Menoux et le chevalier de Tressan à s'embrasser...

Jacques Hulin *(1681-1774), ministre de Stanislas.*
Musée Lorrain, Nancy. Cliché P. Mignot.

Les tensions

Très vite La Galaizière, qui devait préparer l'annexion complète des duchés et, en l'attente, avait à y exécuter des tâches ingrates, fut impopulaire. Beaucoup le haïrent. Si le chancelier avait en mains les rênes du pouvoir, il ne pouvait totalement écarter Stanislas qui devait signer les édits et ordonnances. Belle-Isle, avec lequel le roi polonais s'entendait assez bien, conservait le commandement militaire et tout ce qui s'y rapportait.

Les affrontements de 1739-1741

Le premier conflit, que dut affronter La Galaizière, eut pour origine une déclaration qui, en mai 1739, ordonnait aux officiers de gruerie de visiter chaque année toutes les forêts domaniales, seigneuriales et communautaires. C'était porter atteinte aux droits seigneuriaux et la Cour souveraine refusa de l'enregistrer. L'émotion fut grande en Lorraine où l'on craignit que ce ne fût le début d'une offensive généralisée contre la noblesse. Léopold Collignon, comte de Malleloy, coupable d'avoir diffusé une lettre restée quelque temps anonyme, fut finalement exilé par Stanislas qui avait fait traîner l'affaire. L'ordonnance fut enregistrée, mais on en édulcora quelques aspects.

A l'inverse La Galaizière finit par renoncer à taxer les marcs de raisin et à établir un monopole de fabrication et de vente des eaux-de-vie devant l'hostilité des membres des trois Cours, souvent propriétaires de vignobles, et celle des vignerons. C'était la première — et en réalité mince — capitulation qui conforta certains dans leur résistance au pouvoir français.

Un nouveau conflit intervint en 1740 alors que le pays avait été affecté par les rigueurs de l'hiver, des inondations catastrophiques et de précoces gelées en automne. Dans ce contexte de crise classique de subsistances, l'augmentation de l'impôt pour les fourrages de la cavalerie française devenait difficilement supportable. Pour obtenir l'allègement fiscal et attirer l'attention sur la situation des Lorrains, le conseiller d'Etat François-Georges Bagard écrivit une lettre anonyme au marquis de Stainville, le grand chambellan de l'ancien duc, pour l'heure chargé de ses affaires à Versailles. En termes parfois violents, il accusait La Galaizière d'opprimer le pays : « Nous nous trouvons accablés sous le poids des fléaux qui se renouvellent chaque jour par la dureté d'un intendant qui a surpris la religion du Prince, qui en impose à la justice et usurpe hautement son autorité ». Bagard, au terme du réquisitoire, suggérait que l'empereur puisse, à la prière de l'ancien duc, s'entremettre auprès de Louis XV pour « espérer des traitements plus humains ». Le document ne resta pas confidentiel et sa diffusion déchaîna les passions. Toutefois la Cour souveraine ne voulut pas courir le risque d'un affrontement délibéré avec le chancelier et, en 1741, Bagard fut exilé par lettre de cachet dans le bourg vosgien de La Bresse. Ses papiers — fort compromettants — furent confisqués, et Bagard n'eut d'autre ressource que vendre ses biens et s'installer en Toscane auprès de François, rejoignant le noyau des Lorrains restés fidèles à leur duc.

L'opposition au gouvernement de La Galaizière ne se limitait pas à des propos hostiles. La situation était particulièrement tendue en Lorraine germanophone. Déjà en mai 1737 le Conseil d'Etat avait dû prendre un arrêt pour

---

LA CRISE DE 1740-1741

Le 6 septembre 1740, Stanislas défendit la sortie des grains, sauf vers la Champagne et la généralité de Metz.

« Cette déclaration mit la Lorraine à la veille d'une grande famine. Car sous prétexte d'une certaine quantité de bled que l'on devoit fournir à la Champagne, on enleva vingt fois plus. Ce qui fut cause que l'on eut mil peines de gagner le nouveau. Le blé qui se seroit vendu au plus 12 à 13 livres alla jusqu'à 24, 25 et 26 livres. Tous les jours on en voyoit partir pour les provinces étrangères tandis que l'on ne pouvoit avoir de pain chez les boulangers. L'on fit plusieurs remontrances à M. le Chancelier touchant la sortie des grains et qui répondoit que l'on ne connoissoit pas son bonheur, que c'étoit de l'argent qui venoit dans la province ».

Le 23 mai 1741 à Lunéville quelques habitants s'attaquèrent à des charrettes de blé vendu par le receveur des finances ; on en emprisonna quelques-uns et, après enquête on fouetta et marqua cinq à six meneurs. Le 26 à Einville six ou sept charrettes, remplies de blé vendu par le lieutenant de la prévôté, étaient jetées dans la rivière ; des sacs furent éventrés. Le prévôt et les archers intervinrent et firent repêcher les charrettes. Quatre meneurs furent arrêtés.

D'après la partie restée manuscrite du journal du libraire Nicolas. Bibl. nat., Nouvelles Acquisitions Françaises, ms 4569, f. 95 sq.

LA MILICE À NANCY 1744

« La ville de Nancy n'étant pas exempte de fournir de la milice, une bonne partie des jeunes gens s'engagèrent dans différents régiments. Quantité entrèrent dans la petite gendarmerie, d'autres se retirèrent à Luxembourg. C'était un véritable brigandage de voir une foule de soldats battre la caisse dans les deux villes, pour engager toutes sortes de jeunes gens, même de famille. On compta qu'il y en eut près de 400 qui prirent parti. Les 2, 3 et 5 mars, on tira la milice à Nancy : il y en eut 100 à qui le sort tomba...

Le 4 mai, l'on tira de la milice dans Nancy pour remplacer ceux qui n'étaient pas en état de servir. Dans le même temps, il se fit quantité de mariages, pour se mettre à couvert de la milice ; on en a compté jusque 40 dans un même jour...

Le 11, la milice nouvelle, qui devait remplacer ceux tirés pour Royal Lorraine, s'assembla : on leur donna les vieux habits des miliciens et point de billets de logement ; ils restèrent, pour ainsi dire, sur le pavé jusqu'au 13 et 14, qu'ils sortirent de Nancy ».

« Journal de ce qui s'est passé à Nancy... (Nicolas J.-F.), *M.S.A.L.,* 1899, p. 216-386 (p. 374-375).

annuler et prévenir la vente de biens immeubles par des sujets du bailliage d'Allemagne dans le dessein de s'établir à l'étranger. Raigecourt, dans une lettre confidentielle à Fleury, estimait à plus de deux mille le nombre de personnes qui avaient jusqu'en septembre 1740 déserté leur pays. Le problème de la langue renforçait cette attitude. On avait soin, depuis plusieurs décennies, de placer des gens bilingues aux offices de justice et de tabellionnage. Mais certains se bornaient à utiliser uniquement « l'idiome allemand ». Constatation était faite en 1748 que les sujets de cette contrée avaient « presque totalement abandonné l'usage de la langue française... tant pour la plus grande facilité du commerce que par leurs fréquentes alliances avec leurs voisins ». L'édit du 27 septembre 1748 interdisait dorénavant de passer aucun acte en langue germanique.

L'instauration de la milice fut très mal accueillie par les Lorrains. Suivant les instructions de Versailles Stanislas, en octobre 1741, annonça la levée de six bataillons de milice, soit 3 600 hommes destinés à appuyer l'armée régulière. On tira au sort des hommes non mariés, âgés de seize à quarante ans, mesurant au moins cinq pieds qui devaient constituer, en cas de conflit, des troupes auxiliaires. La durée du service était, comme en France, de six années. En 1742 trois autres bataillons furent levés : ils donnèrent naissance, par incorporation des miliciens les mieux entraînés, aux régiments de Royal-Lorraine et de Royal-Barrois.

L'aggravation de la pression française

Depuis 1699 avaient été établies des corvées royales que Léopold avait utilisées pour les ponts et chaussées. Les mesures que La Galaizière prit dès 1737 ne firent que suivre l'usage dorénavant bien établi. Les communautés d'habitants devaient travailler à l'entretien des routes. Ce régime des corvées, réglementé en 1739 et déjà appliqué dans les Trois Evêchés depuis 1727, suscita le mécontement général. Mais après la mort de Fleury en 1743 La Galaizière reprit le projet d'assurer une liaison commode, sûre et rapide entre Toul et Nancy, dans le désir d'améliorer les mouvements des armées.

Entre 1745 et 1762, des milliers de corvéables réalisèrent, dans des conditions très pénibles, la voie directe au travers de la forêt de Haye, comblant des ravins et détournant les eaux. Au prix des corvées (dont le nom, en ce sens, n'apparut qu'en 1755) d'autres routes furent créées ou prolongées : Nancy-Charmes, Pont-à-Mousson-Nomeny, Bitche-Phalsbourg, Vaucouleurs-Joinville, Saint-Dié-Val-de-Villé, Remiremont-Thann... En fait sous la rubrique de la voie « Nancy-Charmes » fut réalisée la route qui, depuis Flavigny, permit l'accès facile au comté de Neuviller et à la terre de Roville, propriétés de La Galaizière. « C'est

LES PAYSANS ET LA CORVÉE DE NEUVILLER

Procès verbal de l'assemblée des habitants de Vennezey :

Ils ont effectué trente journées de travaux en 1756, et de nouveau en 1757 et 1758 et participé à la démolition de l'ancien château. Vingt-cinq à trente chevaux furent malades.

Leur temps perdu était évalué à cinq cents livres. « Oultre que leurs terres sont demeurées friches pour la plus part. De là, plusieurs laboureurs sont ruinés, ont abandonné leur train et sont à la mendicité... On leur a fait payer le bac en passant et repassant... Ils ont fourny une borne qui a coûté douze

livres, non compris la voiture et la gravure... On les a condamnés à vingt livres d'amende et trois livres dix sous de frais à cause de l'entretien de leur chaussée sans qu'ils sachent qu'ils l'ayent mérité. »

Procès-verbal de l'assemblée des habitants de Romont :

1756 : « au temps des semailles ils ont fait 55 toises de la chaussée de Neuviller, distant de neuf lieues ». Le travail a duré un mois.

1757 : Quinze journées « à une autre partie de la chaussée et aux déblays du

château dont ils ont enlevé mille voitures de pierre et terre ». Ils ont conduit les pierres pour construire un canal à Bainville-aux-Miroirs.

1758 : Quinze journées « à faire cent toises de pavés et un mur depuis le pont qui va de l'église au château de Neuviller, le tout gratis », soit 8 000 livres de dommages ayant acheté fourrages et vivres, et des chevaux hors service. Il ont payé pendant quinze jours le passage du bac et il y eut des blessés.

Arch. dép. M.-et-M., fonds S.A.L. 58, f° 33-38.

une œuvre considérable qui demandera trois années et demie. Pendant ce temps, tout d'abord 134, puis 155 communautés — parmi lesquelles plusieurs ont à faire jusqu'à quinze lieues pour arriver aux ateliers — vont être répandues entre Flavigny et Bayon. Chaque corvéable y séjournera jusqu'à trois à six semaines par an » (P. Boyé).

Le rapporteur de la Cour souveraine estima que l'ensemble des travaux effectués pour la chaussée et à Neuviller même était monté de 1756 à 1758 à plus d'un million de livres ! La corvée des routes, fut, sans conteste, la charge la plus lourde qui pesa sur les paysans lorrains. Il ne fait aucun doute, non plus, qu'elle permit de doter les duchés d'un bon réseau routier, facteur essentiel pour l'amélioration des échanges.

A partir de 1749, peu après l'issue de la guerre de la Succession d'Autriche, le gouvernement français remplaça dans le royaume le dixième par le vingtième. Or les duchés, dans lesquels l'imposition du dixième n'existait pas, furent soumis à celle du vingtième à compter du 1er janvier 1750. L'opposition de la Cour souveraine et des Chambres des comptes fut rude, à la mesure de la colère de leurs membres directement concernés. La Galaizière tint bon et, malgré le mécontentement général, cet impôt sur les revenus fut levé produisant 832 477 livres dès 1750.

La guerre, de nouveau, provoqua en septembre 1757 à la fois une augmentation de 20 % du vingtième pour dix années et la création d'un second vingtième pour la durée des hostilités. La nouvelle suscita les protestations des Cours, qui, un moment, refusèrent de procéder à l'enregistrement. L'épreuve de force entre La Galaizière et les conseillers, qui inquiéta Versailles, se dénoua par un compromis : l'édit serait enregistré, mais on s'entendit sur la base d'un abonnement (versement d'une somme périodique forfaitaire).

Un peu plus tard en 1760, alors que la Lorraine traversait une crise sérieuse, La Galaizière renonça à percevoir, comme en France, un troisième vingtième.

Cliché G. Cabourdin.

Lunéville : maison de marchand.

Le château de Neuviller-sur-Moselle *avant sa destruction partielle en 1898.*

Cliché P. Mignot.

Signature de Stanislas *au bas du codicille (23 juin 1764) au testament du 30 janvier 1761. A cette date Stanislas était presque totalement aveugle.*

Un climat de fin de règne

Le règne de Stanislas fut marqué dès les années quarante par une dépression agricole très sensible qui poussa des paysans du nord-est à émigrer. 2 500 Lorrains allèrent en 1748-1754 coloniser le Banat de Temesvar (Timisoara) en Europe centrale. Le maintien d'une importante fécondité poussa au déséquilibre entre la population et les subsistances, aggravé par les mauvaises récoltes du milieu du siècle. Interrogés en 1761 les décimateurs (c'est-à-dire ceux qui percevaient les dîmes) déclarèrent que ces revenus — révélateurs de l'évolution de la production — avaient fortement baissé. On en trouvait la cause dans la diminution du cheptel (et, par là, du fumier et des attelages), les exigences fiscales et militaires, les méfaits de la corvée, les épizooties. Les rendements déclinèrent sensiblement (entre un tiers et deux cinquièmes de 1740 à 1761). La physionomie sociale évoluait dans les campagnes : accroissement du nombre des manouvriers, état précaire des fermiers, affaiblissement du groupe des laboureurs-propriétaires, réaction des seigneurs qui s'efforcèrent avec fermeté de sauvegarder leurs revenus. Le processus de paupérisation est incontestable : dans 1 188 villages examinés dans vingt-six bailliages le nombre des laboureurs passa de 13 445 en 1737 à 11 182 en 1766, et ceux des manouvriers de 63 184 à 73 164 (M. Morineau). Comme en Bourgogne, les années les plus dures furent 1762 et 1763.

Les entreprises industrielles et commerciales, dans ce climat de crise, durent affronter la contraction des demandes locales et le déclin, parfois la fermeture de certains marchés européens. Pendant la guerre de Sept ans — et surtout de 1758 à 1763 — les allées et venues des troupes perturbèrent les foires de Francfort, et, par répercussion, les échanges dans l'espace lorrain, provoquant une série de faillites retentissantes.

Dans ce climat de crise, on songea à procéder au « reculement des barrières ». Les duchés et la généralité de Metz avaient le statut de « province à l'instar de l'Etranger Effectif », commerçant librement avec l'étranger et se heurtant à des barrières douanières du côté du royaume. Le contrôleur général des finances songeait à supprimer les frontières intérieures, mais c'était déranger des habitudes et des profits. La plupart des marchands et financiers lorrains s'y opposèrent. Leur interprète fut Joseph-François Coster qui fondait son argumentation sur le déséquilibre des échanges en France et Lorraine et sur les risques d'anéantir le commerce d'entrepôt qui avait tant profité à l'essor de Nancy depuis le début du siècle. La réforme âprement combattue et défendue ne se fit pas.

A Lunéville, Stanislas devenait de plus en plus seul. La reine et les principaux Polonais, Meszek, Catherine Ossolinska, puis son mari peu après, étaient morts. Il ne restait à Stanislas que la joie de rencontrer chaque année sa fille, la reine Marie et en 1762 et 1763 ses deux petites filles Adélaïde et Victoire, en l'honneur desquelles il multiplia les fêtes, réceptions, concerts, comédies. Mais la mort emportait de nouveau des personnages importants : Emmanuel Héré, la princesse de Beauvau, laissant chaque année Stanislas un peu plus seul, alors qu'en 1765 mourait à Innsbruck le dernier duc héréditaire de Lorraine, devenu l'empereur François Ier.

La dernière affaire, à laquelle Stanislas attacha de l'importance, concernait les jésuites. Ils animaient dans les duchés des missions qui déplurent à une bonne partie du clergé par leur aspect théâtral. Leur influence irritait les prêtres marqués par le jansénisme et par le « richérisme » qui exaltait le rôle du clergé paroissial, tel Jean-François Couquot, curé de Maron. A propos des frais qu'avait nécessités en 1761 l'édification de la nouvelle église du village, un conflit opposa les paroissiens, soutenus par Couquot, aux jésuites de Nancy qui détenaient les dîmes du lieu. Le père De Menoux prit fougueusement la défense des jésuites et composa un libelle que la Cour souveraine fit brûler publiquement. Stanislas, outré, intervint et cassa l'arrêt de la Cour. Alors qu'en France les jésuites étaient condamnés par le Parlement de Paris et finalement interdits en 1764, Stanislas refusa nettement de suivre cette politique : pour un temps, les duchés furent pour eux une terre d'asile.

*

TOUS les Ordres de la Ville de Nancy donnent des preuves si sensibles de joye, à l'occasion de l'arrivée de MESDAMES de France ADÉLAÏDE & VICTOIRE, qu'il n'est plus question que de régler un zéle si loüable, dont SA MAJESTÉ a déja témoigné sa satisfaction.

Ainsi les Bourgeois sont seulement invités, de la part de l'Hôtel de Ville, de tenir propre le pavé au-devant des maisons, demain quatre, jour du passage de MESDAMES de France ; d'arroser les ruës d'heure en heure, & sur-tout à l'instant du passage ; & de tenir les boutiques fermées.

On pourra tapisser au-devant des Maisons ; éclairer les Croisées, dès que le jour finira, ce qui seroit même indispensable si MESDAMES arrivoient de nuit.

On ne présume pas qu'aucun Bourgeois refuse de donner des marques d'allégresse dans une circonstance aussi honorable & aussi avantageuse à la Ville de Nancy.

FAIT ce 3 Juillet 1761. *Signé*, DURIVAL.

Musée lorrain, Nancy. Cliché P. Mignot.

Le 5 février 1766 au matin Stanislas était gravement brûlé. Malgré les soins de Charles Bagard et sa robuste constitution, il disparaissait le 23 février 1766. Il fut inhumé dans l'église Notre-Dame-de-Bonsecours près de sa femme, morte en 1747. Sur la volonté de Louis XV, on fit un important service funèbre le 10 mai et d'autres cérémonies durant un mois : il fallait glorifier le beau-père du roi de France.

Stanislas disparu, la Lorraine devint totalement française.

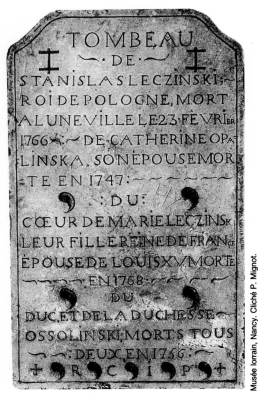

Musée lorrain, Nancy. Cliché P. Mignot.

Plaque tombale de Stanislas, *du duc et de la duchesse Ossolinski. Marie Leszczynska avait donné son cœur ; il fut porté dans le caveau en septembre 1768.*

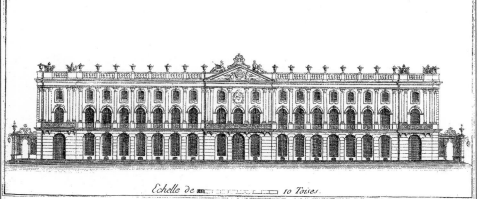

DÉPENSE.

CHAPITRE PREMIER.

Hôtel-de-Ville faisant la façade de la Place-Royal dans toute sa longueur.

Echelle de — *10 Toises.*

Hôtel de Ville.

CET *Edifice forme l'une des faces de la Place-Royale au Midi dans toute sa longueur : l'intérieur répond à la majesté du dehors : le vestibule qui occupe toute la largeur de l'avant-corps du milieu en suivant la profondeur, est partagé par deux rangs de colonnes. A droite, en entrant, est une salle très-spacieuse destinée pour les Concerts & Bals parés ; vis-à-vis cette salle à l'autre côté, sont les salles d'assemblées du Magistrat.*

Au fond du vestibule est un grand escalier se partageant en deux rampes, qui conduisent de droit & de gauche au premier étage, le plafond & tout le contour de cet escalier, sont ornés de peintures à fresque.

Au-dessus du vestibule est une grande salle peinte aussi à fresque, qui repré-sente d'une manière allégorique, plusieurs sujets à la louange du Roi. L'ap-partement que SA MAJESTÉ s'y est réservé, tient toute l'aîle au-dessus de la salle du Concert, l'autre partie, vis-à-vis, fait le logement du Lieu-tenant-Général de Police.

Compte général de la dépense des édifices et Bâtimens que le Roi de Pologne... a fait construire pour l'embellissement de la Ville de Nancy depuis 1751 jusqu'en 1759, Lunéville, 1761 (p. 18).

9.

LE « RÈGNE »
DE BELLE-ISLE

Alors que la Cour de Stanislas se donnait l'illusion de l'indépendance, les anciens Trois Evêchés, devenus depuis 1648 généralité de Metz, vivaient au rythme d'une province du royaume de France, dont la mission était de monter la garde aux frontières. En fait les conflits militaires épargnèrent l'ensemble lorrain qui bénéficia, surtout avant les années quarante, d'un repeuplement des campagnes et d'une réanimation des échanges internes.

Les pouvoirs dans la généralité de Metz

Les péripéties de la continuelle confrontation entre les hommes du pouvoir royal et les magistrats municipaux illustrent les difficultés et les limites de l'action des uns et des autres.

Le contrôle du pouvoir local

La Chambre de ville de Metz a été transformée par la vénalité, puis par le dédoublement des offices ; les parlementaires et leurs clients tentaient de pénétrer dans le Magistrat. Les besoins financiers de la monarchie compliquèrent l'action des « hommes du roi », contraints de s'adapter aux mesures éphémères : en 1717, suppression de tous les offices municipaux ; en 1718, obligation de remboursement, par la ville, de la finance de dix-neuf offices afin de conserver le maintien du système électif ; en 1722, rétablissement des offices supprimés cinq ans auparavant, de nouveau condamnés en 1724 et remboursés par l'Etat en rentes perpétuelles ou viagères. « En fait les anciens officiers se retrouvèrent donc prorogés jusqu'au parfait remboursement de leur finance... Un pouvoir intrinsèquement étranger à l'influence directe des hommes du roi s'est donc enraciné entre août 1718 et janvier 1725 » (Y. Le Moigne). Par la suite la « citadelle municipale » ne s'ouvrit que lentement aux hommes du roi, sous l'action opportuniste de l'intendant Jean-François de Creil de Bournazeau, en fonction de 1720 à 1754. Mais au milieu du siècle les Messins n'ont plus gardé que le droit d'élire le maître-échevin et cinq échevins.

Le Bureau de ville de Verdun dut, à l'extrême fin du XVIIe siècle, racheter quelques offices pour conserver le droit de nommer les plus importants d'entre eux. Comme les autres villes de France, les trois cités épiscopales eurent à souffrir des contradictions de la politique royale édictant la vénalité, puis la rejetant.

Belle-Isle et sa carrière

Le 13 octobre 1727 Charles-Louis-Auguste Foucquet, comte de Belle-Isle, était nommé commandant en chef de la généralité de Metz. Jusqu'à sa mort en 1761, malgré les exigences d'une carrière internationale, il allait attacher étroitement son nom à l'histoire de la vieille cité épiscopale.

De sérieux handicaps semblaient lui interdire l'accession à l'une des premières charges du royaume dans une société minutieusement réglée et hiérarchisée. Il avait, contre lui, d'être le petit-fils du surintendant général des finances, Nicolas Foucquet qui, victime à la fois d'une gestion contestable des deniers publics et de l'hostilité de Colbert, fut condamné à la détention perpétuelle. Dorénavant le nom de Foucquet était lourd à porter. De plus faire une carrière sous l'Ancien régime ne pouvait se concevoir sans le soutien d'un clan bien en Cour ; le petit-fils du surintendant en était dépourvu, tout au moins dans les premiers temps.

Charles-Louis-Auguste naquit le 22 septembre 1684 à Villefranche-de-Rouergue du dernier fils du surintendant, Louis. Celui-ci avait contracté mariage en 1683 avec son amie d'enfance Catherine-Agnès de Lévis, fille du comte de Charlus, gouverneur du Bourbonnais : mariage « clandestin » puisqu'il fut conclu sans l'assentiment du comte après « l'enlèvement » de la jeune fille. Le comte de Charlus cessa toutes relations avec le couple qui vécut grâce à la charité d'un oncle, évêque d'Agde.

Musée lorrain, Nancy. Cliché P. Mignot.

Charles-Louis-Auguste Foucquet, comte de Belle-Isle (1684-1761).

Malgré la gêne financière, le jeune Belle-Isle fit ses études jusqu'à l'âge de seize ans à Sorèze chez les bénédictins de Saint-Maur. En janvier 1701 il entra au service du roi chez les mousquetaires gris, non sans difficulté « à cause de la prévention que l'on avait sur le nom de Foucquet » ; il fallut toute l'influence du comte de Charost. A peine entré au service, il dut combattre puisque commençait la guerre de la Succession d'Espagne. Il allait accomplir quatorze campagnes, manifestant du courage et conquérant l'estime du duc de Vendôme.

L'ambition ne manquait pas au jeune Belle-Isle. A peine âgé de vingt ans il parvint — avec l'assentiment de Louis XIV devenu plus conciliant — à acheter un régiment de dragons pour 115 000 livres grâce à l'héritage de l'évêque d'Agde et à la générosité de la veuve du surintendant. Devenu « mestre de camp » il participa aux combats avec le Belle-Isle Dragons à partir de 1705. Il sut se faire remarquer ; un de ses supérieurs notait : « Il est né avec beaucoup d'ambition... Il y a en lui de quoi faire un jour un bon officier général ». Le fameux siège de Lille (1708) fit beaucoup pour sa carrière et sa réputation. Il y fut blessé et en subit les séquelles pendant toute sa vie. Peu après, le roi le nommait brigadier et surtout l'autorisait à prendre la charge de « mestre de camp général ». La promotion coûtait cher : 280 000 livres pour l'ancien titulaire, et 40 000 écus pour le brevet de retenue accordé par le roi. La vente de Belle-Isle Dragons n'y suffisait pas, ni les apports familiaux : il fallut emprunter. Mais le jeune homme avait su admirablement conduire sa carrière, avec la protection, capitale, de Madame de Maintenon et l'apport financier de sa famille.

Au printemps de 1711 Belle-Isle épousait Henriette-Françoise, fille du marquis de Civrac, aux médiocres qualités physiques et intellectuelles, mais riche. A cette occasion, la veuve du surintendant laissait à son petit-fils la nue-propriété des deux-tiers de l'île de Belle-Isle et une créance de 400 000 livres que le roi devait sur les fortifications faites dans l'île.

La mort de Louis XIV permit à Belle-Isle de mener une vie de courtisan, fréquentant le célèbre salon de Madame de Pléneuf, contractant de solides amitiés, celles des Rohan et surtout du secrétaire d'Etat à la guerre Le Blanc. Grâce à ce dernier il était fait maréchal de camp en mars 1718 et gouverneur de Huningue un an plus tard. Sur les entrefaites la veuve du surintendant mourait. Moyennant une faible pension son père, marquis de Belle-Isle, laissait à son fils, comte de Belle-Isle, sa part de la succession.

Dans les années qui suivirent, Belle-Isle s'attacha à l'abbé Dubois qui, devenu l'homme de confiance du régent, semblait le promettre à une haute destinée. Or Belle-Isle voulut mener un grand train de vie. Il obtint, après maintes péripéties liées à sa faveur ou à sa disgrâce en Cour, l'échange de son marquisat de Belle-Isle qu'il laissait au roi. En contrepartie il entra en possession des terres et seigneuries du comté de Gisors, des Andelys, de Vernon, de Longueville en Normandie ; de Montoire-sur-le-Loir ; d'Auvillar près de Montauban ; de Beaucaire et de divers droits à Albi et Carcassonne. Le règlement de cet échange demanda dix années (1718-1728). Le revenu global de ces terres et droits se montait à 80 000 livres.

Entre-temps Belle-Isle avait essayé d'accroître sa fortune. Le Blanc lui avait fait connaître Law et il spécula pendant quelque temps avec bonheur, puis il se lança dans des opérations suspectes et fut compromis dans l'affaire de l'Extraordinaire des guerres, caisse indépendante du contrôle général des finances. La mort de Dubois précipita sa disgrâce : Belle-Isle fut embastillé en mars 1724, en même temps que son frère Louis et Le Blanc. Les deux Belle-Isle ne furent libérés qu'en mai 1725 avec obligation de résider en Languedoc ; mais ils obtinrent finalement d'être relégués à Nevers.

En juin 1726 le duc de Bourbon fut disgracié et Fleury prenait la direction des affaires du royaume. Le Blanc revint à la guerre et Belle-Isle reçut la permission de réapparaître à la Cour où il retrouva son rang et ses relations.

En avril 1727 Le Blanc le désigna pour être l'adjoint du maréchal du Bourg, commandant de la généralité de Metz ; il détint le commandement d'un camp de vingt-six escadrons et de vingt bataillons dans la plaine de Richemont, près de Thionville. Sur sa suggestion on lui donna en octobre des responsabilités plus importantes et mieux définies « commandant en chef dans les Trois Evêchés et dans les prévotés, villes et dépendances de Thionville, Montmédy, Marville, château de Bouillon, Longwy, Sierck et Marsal », c'est-à-dire l'ensemble de la couverture fortifiée du nord des territoires lorrains.

LES HOMMES DU ROI DANS LA GÉNÉRALITÉ DE METZ AU XVIIIᵉ SIÈCLE

Gouverneurs

Maréchal de Joyeuse	1703-1710
Maréchal de Villars ...	1710-1713
Comte de Salians d'Estaing	1713-1724
Maréchal Dalaigre	1724-1733
Maréchal de Belle-Isle	1733-1761
Maréchal d'Estrées ...	1761-1771
Victor François maréchal de Broglie	1771-1790

Intendants

Marc-Antoine Turgot	1696-1700
Dominique-Michel Barberie de Saint-Contest	1700-1715
Louis-Auguste Harlay de Cély	1716-1720
Jean-François de Creil de Bournazeau	1720-1754
Antoine-Louis de Caumartin de Saint-Ange	1754-1756
Jean-Louis de Bernage de Vaux	1756-1766
Charles-Alexandre de Calonne	1766-1778
Jean de Pont de Manderoux	1778-1790

Entrée de Louis XV à Metz, le 4 août 1744.

Musée lorrain, Nancy. Cliché P. Mignot.

LOUIS XV MALADE À METZ 1744

Les chroniqueurs ont relaté la maladie qui faillit provoquer la mort du roi.

Annales de Jacques Baltus

« Le 4 aoust, le Roy est arrivé en cette ville ; le 8, il est tombé malade ; le 13, il a reçu le Saint Viatique, et le 15, l'Extrême-Onction. La Reine, Monseigneur le Dauphin, deux de Mesdames de France, les princes et princesse, les secrétaires d'Estat, monsieur le controlleur général, les cardinaux de Rohan, d'Auvergne et de Tancin et les ambassadeurs des cours étrangères, se sont rendus à Metz à l'occasion de la maladie du Roy qui, estant rétabli, est parti le 29 septembre au siège de Fribourg. »

Journal du libraire nancéien Nicolas

« Le 9 [août] le roi de France devait passer à Nancy... On apprit la maladie du roi. Le 12 et 13, on l'attendit de nouveau ; mais son mal augmentait. Le 14 à six heures du soir, on commença à faire des prières dans toutes les églises de Nancy, par ordre du roi Stanislas ; ensuite on en fit en vertu d'un mandement de l'évêque de Toul. Elles durèrent jusqu'au 22.

Le roi de Pologne vint de Lunéville à La Malgrange pour être plus à portée de recevoir des nouvelles de Metz. Le 15, le roi fut à l'agonie ; on le dit mort même, pendant plusieurs jours ; mais, le 16, il commença à donner de l'espérance, et sa santé se raccommoda peu à peu... Le 25, le roi de Pologne fit chanter un *Te Deum* à trois heures à la Primatiale pour le rétablissement de la santé du roi. Les Compagnies souveraines en robes de cérémonie y assistèrent, de même que le clergé des deux villes [Ville-Neuve et Ville-Vieille de Nancy]. »

Les fonctions, qui lui furent peu à peu confiées, ne firent qu'étendre son pouvoir dans la région en l'attente de l'accomplissement d'un destin national : lieutenant général (1731), gouverneur des évêchés de Metz et Verdun (1733), commandant en chef en Lorraine (1737), maréchal (1741), duc (1742), pair de France et académicien (1749) ; puis il fut appelé au gouvernement du royaume, ministre d'Etat (1756) et — consécration suprême — secrétaire d'Etat à la guerre, de 1758 à sa mort en 1761. En 1729 il avait épousé, en secondes noces, Marie de Béthune, arrière petite-fille du maréchal Fabert. Sans abandonner Metz qu'il voulait rénover et embellir, il fut envoyé en mission diplomatique auprès de la diète germanique et combattit en Europe centrale. En 1751, il représenta la France lors des négociations relatives à la constitution de la principauté de Salm-Salm.

Pour gouverner à Metz, il s'appuya sur des gens dévoués qui, placés aux postes clés, contrôlaient la vie locale. Belle-Isle sut saisir la conjoncture opportune pour imposer dans le calme son autorité. Il procéda avec méthode et par étapes pour réduire le rôle du Magistrat : Jean-Pierre Roucour, son secrétaire particulier placé en 1752 au cœur de l'assemblée municipale dans le poste de procureur syndic, puis en 1756 fait syndic royal avec le pouvoir de désigner le maître-échevin en cas de vacance ; Antoine-Louis de Caumartin de Saint-Ange, homme de confiance de Belle-Isle, à la place de l'intendant démissionnaire Jean-François de Creil de Bournazeau qui occupa la charge pendant plus de trente années (1720-1754) et se désespérait d'être réduit à l'impuissance ; et finalement en 1758 — situation sans précédent — l'accession d'un parlementaire (Lançon) au maître-échevinat.

Le milieu social

Le destin de Toul fut fort différent de celui de Metz et de Verdun. L'édification d'une enceinte polygonale bastionnée fut entreprise par Vauban en 1700, dura une vingtaine d'années, mais n'atteignit pas l'importance des autres cités. Et la proximité de Nancy perturba les activités et les échanges. Dans les mesures prises à Metz pour la généralité, Toul paraissait s'évanouir. Des études fouillées permettraient de camper la vraie silhouette de la ville et, peut-être, de rectifier des vues, pour l'heure, superficielles.

Des hommes et des biens

Villes militaires par excellence, Metz et Verdun ont vécu au rythme des guerres européennes, animées par les exigences du ravitaillement des troupes pour le plus grand bonheur des munitionnaires, déjà enrichis à l'époque de la guerre de la Succession d'Espagne. Le renouveau des hostilités, lors de la guerre de la Succession d'Autriche (1740-1748), puis au moment de la guerre de Sept ans (1756-1763) n'a pas eu d'incidence directe

LA PRINCIPAUTÉ DE SALM-SALM

Depuis 1623 le pays de Salm était divisé en principauté de Salm aux Rhingraves et en comté de Salm aux ducs de Lorraine. En 1719 Dorothée de Salm, fille du dernier prince de Salm, épousait son cousin Nicolas-Léopold, fondant la dynastie de Salm-Salm.

En 1751 une convention de partage fut signée à Paris. La France, représentée par Belle-Isle, obtenait les droits des Salm-Salm sur la baronnie de Fénétrange et le territoire à rive droite de la Plaine. Senones devenait résidence princière.

« Ainsi fut constitué... un petit État autonome, économiquement tributaire de la France, quoique juridiquement vassal de l'empereur germanique. La convention fut suivie de lettres patentes données par le roi Stanislas le 31 décembre 1752. Après quoi l'abonnement de la principauté fut arrêté en février 1755 ».

Un château fut édifié à partir de 1754. L'abbaye de Senones fut un grand foyer intellectuel ; dom Calmet en fut l'abbé de 1728 à sa mort en 1757.

La principauté fut réunie à la France en 1793. La résidence princière allait être, en 1821, transformée en fabrique de fil de coton.

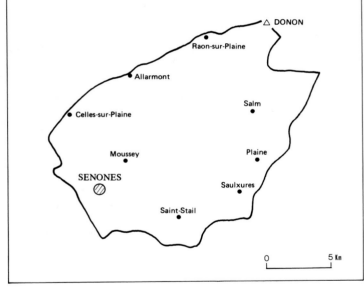

Louis-Charles-Othon de Salm-Salm *(1721-1778)*.

Musée lorrain, Nancy. Cliché P. Mignot.

LES PRINCES DE SALM-SALM

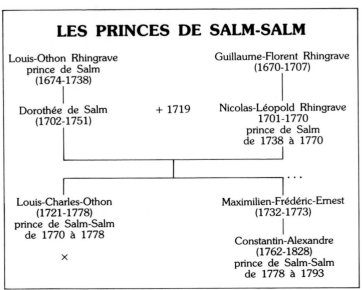

Louis-Othon Rhingrave
prince de Salm
(1674-1738)

Guillaume-Florent Rhingrave
(1670-1707)

Dorothée de Salm
(1702-1751)

+ 1719

Nicolas-Léopold Rhingrave
1701-1770
prince de Salm
de 1738 à 1770

Louis-Charles-Othon
(1721-1778)
prince de Salm-Salm
de 1770 à 1778

Maximilien-Frédéric-Ernest
(1732-1773)

Constantin-Alexandre
(1762-1828)
prince de Salm-Salm
de 1778 à 1793

Senones : *Façade de l'église de l'abbaye bâtie en 1777.*

Musée lorrain, Nancy. Cliché P. Mignot.

DE PAR LE ROY.

MONSIEUR LE BAILLY DE METZ.
OU MONSIEUR SON LIEUTENANT GENERAL DE POLICE.

SUR ce qui a été remontré par le Procureur du Roy , qu'il eſt neceſſaire par raport à la proximité des Vendanges, de renouveller les anciens Réglemens, afin d'empêcher les abus , & de prévenir les deſordres qui arrivent tous les ans par le fait de ceux qui, ſans attendre les Vendanges, coupent & vendent journellement des Verjus & des Raiſins à meſure qu'ils viennent en maturité , ce qui cauſe des pertes conſiderables aux Propriétaires : Après avoir ouy le Procureur du Roy en ſes Concluſions.

NOUS, en réſerant les anciennes Ordonnances de Police, Avons fait tres-expreſſes inhibitions & défenſes à tous Vignerons de la Ville & de la Campagne, d'aller dans les Vignes pour y couper des Verjus ou des Raiſins, qu'en preſence ou du conſentement par écrit de leur Maitre ou Propriétaire, même d'y mener leurs Enfans; & à tous Habitans tant de la Ville que de la Campagne, d'en apporter vendre dans la Ville. Faiſons défenſes à tous Juifs de cette Ville, & à tous Revendeurs & Revendeuſes d'en acheter, même des Treilles, ny d'en expoſer en vente, à peine de confiſcation & de trente livres d'amende tant contre les Vendeurs que contre les Acheteurs. Enjoignons aux Forétiers d'arrêter les Contrevenans, & de faire leur Raport; Et aux Conſeigns des Portes , de viſiter les Paniers & Hottes, même celles chargées de Maſſoyages , de ſe ſaiſir des Verjus & des Raiſins qui ſeront apportez en cette Ville, & d'arrêter ceux qui en ſeront chargez, à moins qu'ils ne repreſentent un Billet ſigné des Propriétaires , portant qu'ils ſont apportez pour eux & pour leur uſage , ſous peine de dix livres d'amende.

Mandons aux Commiſſaires de Police de tenir la main à l'execution des Preſentes, & de Nous faire Raport des Contraventions. Fait à Metz le vingt-ſeptiéme Aouſt mil ſept cens trente-cinq.

Signez, D'AUBURTIN DE BIONVILLE.   BERTRAND.

Et plus bas , Par Mouche-Sicur,
THIONVILLE, Greffier.

A METZ, De l'Imprimerie de la Veuve de BRICE ANTOINE, Imprimeur du Roy, &c. ſous les Arcades de la Place d'Armes.

Affiche décrétant l'interdiction d'entrer dans les vignes et de cueillir des raisins avant la date officielle des vendanges (1735).

Cliché Arch. mun. Metz.

sur la santé des activités économiques, sinon par l'absence d'une partie des troupes qui déstabilisait le marché. Mais les théâtres des opérations militaires restaient très éloignés. L'impression est, sur place, d'une longue période de paix, propice à soutenir l'élan démographique, le repeuplement et la restauration de l'ordre économique rural.

L'évolution de la population et de l'économie ne fut pas linéaire. A Metz le nombre des habitants passa de 26 000 après la guerre de la Succession d'Espagne à un peu plus de 30 000 en 1740 ; il y faut ajouter dans le premier cas 3 000 militaires et dans le second 8 000. Aux mêmes dates, Verdun passait d'environ 7 500 à 10 000. A cette progression remarquable succéda un ralentissement dans les années quarante. Plusieurs facteurs se conjuguèrent dès le début de la décennie pour réduire cet élan. Partout des crises de subsistances, surtout en 1740-1741 : le prix du froment fit plus que doubler à Metz entre mars 1740 et juillet 1741 ; la hausse fut encore plus forte pour le seigle et l'orge. La crise céréalière affecta l'ensemble du royaume et, pour porter aide à la population parisienne, la place de Sarrelouis, qui possédait des réserves, reçut l'ordre de livrer 6 000 sacs de froment, soit 587 tonnes, à l'indignation de Belle-Isle. De plus Verdun était victime d'une très forte inondation du 21 décembre 1740 au 7 janvier suivant, véritable catastrophe pour le quartier des Récollets et la ville basse.

Comme à l'accoutumée la crise de subsistances provoqua une surmortalité des personnes faibles ou âgées, un report des mariages prévus et un tassement du mouvement migratoire. Des épidémies s'en mêlèrent comme dans l'ensemble de l'Europe occidentale, entraînant une recrudescence de la mortalité générale. Ce contexte n'est pas étranger à la prolifération des confréries des agonisants et des trépassés au milieu du siècle.

La deuxième grande crise pendant l'ère belle-islienne intervint en 1753-1754. Elle affecta l'ensemble des céréales. Dès le mois de septembre, au vu de la maigre récolte de 1753, le Magistrat et l'assemblée des Trois Ordres envisa-

LA CRISE DE SUBSISTANCES À METZ 1753-1754

« En raportant l'an dernier l'arrest du Conseil que la ville a obtenu le 9 decembre 1753 et le resultat fait en consequence en l'assemblée de Messieurs des Trois Ordres, le 22 du meme mois, on a pû voir les precautions que Messieurs du Magistrat ont pris par la voyë d'emprunt, tant en cette ville qu'a Paris, d'une somme de 300 000 liv., pour se mettre en etat d'acheter, chez l'etranger, les bleds necessaires pour la consommation de la ville et de la province, pendant l'année 1754, par raport a la faible récolte de 1753. Nous croyons devoir expliquer les suites de cette affaire.

Monsieur de Saint-Simon, évêque de Metz, s'étant prêté à cet arrangement pour l'accélérer, a bien voulu avancer une somme de 30 000 liv., et Monsieur le marquis de Creil, intendant, celle de 20 000 liv., ensorte qu'il n'a été question d'emprunter que 250 000 liv.

Independament de ces 300 000 liv., le Roy a jugé a propos de faire avancer une somme de 60 000 liv. par le sieur de Foissy, receveur des domaines et bois de cette generalité, d'une sorte ; et celle de 10 000 liv. sur l'imposition du sel en cette ville.

Le sieur Dosquet, marchand magasinier a Metz, auquel ces fonds ont été confiez, en a fait employ avec zele et desinteressement ; il a fait arrher et acheter, tant dans les electorats de Treves et de Cologne, que pour une petite partie dans le pays de Luxembourg, la quantité de trente quatre mille trois cent soixante sept quartes deux bichets dix sept coupillons de bled, froment, et seize mille quatre vingt dix sept quartes et demie de seigle, mesure de ce pays, a differens prix et au meilleur compte qu'il été possible. Il a fait faire les voitures par eau avec menagement ; et a l'ayde du credit de Monsieur le Marechal, il a par ses differens voyages, fait lever et aplanir les difficultés qui avoient été formées, tant de la part des magistrats de Treves, qui vouloient arreter la traitte de ces bleds et ne les laisser partir qu'après avoir été exposez pendant trois jours sur les marchez publics de leur ville, que celles faites au sujet des droits de peage au bureau de Remick, pays de Luxembourg, pour raison de quoy Monsieur le Marechal s'est adressé a la Cour de Bruxelles. Enfin ce digne citoyen, qui avoit eu la sage precaution de tirer des recepissez de ces bleds a mesure qu'ils

etoient arrivez, livrez et remis sur les greniers de la ville, dont il a été dressé des procez verbaux, clos le 23 juin 1754, a rendu du tout un compte exact, a la satisfaction des superieurs et du public ; par lequel compte il a raporté une somme de 11 573 liv. 5 s. pour benefice sur la remise des fonds dans ces pays etrangers, et pour differentes retenuës qu'il a faites aux bateliers ; sur laquelle somme et sur celle de 108 000 liv. à laquelle s'est porté le prix des premiers bleds vendus en cette ville, on a eu l'attention, relativement audit arrest du Conseil et resultat, de rendre et remettre incontinent une somme de 50 000 liv., tant a Monsieur l'eveque qu'a Monsieur de Creil, qui en avoient fait l'avance.

Dez le premier may de 1754, la ville a ouvert ses greniers au public, et la vente et distribution s'en est faite, tant dans un magazin scitué sur la Place de Saint Loüis, qu'a l'ancien grenier a sel joignant la ruë Royale, ayant ses issuës sur la meme place et sur celle du Quartault, près la place de Coislin. »

Annales de Baltus (1724-1756), Metz, 1904 (p. 240-243).

geaient le recours à un emprunt. Retardé par Creil, il fut ordonné seulement en janvier 1754. On emprunta 76 000 livres à Metz et 178 000 à Paris. Fort heureusement, avant la réalisation de l'opération, un négociant messin, Etienne Dosquet s'était, sur l'ordre du Magistrat, mis à la recherche des grains. Les achats se firent à Cologne et Amsterdam ; la perspective de leur arrivage stoppa les manœuvres spéculatives.

L'activité économique de l'espace lorrain fut favorisée par la réalisation d'un bon réseau routier, entamé dès avant les années trente par Léopold et parachevé par Stanislas et Belle-Isle. Ce dernier, ayant la haute main dans le domaine militaire sur toute la Lorraine, imposait en premier lieu la mission stratégique des voies, avec un effort sérieux pour les liaisons avec l'Alsace, sans délaisser les routes méridiennes.

Le statut de « provinces réputées étrangères » provoqua le resserrement des échanges, en Lorraine même, entre généralité et duchés, et également avec les pays étrangers limitrophes. Ainsi les besoins en produits élémentaires (céréales et sel) pouvaient être plus régulièrement satisfaits, répondant à une demande accrue en raison de l'essor démographique. Restait le point de faiblesse de l'économie lorraine, médiocrement équipée en produits industriels, textiles particulièrement qu'il fallait faire venir de France malgré les taxes douanières. Le négoce d'entrepôt en progression sensible fit pour une part la prospérité de Nancy dans les derniers temps de l'indépendance au détriment du commerce messin. La présence d'une forte population militaire permit de freiner le déclin de tous les travaux du cuir et, dans une certaine mesure, du drap.

Les répercussions sociales

Les trois cités épiscopales gardaient — au-delà des péripéties conjoncturelles — la forte empreinte du clergé. A Verdun il restait propriétaire de la plus grande partie de l'immobilier urbain et du foncier suburbain. Pour l'essentiel les vignobles, qui cernaient la ville, lui appartenaient. Ses revenus étaient complétés par les rentes à prix d'argent qui lui permettaient de contrôler le marché du crédit en ville et en milieu rural. A Metz et, à un degré plus modeste, à Toul la situation était similaire, fruit de la très ancienne implantation foncière dans les pays d'alentour. De plus, les vignobles étaient devenus plus rentables encore par l'accroissement de la garnison. Les bénédictins et chanoines messins percevaient d'importants revenus : dîmes, droits seigneuriaux, fermages ; ils se livraient aussi au commerce rémunérateur des subsistances. Et le paysage urbain de Metz, Toul et Verdun démontre l'omniprésence des bâtiments religieux et de leurs dépendances.

Les querelles doctrinales n'épargnaient pas les diocèses lorrains. Lors de son long épiscopat (1697-1732) Charles-Henri du Cambout de Coislin resta acquis au jansénisme ; il sut profiter de l'ère de semi-liberté contemporaine de la régence pour laisser pénétrer des livres hollandais qui transitaient par les abbayes d'Orval et de Mouzon. Sedan jouait aussi un important rôle de redistribution des idées suspectes. Avec la mort, en 1720, d'Hippolyte de Béthune disparaissait à Verdun leur dernier soutien épiscopal. A partir de 1723, qui marquait l'avènement de Fleury, l'attitude du pouvoir poussa les jansénistes à la clandestinité, essentiellement dans les abbayes Saint-Vincent et Saint-Clément à Metz. Les évêques Bégon à Toul et d'Hallencourt à Verdun obtempérèrent sans difficulté. « Si l'évêque de Metz, Henri de Coislin, persévère dans les mêmes sentiments, il se réfugie plus encore qu'autrefois vers une abstention qu'affectionne sa nature inquiète... Contraint de disparaître de la scène officielle, [le jansénisme] poursuivra à travers le XVIIIe siècle une existence cachée, riche cependant de passion contenue » (R. Taveneaux).

Un important effort fut poursuivi au cours du XVIIIe siècle pour le recrutement, la formation du clergé (ouverture de séminaires) et l'éducation générale : ainsi « les chanoines réguliers de Saint-Augustin, congrégation du Sauveur » établis en 1743 au Fort-Moselle à Metz, obtenaient, par lettres patentes, après extension de leurs locaux, le titre de *Collège royal de Saint-Louis*. L'établissement acquit rapidement de la réputation et de l'importance.

Le Parlement de Metz, longtemps composé de personnages sans attache locale et seulement désireux d'assurer leur promotion sociale, accueillait dorénavant beaucoup de conseillers de la seconde ou troisième génération, nés à Metz

---

DÉPARTEMENT DES MALTÔTES.

BOULANGERS, Patiffiers & Coupillons.

BULLETTE, Tanneurs, Cordonniers, Parchemins & Corions.

HUILIERS, Bourreliers, Drapiers & Pelletiers, Chandelles de cire & de fuif.

BOIS DE MARNAGE & de chauffage, & l'impôt fur les Bois, Houilles & Charbons.

DROITS fur les Vins étrangers & de Lorraine, la vérification des états de la levée des Gros Saint Martin, *à la fin du mois de Novembre de chaque année*, & celle des Régîtres des Douzomiers, *dans les huit premiers jours de chaque quartier.*

BONNETIERS & Poids de la Laine, Chanviers, Cordiers & Poids du Chanvre.

TONNELIERS, Entrées & Sorties, Champ-à-Seille, & Porte Serpenoife.

MERCERIE, Poids de la Ville, Orphévrie, Pierres & Meules, Harangs & Sorets, Haut-Paffage, Eau-de-vie, Miel & Febvres.

BÊTES A QUATRE PIEDS, & Chair par détail, Pêcheurs & Place à débiter le Poiffon.

ŒUFS, Fruits, Fromages, &c. Aulx & Échalottes

Nota. Les Châtelains & Barriers des Grilles hautes & baffes font obligés de reprefenter de trois en trois mois pardevant M. le Maître-Echevin, les billets de fortie des Vins, pour être par lui arrêtés, & le produit des droits enfuite remis par lefdits Châtelains & Barriers, ès mains du Commis à la recette pour en compter.

Liste des maltôtes (taxes indirectes) *perçues par la Ville de Metz.*

L'ÉLEVAGE DES VERS À SOIE À METZ

Dans le domaine textile, de gros efforts furent entrepris pour obtenir, sur place, une production de soie, comme en témoignent les délibérations municipales.

10 juin 1755 : « Sur les différentes sollicitations qui nous ont été faites par plusieurs citoyens de leur procurer la manière de dévider la soye dont il n'ont pu jusqu'à présent faire le profit qu'ils avoient lieu de se promettre des soins qu'ils se sont donnés pour la *nourriture des vers* ;

il a été arrêté, après avoir ouy le syndic, qu'il sera fait aux frais de la ville *deux tours* conformément au modèle donné par M. de Vocanson,

lesquels seront déposés à l'hôtel de ville, afin que tout personne puisse les examiner et en faire construire de semblables. »

9 février 1758 : « M. de Marieulle, maître-échevin, a donné à la ville et à la province les moyens de parvenir à élever *des vers à soye* et les meuriers nécessaires pour leur nourriture, ce qui produit déjà et produit à l'avenir un avantage considérable au public, il a été arrêté que des meuriers appartenant à la ville il en sera fourni pendant quatre années consécutives la dépouille ou feuilles scavoir de quatre cent cette année, de trois cent en 1759, de deux cent en 1760 et de 100 en 1761, Lesdits arbres à prendre du côté du midy pour mettre Monsieur de Marieulle en état d'attendre que ceux qu'il a fait planter sur les terrains qui luy appartiennent soient assez fort pour en faire usage. »

Arch. mun. Metz, 268.

Cliché Arch. mun. Metz.

Le banc fleurdelisé du Parlement de Metz, *signe de la souveraineté du Roi de France.*

Musée Lorrain, Nancy. Cliché P. Mignot.

GARNISONS ET MANUFACTURES

« Quant à l'impact "manufacturier" des garnisons, il demeure difficile à cerner et n'atteignit pas le niveau souhaité par Belle-Isle. Début 1740 celui-ci espérait concentrer à Metz la fabrication des divers équipements (chapeaux ; baudriers, ceinturons, gibernes ; fourreaux et montures d'épées et de baionnettes ; boucles et boutons) destinés aux 60 000 miliciens levés dans le royaume. Il prévoyait l'établissement d'une chapellerie, d'une buffleterie, d'une fonderie et tablait sur un chiffre d'affaires de 662 000 livres tournois, en se targuant de faire réaliser au roi une économie de 135 000 livres sur les prix courants pratiqués ailleurs. Mais happé par les grandes manœuvres de la Succession d'Autriche, le maréchal ne put donner corps à ce projet d'envergure que d'aucuns s'efforçaient, périodiquement, de ressusciter en partie, avec l'établissement à Sedan d'une manufacture royale de cuirs de bœuf (1754-1776) et d'une chamoiserie-buffleterie — activité si négligée dans les Evêchés — à Metz en 1755. Aussi l'essentiel de l'apport des garnisons se diluait-il dans une foule de transactions, d'une valeur de cent à mille livres, au bénéfice de chaudronniers, taillandiers, de cordiers et tailleurs, d'armuriers et autres fourbisseurs pour l'achat de marmites, serpes et haches, la confection de toiles de tente et de culottes, la réparation d'armes à feu ou blanches. De grosses commandes entrecoupent parfois cette grisaille, lorsque les entrepreneurs messins savent répondre à temps aux demandes nouvelles qu'engendre la mutation des garnisons en corps d'armée. En 1757, ils fournissent aux troupes opérant en Allemagne 4 600 culottes, 15 000 couvertures et 12 000 paires de souliers d'une valeur totale voisine de 80 000 livres. En 1761, ils expédient 3 981 paires de souliers à La Rochelle, en trichant de 10 % sur le poids de la livraison... Une documentation moins lacunaire préciserait le véritable caractère (conjoncturel ou non) de telles commandes qui sont, pour le moins, d'utiles coups de fouet pour l'industrie textile et la tannerie de la province. »

LE MOIGNE (Y.), « Le rôle économique des garnisons évêchoises au XVIIIe siècle d'après les exemples de Metz, Sarrelouis et Verdun », *Beiträge zur Geschichte der frühneuzeitlichen Garnisons - und Festungsstadt,* Sarrebruck, 1983, p. 199-233 (p. 212-213).

de parents étrangers à la ville. La stratégie matrimoniale a joué également pour aboutir, au XVIIIe siècle, à la constitution d'un groupe de parlementaires, implantés dans le milieu local et pourvus de sérieux revenus, mais à la merci des exigences d'ambitieuses carrières qui ne pouvaient se réaliser qu'en abandonnant Metz. D'une façon générale se maintinrent à la fois en effectifs et en revenus les gens de la robe et de la basoche ainsi qu'à un degré plus élevé de considération les nobles faisant carrière dans l'armée.

Dans une étroite dépendance avec l'évolution du marché, du niveau démographique et de l'effectif des garnisons, le monde des commerçants de tous rangs et des artisans, d'une façon globale, resta stable. L'avènement des grands chantiers ouverts à Metz sous Belle-Isle développa certaines demandes, par exemple dans les secteurs des subsistances et de l'habillement.

A Verdun, où les métiers avaient été très atteints à l'époque de la guerre de la Succession d'Espagne, la croissance modérée des activités artisanales et marchandes avait été soutenue par la présence d'une garnison, l'extension des faubourgs et la reconstruction consécutive à l'inondation de 1740-1741. Les secteurs les plus favorisés furent ceux de la construction et du cuir.

L'importance de la communauté juive impressionnait les voyageurs qui arrivaient à Metz. Les lettres patentes de 1718 confirmaient ses « privilèges » tout en lui interdisant de dépasser le chiffre de 480 familles, répertoriées en 1717 (2 675 personnes). Ce seuil fut observé, puis le déclin intervint dans les années soixante. Dans la généralité, mais hors de Metz, il y avait des Juifs dans vingt villages en 1702, et dans une cinquantaine en 1747, soit autour de la ville, soit dans la zone germanophone, soit enfin le long de la « route de France » qui menait en Alsace ; à la tête de la communauté, un grand rabbin élu, comme Jacob Reicher (1716-1733) ou Jonathan Eibeschutz (1742-1750). Metz possédait la célèbre *Claus*, grand centre d'études talmudiques, fondée en 1704 et sans équivalent en Europe occidentale. Le prêt à intérêt et la vente à crédit étaient toujours les occupations principales des Juifs de Metz ; ils s'occupaient aussi de fournitures militaires (ravitaillement en grains et remonte). Leur place n'était pas négligeable dans les activités économiques messines, alors qu'à Verdun en 1745 et 1749 les métiers s'opposaient avec succès à l'installation de marchands juifs. En fait, si certains étaient riches, la majorité des Juifs de Lorraine était pauvre et instable : mendiants, colporteurs, fripiers souvent ambulants.

Le nouveau visage de Metz

Dès son arrivée à Metz, Belle-Isle, bien au fait des problèmes militaires, notait l'état lamentable de la place. Des constructions misérables s'étaient installées un peu partout, là où il y avait quelque place, parfois au cœur même de la citadelle. Les jardins s'étaient multipliés au pied des fortifications, elles-mêmes en piteux état. De plus l'essor de l'artillerie rendait caducs beaucoup d'ouvrages fortifiés de second plan. A l'intérieur la ville avait gardé son aspect médiéval avec ses rues étroites, mal alignées et très pentues, rendant la circulation

L'ERRANCE DES JUIFS AU XVIIIᵉ SIÈCLE

« Mendiants et commerçants ambulants circulent, roulent en Alsace et en Lorraine, chassés par la pauvreté plus grande encore en Allemagne. De grandes routes migratoires se dessinent : de Metz à Strasbourg, certes, et ce n'est pas une nouveauté, mais de plus loin aussi, de Prague en passant par Fürth, Francfort, Mayence, de Bonn, Mannheim ou même Nüremberg. Les points de passage de la frontière sont bien connus : le Fort Louis, Sarreguemines, plus que Strasbourg dont l'entrée demeure interdite à la plupart des Juifs. De là on se dirige vers Metz et Nancy par les étapes traditionnelles : Schalbach, Phalsbourg et Mittelbronn, Imling, Sarrebourg, Blâmont, Lunéville, Erbéviller, où attirent des foires d'intérêt local.

Chaque village retenu sur la route l'est sans doute en fonction de sa population, de ses Juifs un peu moins pauvres, ceux qui accordent quelque secours, un repas les soirs de sabbat ou une aumône pour continuer son chemin. Les relations de parentèle ne sont pas absentes car les mariages embrassent toute la région, sans souci des frontières, mais elles ne sont pas les seules. L'extraordinaire solidarité juive se lit dans les dépositions de ces témoins privilégiés de leur siècle. Une certitude anime tous ces misérables : quel que soit le lieu de passage, nul ne les chassera et les secours seront distribués. Exemplaire en ce sens paraît être cette foi profonde. Un fils de mendiant peut décider d'embrasser la profession de son père : il empruntera les mêmes routes, recevra les mêmes encouragements...

De ce peuple de la misère et de l'errance où une majorité ne sait encore ni écrire ni signer de son nom, une minorité intellectuelle se dessine. Les étudiants, dès treize ans — comme plus tard le jeune Alexandre Weill — se mettent en route pour perfectionner leurs études talmudiques. Prague, en Bohême, est bien le grand centre de rayonnement de la pensée religieuse. On y vient de toute l'Allemagne et puis on en repart pour aller compléter sa formation à Metz ou à la recherche de la fameuse place de chantre et maître d'école. Ainsi semble se créer un prolétariat intellectuel, qui ne trouve pas facilement à se placer et reprend indéfiniment son errance. »

MOLLIER (J.-Y.), « Juifs et chrétiens face à la justice en Lorraine à la fin de l'Ancien Régime, Un vol avec effraction dans l'église de Mittelbronn en juillet 1783 », *Archives juives*, 1989, p. 6-18 (p. 16).

malaisée et, plus encore, inadaptée au passage des troupes. Belle-Isle se résolut à faire de Metz une grande place frontière. Au début, ne possédant pas tous les pouvoirs nécessaires, il dut convaincre ses supérieurs militaires et les parlementaires ; le simple alignement des rues demandait l'assentiment du bureau des finances de la généralité.

En période de guerre, les possibilités d'hébergement des troupes répondaient difficilement aux besoins : les casernes étaient alors exiguës ; selon l'usage, il fallait recourir au logement chez l'habitant, soit en cas-limite recevoir près de

Isaac Meïo *« juif de Metz, usurier et rabbin ». Portrait placé en face du titre des* Mémoires du comte de Vaxèze ou le faux rabbin *par l'auteur des* Lettres juives *[le marquis d'Argens] imprimé en 1737 à Amsterdam.*

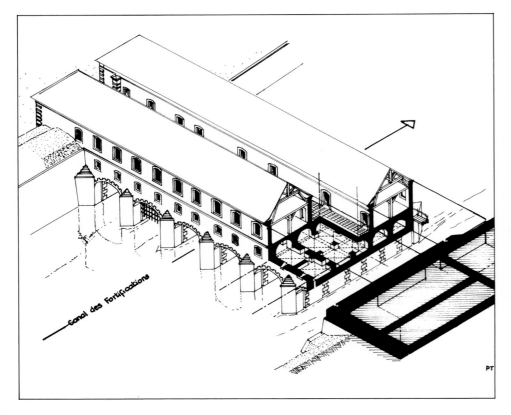

La technique des ponts-écluses. *Thionville, 1746.*
TRUTTMANN (P.). *Fortification, architecture et urbanisme aux XVIIᵉ et XVIIIᵉ siècles*, Thionville, 1976 (p. 42).

Louis de Cormontaingne *(1696-1752).*
Musée lorrain, Nancy. Cliché P. Mignot.

cinq mille hommes. Il a été toutefois établi qu'entre 1715 et 1730 en période de paix, le logement des troupes ne concernait que de faibles effectifs, hébergés soit dans les casernes existantes soit chez l'habitant, qui recevait d'ailleurs cinq sols par homme et par jour (C. Sturgill).

La tâche à laquelle s'attela Belle-Isle, comportait l'amélioration des fortifications, la construction de nouvelles casernes, le réaménagement des rues, objectifs qu'il fallait atteindre en priorité avant de songer à une urbanisation destinée à embellir la ville. Il parvint à convaincre les responsables du gouvernement du royaume, notamment Fleury et il en obtint les crédits.

En 1728 grâce au soutien du marquis d'Asfeld, responsable des fortifications du royaume, l'ingénieur Louis de Cormontaingne (1696-1752), en fonctions à Landau, fut adjoint à Belle-Isle pour mener à bien les travaux. On reprit à Verdun l'entreprise de Vauban qui, en disposant trois écluses, permettait d'inonder la totalité du Pré-l'Evêque en cas de siège. Edifiés entre 1680 et 1687, ces ponts-écluses (Saint-Amand, Saint-Nicolas et Saint-Airy) étaient utilisés en temps de paix comme portes d'eau ; leurs arches étaient fermées par des grilles mobiles en bois. Le projet d'amélioration du système, conçu en 1698, ne reçut qu'une application partielle à l'écluse Saint-Nicolas. Cormontaingne, dans le cadre des travaux de fortifications réalisés à Thionville (1727-1752), avait achevé la construction de deux ponts-écluses entre le Couronné d'Yutz et la place de Thionville. Il envisagea à Verdun la réfection du pont-écluse Saint-Airy, mais il mourut en 1752. Le travail fut effectué en 1754 selon un système mêlant les théories de Vauban et de Cormontaingne. On procéda à des essais d'inondation jusqu'en 1785, mais sans obtenir l'efficacité escomptée par Vauban.

Les fortifications

Le 29 juin 1728 furent ouverts à Metz les grands travaux de fortifications qui allaient demander treize années. La première réalisation fut l'édification du fort de la Double couronne de Moselle (dit aussi Fort-Moselle) en deux campagnes qui employèrent vingt bataillons d'infanterie. Le dispositif ainsi mis en place entre le pont des Morts et le Pontiffroy protégeait la ville au nord, par sa

Médaille *commémorative de la construction d'une partie des fortifications de Metz, 1732.*

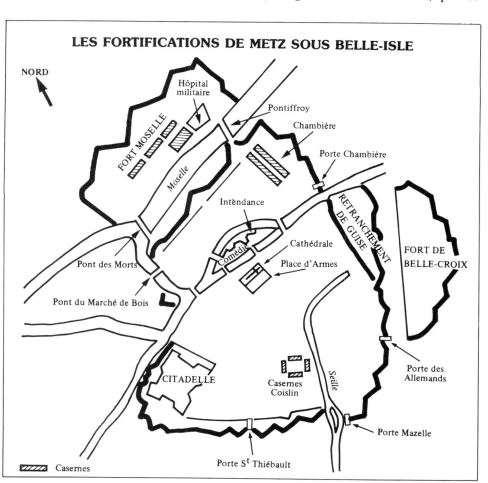

LES FORTIFICATIONS DE METZ SOUS BELLE-ISLE

NORD

Hôpital militaire

FORT MOSELLE

Moselle

Pontiffroy

Chambière

Porte Chambière

RETRANCHEMENT DE GUISE

FORT DE BELLE-CROIX

Intendance

Comédie

Cathédrale

Place d'Armes

Pont des Morts

Pont du Marché de Bois

CITADELLE

Casernes Coislin

Seille

Porte des Allemands

Porte Mazelle

Porte St Thiébault

Casernes

La place de Bitche.

Après les fortifications édifiées par Vauban de 1681 à 1683 et leur destruction après la paix de Ryswick, la forteresse fut reconstruite de 1740 à 1766. Bitche restait partie intégrante du duché de Lorraine, mais Belle-Isle, nanti des pleins pouvoirs militaires, en fut le maître d'œuvre assisté par Henri-François de Bombelles, gouverneur français de Bitche.

« Commencée fin 1740, la reconstruction de la place de Bitche coûta, malgré l'interruption des travaux de 1746 à 1752, près d'un million de livres jusqu'en 1766, selon un mode de financement original, imaginé par le maréchal de Belle-Isle, gouverneur des Evêchés et commandant en chef, de surcroît, dans les duchés. Depuis 1737, la monarchie française imposait à ceux-ci le versement annuel de 400 000 livres destinées au paiement des fourrages d'une trentaine d'escadrons qu'elle y mettrait en quartiers d'hiver. Sur les instances de Belle-Isle, le Secrétariat d'Etat à la Guerre s'était engagé à y envoyer un contingent inférieur afin de constituer un fonds annuel de 50 000 livres destiné à la fortification de Bitche et régulièrement utilisé au moins lors de seize campagnes effectives de travaux. Fille des fourrages lorrains par le jeu d'écritures comptables, la citadelle de Bitche résulte d'un subtil transfert de crédits interprovincial dont une bonne partie (468 000 livres) fut versée aux entrepreneurs locaux et à leurs salariés ». (Y. Le Moigne)

Plan dressé en 1801-1802.
La forteresse resta en l'état jusqu'en 1870-1871.

La place en 1750.
Gravure de Delafosse.

Cliché G. Schneider, R.L.

Cliché G. Cabourdin.

La place de Bitche aujourd'hui.

La Demi-Lune de la Petite Tête (1748).
*A l'extrêmité sud-ouest, en son état actuel, après
disparition du corps de garde et du crénelage des
courtines.*

Cliché Claude Turrel.

situation outre Moselle. A l'intérieur était délimitée une ville neuve ; des brevets royaux furent attribués aux particuliers avec obligation de construction.

En 1731, dès la fin des travaux, on entama la protection vers l'est sur le coteau de Desiremont, à la place de l'ancien cimetière et du faubourg de Saint-Julien. Les troupes cantonnées dans l'île Chambière fournirent la main-d'œuvre pour la construction du fort de Belle-Croix, nouvelle double couronne entre la porte des Allemands et la Moselle. L'achat des terrains se monta à 979 434 livres qui furent fournis par une imposition répartie sur plusieurs années. Parallèlement des travaux avaient été exécutés sur les remparts, les redoutes, les courtines et autres éléments de fortifications. Le fort de Belle-Croix ne fut complètement achevé qu'en 1740, alors qu'était édifié un nouveau village Saint-Julien.

Entretemps on avait entamé en 1736 la construction d'un autre rempart, protégeant l'espace situé entre le Pontiffroy et le pont des Morts jusqu'à l'île du Saulcy. En arrière fut créée une rue parallèle d'environ 780 mètres de long sur six de large. L'année suivante, divers ouvrages furent exécutés entre les portes Mazelle et Saint-Thiébault.

Puis à partir de 1740, rendus inutiles par les travaux entrepris, les anciens châteaux, tours et autres constructions furent démolis (châteaux de la porte Saint-Thiébault et du Pontiffroy ; murs derrière Sainte-Glossinde...). La porte des Allemands fut toutefois épargnée alors qu'était achevée la porte Chambière. De 1728 à 1741, il fut dépensé à Metz 4 960 223 livres, c'est-à-dire plus que l'édification de la place de Neuf-Brisach. Mais dans une ville qui souffrait du manque d'espace, il était précieux d'être parvenu à augmenter la surface habitable d'environ 10 %.

Metz : Porte Sarrelouis *du Fort de Bellecroix (vers 1740).*

173

HENRI-CHARLES du *Cambout de Coaslin, Evêque de Metz, Cons.er du Roi en ses Conseils, Premier Aumônier de S.Ma.té fait Commandeur de l'Ordre du S.t Esprit, et en reçeut la Croix des mains de S.M. le 15. de Mai 1701.*

Armoiries de Henri-Charles du Cambout de Coislin, *évêque de Metz de 1697 à 1732.*

François de Chevert *né à Verdun en 1695, lieutenant général des armées royales, mort à Paris en 1769 et enterré dans l'église Saint-Eustache.*

Restait à protéger la façade méridionale, dont les éléments fortifiés étaient en très mauvais état, faute d'entretien et de travaux depuis 1552. Les anciens remparts furent nivelés par les troupes. A l'abri de la nouvelle enceinte furent installées les places Saint-Thiébault (1740) et Mazelle (1753) ; des rues furent ouvertes (Chandelerue en 1740) ; et Belle-Isle laissa des terrains à la disposition de maisons religieuses et de Messins aisés, à charge de construire rapidement et ainsi de participer à l'embellissement de la ville.

Les travaux accomplis aboutirent à une totale modernisation de la place messine. Elle devint, avec l'appui de Thionville et Sedan, la pièce maîtresse du dispositif défensif au nord-est du royaume.

Les casernes

Si les frais d'édification des ouvrages fortifiés étaient à la charge du roi (à l'exception d'impositions destinées à indemniser les Messins expropriés), il n'en était pas de même pour les casernes que devaient payer les habitants. Par bonheur l'évêque Cambout du Coislin fit édifier entre 1726 et 1730, sur les plans d'Oger, deux corps de casernes au Champ-à-Seille, devenu plus tard place Coislin. Elles pouvaient accueillir 2 310 soldats (à raison de trois par lit, et de cinq lits en chacune des chambres), 46 subalternes (à deux dans vingt-trois chambres) et 43 capitaines ; soixante-dix cabinets étaient laissés aux valets. C'était un sérieux soulagement pour les Messins astreints au logement des troupes.

Sur la pression de Belle-Isle, Metz se peupla de casernes à Chambière (2 460 hommes pour l'infanterie et 792 pour la cavalerie), à Fort-Moselle (le Royal Artillerie avec ses 900 hommes), à Basse-Seille, à Saint-Pierre, sans omettre les 1 086 hommes de la Citadelle soit une capacité totale d'environ 9 000 hommes.

Belle-Isle y fit adjoindre à Fort-Moselle un hôpital militaire (1732-1734) qui pouvait accueillir 1 500 malades et blessés. L'empreinte de l'armée était partout avec ses dépôts et ateliers spécialisés.

Le même problème du logement de l'armée se posait dans toutes les places fortes. Verdun construisit une caserne d'infanterie près de l'abbaye Saint-Paul et une de cavalerie près de l'abbaye de Saint-Nicolas-du-Pré, permettant le séjour de 2 350 hommes, au prix d'un recours, pour le cinquième d'entre eux, à l'hébergement chez l'habitant. Elle fut achevée en 1734 bien avant que la cavalerie ne reçut la sienne en 1771. Toul attendit jusqu'en 1784 la caserne du « Quartier neuf ».

Les travaux d'édilité

Préoccupé à la fois par la nécessité d'une circulation aisée dans la ville et par une volonté d'embellissement, Belle-Isle modifia profondément la ville qui avait conservé son aspect médiéval. Il n'hésita pas à procéder à l'alignement et l'élargissement des rues. Dans la seule année 1733, les rues de la Princerie, Taison, du Faisan et en Nexirue furent remodelées. En juin 1737 Belle-Isle interdit les marches d'escalier et les bancs de pierre au rez-de-chaussée des maisons. Il imposa aussi en 1738 l'alignement des rues à Verdun.

Pendant des années Metz fut un vaste chantier. Les travaux de nivellement étaient importants en raison de la pente excessive de certaines rues. Celles de la Tour-aux-Rats et de Braillon furent agrandies pour dégager les accès aux casernes de Chambière.

Les ponts furent reconstruits (pont de la Grève), élargis (pont de la Porte-aux-Chevaux), rénovés (Pontiffroy avec ses huit arches), alors que l'on démolissait les écluses sur la Seille et que l'on remplaçait les vétustes grilles du pont des Morts.

D'autres opérations permirent de rénover le système d'alimentation en eau, en utilisant des conduits en fonte fournis par les Wendel d'Hayange (1733-1745). Cette rénovation ne permit pas la solution du problème de l'eau dans une ville comprenant 42 000 habitants et plus de 2 000 chevaux. Dans l'œuvre de Belle-Isle et du Magistrat, les préoccupations au sujet de l'hygiène publique n'étaient pas absentes. Ainsi jusqu'en 1737 les bouchers tuaient chez eux les animaux « ce qui occasionnait une infection » ; la ville fit construire dans le Petit-Saulcy un abattoir commun et obligatoire pour tous les bouchers.

L'urbanisme

Comme Stanislas à Nancy, Belle-Isle a mis son empreinte sur le paysage urbain en y imposant une esthétique moderne, à la fois grandiose et sobre. Les évêques voulurent aussi édifier des palais. Mais la construction de celui de Metz fut différée, alors que de belles demeures furent élevées à Verdun et Toul. La résidence de l'évêque de Toul était vétuste et en mauvais état. Pour la remplacer, Scipion-Jérôme Bégon (1723-1753) confia l'exécution du projet à Nicolas Pierson et Jean Antoine. L'édification fut réalisée par le toulois Dominique Charpy. La partie centrale de ce palais fut achevée en 1743 ; et les ailes, sous l'épiscopat du successeur de Bégon, Claude Drouas (1754-1773). La façade sur jardin comporte une avancée polygonale coiffée d'un dôme à pan.

A Verdun, la demeure avait été refaite par Nicolas Psaume et Nicolas Bousmard vers la fin du XVIe siècle. Dès son arrivée, Charles-François d'Hallencourt (1723-1754) voulut restaurer le palais ; mais, sur l'avis de Robert de Cotte, il fut décidé qu'on le démolirait pour faire un nouvel édifice. Les travaux entamés en 1725 durèrent une trentaine d'années. L'ensemble est majestueux avec sa façade incurvée et ses cinq corps de bâtiments ordonnés autour d'une cour fermée.

Nicolas Pierson attacha également son nom à la reconstruction de l'abbaye de Jean d'Heurs à partir de 1724, et à l'édification de l'abbaye prémontrée de Sainte-Marie-Majeure à Pont-à-Mousson.

A Metz, après comblement du Ruitz-du-Prêtre et la construction, par Oger, du pont Saint-Marcel sur un bras de la Moselle, un nouveau quartier apparut dans le Petit-Saulcy. La première construction d'importance fut la Comédie (1738-1753). L'ensemble est allégé par un beau péristyle et par la balustrade au rebord du toit. De chaque côté, des pavillons accueillirent, à droite, la Douane et à gauche, les gouverneurs de la généralité. Au-delà de la Douane, l'Hôtel de l'Intendance, d'une grande simplicité de ligne, fut élevé de 1738 à 1742. L'ensemble suscita une meilleure cohésion à la fois dans l'espace bâti et dans la répartition des centres d'affaires.

Dès 1749 Belle-Isle songea à placer au cœur même de l'ancienne cité une place prestigieuse qui, à sa manière, ferait la réputation de la ville. Les premiers projets ne donnèrent pas satisfaction ; il était en effet périlleux de modifier profondément le visage du quartier central. En 1754 un nouveau projet, accepté

Claude Drouas de Boussey, *évêque de Toul de 1754 à 1773.*

Musée lorrain, Nancy. Cliché P. Mignot.

Metz : la Comédie, *édifiée de 1738 à 1753.*

Cliché P. Bodez.

Musée Lorrain, Nancy, Cliché P. Mignot.

▲
Toul : le palais épiscopal.
Façade sur le jardin. Les travaux commencèrent vers 1739-1740.

Cliché R.L.

Verdun : le palais épiscopal *élevé à partir de 1725 sur les plans de Robert de Cotte.*

191

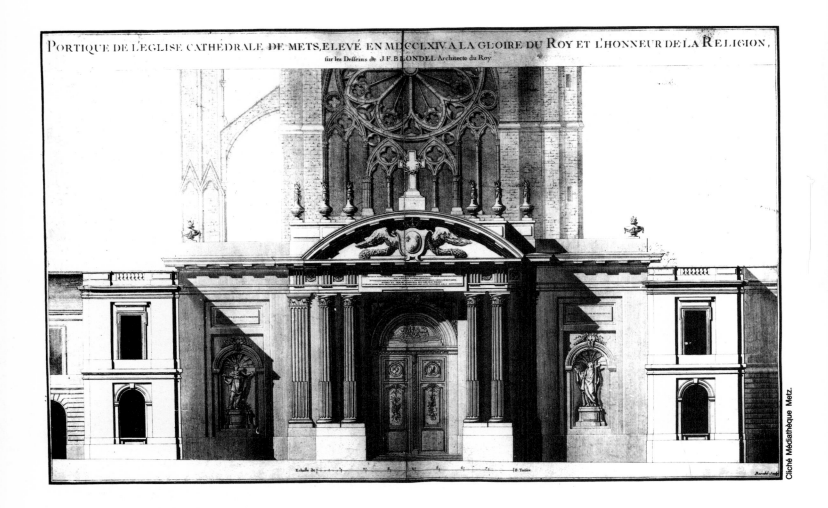

Metz : le portail de la cathédrale : *Jean-François Blondel plaqua un portail néoclassique sur l'édifice gothique. A gauche et à droite, d'imposantes statues représentant la France et la Religion. Le portail fut démoli en 1898 et remplacé en 1903 par un autre de style gothique.*

par le Conseil royal, prévoyait de créer un espace près de la cathédrale à l'emplacement de la vieille place d'Armes qu'il faudrait élargir. C'était, à l'affolement des chanoines, au prix de la démolition du cloître de la cathédrale et d'églises adjacentes. Rien n'y fit et l'on exécuta le projet. Les travaux commencèrent en 1754. Pour aplanir le quartier, le quai Saint-Pierre fut exhaussé d'un mètre, les rues du Haut-Poirier et du Four du Cloître, abaissées de huit à dix mètres.

La mort empêcha Belle-Isle d'assister à la fin des travaux. Son successeur, le maréchal d'Estrées, appela le grand architecte Jean-François Blondel pour achever l'entreprise, surtout l'édifice central, l'Hôtel de ville (1771) et le portail de la cathédrale (1764).

Des églises furent aussi bâties, en réponse à la croissance de la population messine et à l'inertie du XVIIᵉ siècle ; Notre-Dame, rue de la Chèvre (1735-1739), Saint-Simon au Fort Moselle (1737-1740), Saint-Clément, rue du Pontiffroy (achevée en 1737) ; Saint-Glossinde en 1756.

*

Dans le domaine des choses de l'esprit, les vieilles cités épiscopales gardaient mauvaise réputation. L'éveil aux Lumières se fit avec lenteur. La franc-maçonnerie, implantée à Metz depuis 1735, pénétra peu à peu le milieu des parlementaires, mais ne se développa qu'après 1760. C'est aussi à cette date que Belle-Isle fondait la *Société royale des Sciences et des Arts*, qui allait jouer, pendant un quart de siècle, un rôle de levain dans la société messine. Très tôt, dès 1724, un cénacle littéraire, *L'ordre social de l'aimable commerce*, se réunit à Verdun. Une certaine ambition égalitaire l'animait puisque ses cent membres refusaient la discrimination sociale. Les jeunes officiers de la garnison y retrouvaient les fils des nobles et bourgeois de la ville dans des réunions hebdomadaires. Puis après une quinzaine d'années, le groupe sclérosé entama un déclin irréversible. Il avait néanmoins contribué, pendant quelque temps, à animer la vie intellectuelle dans la cité verdunoise.

Louis d'Estrées, *maréchal de France, gouverneur de la généralité de Metz de 1761 à sa mort en 1771.*

10.

DEUX LORRAINES EN FRANCE

Dès le lendemain de la mort de Stanislas, la Chambre des comptes de Lorraine exaltait le souvenir de « ce modèle des rois par ses vertus ; ce père des peuples, par sa bienfaisance sans borne ; ce protecteur de l'humanité, par son cœur compatissant ; ce philosophe chrétien..., par ses exercices de piété ». Elle déclarait « fermer les portes du sanctuaire de la justice » et cesser ses fonctions « jusqu'au temps auquel, remise de son premier accablement, elle aura délibéré de pouvoir les reprendre ». L'interruption fut, en fait, de courte durée. De son côté, la Cour souveraine de Lorraine et Barrois se borna à ordonner des sonneries de cloches, sans suspendre ses activités.

Le passage au régime français

Ce fut par des lettres patentes en forme d'édit que Louis XV prit officiellement possession des duchés à la fin de février 1766 après avoir rappelé le serment de fidélité prêté par les sujets de la Lorraine et du Barrois et « la reversion » que les traités de 1735-1736 lui avaient assurée. Le monarque français maintenait, pour l'instant, les officiers de justice et de finance, ainsi que la Cour souveraine de Lorraine et Barrois dont le statut et les activités étaient similaires à ceux d'un Parlement de France. Ainsi sans heurt, grâce à la longévité de Stanislas qui avait favorisé une profonde assimilation, Lorrains et Barrois devinrent officiellement ce qu'ils étaient déjà depuis trente ans : les sujets du roi de France. L'absence d'incident révèle à quel point — derrière l'écran longtemps brillant de la Cour — la France était devenue maîtresse du pays, mais on parla jusqu'en 1790 des duchés et des Lorrains que l'on continuait à distinguer des habitants des évêchés.

La liquidation du règne de Stanislas

Le chancelier Antoine-Martin Chaumont de La Galaizière quitta Lunéville le 5 mars, et le 9 il remettait à son roi les sceaux des deux duchés. Puis il reprit le chemin de la Lorraine en qualité d'exécuteur testamentaire du roi polonais, conjointement avec l'intendant de la Cour, Alliot. Les deux personnages revenus à Versailles se joignirent au duc de Choiseul, au contrôleur général L'Averdy et au prince de Beauvau pour délibérer en présence de Louis XV au sujet du sort des biens du roi défunt et particulièrement de ses châteaux. La décision finale intervint le 17 mars ; le même jour, Louis XV ordonnait la vente des meubles de Stanislas, à l'exception de ceux de Lunéville.

Furent dispersés aux enchères le mobilier et les objets qui avaient fait la splendeur de la Cour. Ainsi la fontaine d'Arion, œuvre de Barthélemy Guibal, orne aujourd'hui le bassin du parc de Schwetzingen, dans le Palatinat. A Lunéville également

Musée lorrain, Nancy. Cliché P. Mignot.

Antoine Chaumont de La Galaizière (1727-1812), *intendant de Lorraine et Barrois de 1758 à 1777.*

LA GALAIZIÈRE APRÈS STANISLAS

- 14 mai 1766 : conseiller d'Etat au bureau des gabelles, fermes, tailles et autres offices des finances.
- 24 mai 1767 : conseiller d'Etat au bureau des domaines, aides, gabelles et cinq grosses fermes.
- 8 octobre 1767 : conseiller d'Etat au bureau du commerce.
- 14 février 1768 : conseiller d'Etat au bureau des vivres de terre et de marine.

- 13 avril 1771 : conseiller d'honneur en la Grand Chambre du nouveau Parlement.
- 31 décembre 1775 : conseiller d'Etat au Conseil des Finances.
- Juin 1780 : conseiller d'Etat au Conseil du Commerce.

Il mourut à Paris, aveugle, le 3 octobre 1783 à plus de quatre-vingt-six ans.

disparurent sous les pioches de démolisseurs le kiosque de Richard Mique, le Salon de Chanteheux, la Cascade d'Emmanuel Héré, ouvrages charmants, images d'une époque dès lors révolue.

Pour des raisons financières, le contrôleur général L'Averdy inspira au roi de France l'installation de troupes dans les châteaux de Lunéville et de Commercy. Le premier accueillit les Gendarmes rouges ; le second, les dragons d'Autichamp. Cette décision « protégea » le château de Commercy au sort jusque-là incertain. Quant à La Galaizière, sa tâche achevée, il quittait définitivement la Lorraine le 13 mai 1766.

Le rôle des intendants   Ce fut encore un La Galaizière qui eut la responsabilité d'administrer les anciens duchés de Lorraine et Barrois après la mort de Stanislas. Fils d'Antoine-Martin, Antoine de La Galaizière avait parcouru le cursus classique des grands administrateurs du royaume : conseiller au Parlement de Paris en 1746, maître des requêtes en 1748, intendant à Montauban en 1756, il s'y fit remarquer par sa fermeté. En 1758, au moment où son frère devait affronter les auteurs d'une cabale qui tentait de le discréditer, Antoine devenait intendant de Lorraine et Barrois. Il conserva ce poste jusqu'en 1777 et fut intendant d'Alsace de mai 1778 à la Révolution, alors que Jean-Baptiste-François Moulins de La Porte le remplaçait à Nancy.

Dans sa tâche, l'intendant était assisté par des subdélégués qui recevaient les requêtes et transmettaient les ordres du pouvoir aux syndics représentant depuis 1738 les communautés d'habitants. A la veille de la Révolution, la généralité était divisée en trente-sept subdélégations.

Si la disparition de Stanislas avait provoqué l'insertion totale des duchés dans le royaume, elle ne modifiait en rien la répartition des grands ensembles : les généralités restaient installées dans des cadres anciens et incommodes.

A Metz, l'intendant était Charles-Alexandre de Calonne, de 1766 à 1778, et Jean de Pont, de 1778 à 1790. Le premier, qui marqua fortement les dernières années de la royauté française, naquit à Douai en 1734. Après avoir obtenu des offices d'échevin à Douai, d'avocat général au Conseil provincial d'Artois, et de procureur général au Parlement de Flandre, Calonne, maître des requêtes depuis 1764, fut chargé de l'intendance de Metz en 1766. Les premières impressions lui furent très favorables, mais l'affaire du Parlement de Metz allait, quelques années plus tard, tempérer son optimisme initial.

Sans dédaigner son intendance, Calonne séjournait souvent à Paris où son père lui dispensait de bons conseils. Il pouvait ainsi suivre de plus près ses opérations financières, et rechercher une épouse qui favoriserait sa carrière. « Ce n'est pas peu de chose dans une ville comme celle-ci où l'on est très chatouilleux sur les étiquettes et où il faut satisfaire également le militaire, qui est très nombreux, et la robe qui est très exigeante. Une femme me serait d'un grand secours pour m'aider à faire les honneurs ». Ce fut Joséphine-Anne Marquet, dont la mère était fille naturelle du financier Pâris-Duverney. Le mariage eut lieu le 12 avril 1769 mais madame de Calonne mourut à Metz un an plus tard en donnant le jour à un fils.

ÉTAT DES CHÂTEAUX ET MAISONS DE FEU SA MAJESTÉ POLONAISE

Lunéville et dépendances. — S. M. désire quant à présent conserver ce château et veut qu'il soit pourvu à son entretien.

La Malgrange. — S. M. destine ce château dont une partie sera supprimée, pour les commandants, qui seront tenus de fournir à l'entretien de la partie qui sera conservée.

Commercy. — L'intention de S. M. est que ce château ne soit point entretenu.

Jolivet. — S. M. veut que cette maison soit vendue, ou démolie pour en être les matériaux vendus, si c'est le parti le plus avantageux qu'on en puisse tirer.

Einville. — L'intention de S. M. est que le restant des bois qui compose le parc soit coupé et que la maison soit donnée à titre d'accensement, ou qu'elle soit démolie si l'accensement ne peut avoir lieu. Quant aux revenus de ce domaine, ainsi que [de] celui de Jolivet, l'intention de S. M. est qu'ils soient réunis à la Ferme générale.

Chanteheux. — L'intention du roi est qu'il soit vendu ou donné à titre d'accensement, et que si la vente ou l'accensement ne peuvent avoir lieu il soit démoli.

Fait et arrêté à Versailles, le dix-sept mars 1766.

LOUIS.

Pour ampliation :
De L'Averdy.

BOYÉ (P.), *Les châteaux du roi Stanislas en Lorraine*, Paris-Nancy, 1910 (p. 106).

CALONNE ET LES MESSINS

Peu après son arrivée à Metz, Calonne faisait part à son père de ses impressions : « Je suis arrivé en très bonne santé, cher papa, hier à dix heures du soir. J'ai été très bien reçu et je suis fort content du premier coup d'œil. J'ai fait et reçu un grand nombre de visites. Il me semble que ce qu'on m'avait dit de la fermentation qu'il y avait dans une partie du Parlement à mon sujet était exagéré, ou du moins qu'il ne me sera pas très difficile de la calmer. J'ai vu plusieurs de ces messieurs, de ceux mêmes qui passent pour être les plus vifs. J'espère vivre avec tous en bonne intelligence. La ville a des beautés, le pays est charmant, l'hôtel de l'Intendance superbe, les secrétaires habiles et intelligents ; en un mot je n'ai jusqu'à présent qu'à me féliciter ».

Lettre du 3 novembre 1766, citée par JOLLY (P.), *Calonne, 1734-1802*, Paris, 1949 (p. 29).

Parlementaires messins et nancéiens

L'absorption des anciens duchés dans le royaume français avait fait naître, parmi les parlementaires messins, l'espoir d'étendre leur ressort à la totalité de l'ensemble lorrain par la disparition de la Cour souveraine de Nancy. Mais il n'en fut rien, malgré la mission, à Paris, du conseiller Nicolas-Louis Bertrand. Cette déception accrut le mécontentement des grands robins de Metz depuis longtemps bien implantés dans la société locale, maîtres des seigneuries et des propriétés dans le plat pays.

Sensibles à la fermentation provoquée aussi bien par la diffusion des idées nouvelles que par le souci de défendre les privilèges, les parlementaires montrèrent beaucoup de fermeté dans leurs relations avec le pouvoir central : remontrances à propos de la prorogation du deuxième vingtième, opposition à la création de nouveaux brevets dans chaque corps de métier...

Depuis son origine, la Cour souveraine de Lorraine et Barrois était dépourvue de chancellerie, à la différence des autres Cours du royaume. En avril 1770 il fut remédié à cette carence. Les offices étaient vénaux comme ailleurs en France : à la tête, celui du garde des sceaux dont la tâche consistait en effet à conserver sous clef le sceau : « Sceau Royal de la Chancellerie de Nancy » et à faire sceller en sa présence tous les arrêts et jugements. La finance du garde des sceaux et celle de vingt-trois officiers sur trente-huit étaient très élevées : 80 000 livres, alors que les gages étaient fixés à 4 % du montant de la finance. L'intérêt résidait en fait dans les privilèges accordés. Les offices, dont la finance se montait à 80 000 livres, conféraient la noblesse ; les autres obtenaient divers privilèges : évocation de leurs causes devant la Cour souveraine, exemption de tutelle et curatelle... L'institution et sa structure étaient donc conformes au régime français et, comme en beaucoup de domaines dans le royaume, répondaient surtout aux besoins d'argent de l'État (Yvon Kalch).

Les offices ne conférant pas la noblesse trouvèrent des acquéreurs dans la moyenne bourgeoisie du barreau lorrain qui y voyait un précieux moyen d'ascension sociale. Pour les offices donnant accès à la noblesse, les bénéficiaires étaient soit des officiers de judicature et de finance, soit des marchands ou négociants, originaires non de Lorraine —pauvre en candidats de ce niveau— mais du Lyonnais et du Forez.

La population des villes et des campagnes

Minée par les « mortalités » des années quarante, la population lorraine — comme ses voisines — avait repris une progression modérée, entravée par les poussées de la petite vérole et de la suette milliaire vers 1760.

La lente reprise démographique

Par la suite, les maladies épidémiques s'avérèrent moins pugnaces ; et la petite vérole, toujours présente, ne provoqua jamais une hécatombe comparable à celle provoquée par la peste du siècle précédent.

Comme ce fut le cas dans l'ensemble du royaume, le retard de l'âge du mariage était sensible par rapport aux débuts des Temps modernes : en moyenne, dans la deuxième moitié du XVIIIe siècle l'homme se mariait à 27-28 ans et la femme à 25-27 ans. Si l'on tient compte du fait que les espaces intergénésiques (d'une naissance à l'autre) ne se modifièrent pas ou peu, de même que l'âge de la mère à la dernière naissance (environ 40 ans), la famille lorraine tendait à se réduire. Les couples sans rupture précoce comptaient six enfants à la fin de l'Ancien régime. Mais il fallait toujours redouter la mortalité infantile qui restait dans l'ensemble inchangée : un enfant sur quatre mourait avant un an ; et un deuxième avant vingt ans. Malgré l'importance des facteurs défavorables, le solde démographique restait positif en années normales.

Les villes

La population rurale ne bénéficia pas du phénomène en raison des ponctions effectuées au profit des villes ou de l'étranger. A la veille de la Révolution, les villes avaient atteint des chiffres inconnus jusqu'alors : Metz 36 000 habitants ;

Charles-Alexandre de Calonne (1734-1802), intendant de la généralité de Metz de 1766 à 1778. Il fit construire la « tranchée de Calonne », route forestière sur les côtes de Meuse, pour lui permettre d'aller aisément de Verdun à son château d'Hattonchâtel.

Musée lorrain, Nancy. Cliché P. Mignot.

Nancy 30 457 en 1777 ; Verdun et Lunéville environ 10 000 ; Thionville 5 000, Épinal 6 535 en 1789... Cette croissance urbaine, plus ou moins prononcée, provenait pour une large part de l'apport des villageois : la micromobilité fut un facteur, souvent difficile à saisir à travers les textes, mais essentiel pour la compréhension de la société d'Ancien régime. Elle provoqua le développement des faubourgs, comme ce fut le cas à Verdun. Elle exprimait aussi la poussée de paupérisation dans le milieu rural.

Les villes conservaient leur rôle militaire. De nouvelles casernes furent édifiées à Toul en 1784 dans le « Quartier neuf », alors qu'à Verdun en 1769 était remise en état la caserne Saint-Nicolas au prix d'une forte surcharge fiscale. La capacité d'accueil fut de 2 350 hommes en 1771, mais restait inférieure au programme élaboré en 1730. A Nancy dès 1763 s'était posé le problème du logement de la garnison. Richard Mique fut chargé de la réalisation du quartier Sainte-Catherine, composé de trois vastes corps de bâtiment ; conçu pour recevoir 4 000 hommes, il ne fut achevé qu'en 1769. A proximité, la Pépinière royale, dernière création de Stanislas, remodelée par la suite à plusieurs reprises. A Metz, bien pourvue en casernes, l'architecte Charles-Louis Clérisseau conçut les plans d'un nouveau Palais du gouvernement (actuel Palais de justice) : autour d'une cour rectangulaire, s'ordonnaient le bâtiment principal et les deux ailes, reliées entre elles par une construction basse et un porche orné de trophées de grande taille. L'ensemble austère et majestueux, où s'affirmait le retour à l'antique, convenait à la demeure d'un gouverneur dont les tâches militaires l'emportaient sur toutes les autres missions. Cette tendance apparaît aussi dans l'Hôtel de ville de Pont-à-Mousson (1787) et à Nancy dans la porte Saint-Louis, qui devait devenir la porte Désilles (1784).

Cliché Médiathèque, Metz.

Metz : le Palais de justice, *édifice construit de 1777 à 1785 par Charles-Louis Clérisseau pour le gouverneur de la généralité.*

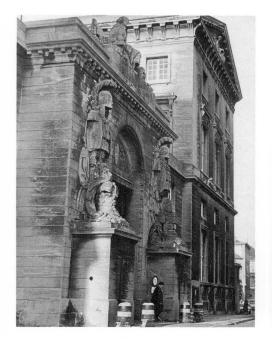

Toul : médaille *frappée à l'occasion de l'inaugura-*
tion des casernes du « Quartier neuf » dans la partie
est de la ville le 1er septembre 1784.

Musée lorrain, Nancy. Cliché P. Mignot.

L'attrait de l'émigration

Après la guerre de Sept ans (1756-1763) le pouvoir impérial mit en place une propagande destinée à développer la colonisation en Europe centrale après les premières vagues de 1718-1737 et 1748-1754. On estime à environ douze mille le nombre des Lorrains séduits par cette perspective entre 1763 et 1774, soit le quart de l'immigration à destination de la Hongrie. La Cour souveraine s'en émut et, dans son arrêt du 1er juin 1769, rappela l'interdiction de sortir du royaume sans autorisation expresse. Ce ne fut pas suffisant : l'émigration se poursuivit « dans certaines contrées de la Lorraine allemande ». Les pays voisins (Luxembourg, états rhénans) agirent de même pour enrayer l'hémorragie. Plus de six mille personnes quittèrent le pays en 1770 malgré la surveillance aux frontières et la rigueur de la répression. « Les points de ralliement des émigrants lorrains étaient, entre autres, Philippsbourg, Kehl et Spire, puis les villes sur le Danube, comme Ulm, Ratisbonne, Donauwörth, où ils se rendaient à pied ou en voiture selon leurs moyens. Là ils étaient embarqués sur des bateaux jusqu'à Vienne où l'on procédait à des contrôles d'identité, puis vers Presbourg, Pest (Budapest) et ensuite ils étaient dirigés sur le Banat » (Charles Hiegel).

Après un recul provoqué par les mesures de l'administration impériale, l'émigration reprit de 1783 à 1787 à destination non seulement du Banat, mais aussi de la Galicie annexée depuis les partages de la Pologne. Sur quarante trois mille émigrants, quatre mille vinrent de Lorraine dont, aux différentes époques, beaucoup de manouvriers et de très petits cultivateurs ayant peu de terres ; la présence des artisans démontre aussi la gravité de la conjoncture de récession qui, affectant aussi l'Alsace, le Luxembourg et les pays rhénans, dépassait largement les limites de la Lorraine.

LES ÉMIGRANTS LORRAINS EN HONGRIE

Les motifs, qui avaient poussé les émigrants à partir, sont exposés d'une manière assez détaillée dans les procès-verbaux d'interrogatoire. Ce sont toujours les mêmes raisons, cherté des denrées, manque d'emploi, mauvaises récoltes, insuffisance des terres à cultiver, endettement. Jean Bour déclara que « vu la cherté des grains et la difficulté de subsister pour les manœuvres audit lieu de Vittersbourg » lui et ses frères avaient pris la résolution d'aller là où ils auraient trouvé à occuper leurs bras et qu'ils ne gagnaient plus « dans leur district de quoi payer le pain qui est très cher ». Il ajouta que son père, scieur de long à Vittersbourg, qui accompagnait d'ailleurs ses fils, mais avait réussi à s'esquiver lors de l'arrestation du convoi, car il marchait à une certaine distance des autres, ne pouvait plus vivre dans son village, « le nombre des gens de toute profession est trop grand à Vittersbourg que dans les environs, qu'on ne trouvait pas à s'employer suffisamment ».

Philippe Benoît donna comme motif qu'il n'y avait pas eu de récoltes à Wentzviller depuis trois ans et en « tout cas que le prix en était excessif, occasionné sans doute par les exportations continuelles ». Il avait cherché en vain à s'occuper comme journalier. Avant de partir il avait vendu sa maison et ses biens, mais à perte, car il était pressé, précisant que l'argent était rare et qu'à crédit il avait vendu mieux. Ce système était couramment utilisé par les émigrants, qui se faisaient avancer de l'argent provenant de la vente de leurs biens par des prêteurs, auxquels étaient remises les promesses des débiteurs. La déposition de sa femme apporte des éléments intéressants sur la structure sociale du milieu rural. Elle déclara, en effet, que « le lieu de Winsviller [Wentzviller] est tellement peuplé que pour un laboureur il y a dix manœuvres, que les laboureurs même peu aisés suffisent aux travaux et n'y emploient que leurs familles, en sorte que ne trouvant à s'occuper et n'ayant d'autre revenu que le travail journalier de leurs bras, ils sont forcés de vendre le peu qu'ils avaient pour chercher de l'ouvrage ailleurs au loin ».

HIEGEL (C.), « Répression de l'émigration lorraine en Hongrie au XVIIIe siècle dans les bailliages de Bitche et de Sarreguemines », *A.S.H.A.L.*, 1970, p. 101-168 (p. 111-112).

La fragilité de l'économie

Malgré l'éclat de certaines productions, qui faisaient encore la renommée des pays lorrains dans le domaine artistique, et le rôle toujours éminent du sel et du fer, l'économie se révélait vulnérable, mal remise du marasme qui l'avait atteinte aux alentours de 1760.

La rénovation et l'individualisme agraire

Dans les campagnes, les paysans continuaient à souffrir de la faiblesse des attelages qui réduisait les fumures et rendait les labours superficiels. Les observateurs de la vie économique en Lorraine soulignaient tous le déclin de la production agricole. Ils en rendaient responsables l'accroissement des charges, fiscales et autres, sur la paysannerie, l'exode vers les villes ou vers l'Europe centrale, et enfin la morosité démographique. Certains y trouvaient matière à argumenter afin d'adopter une démarche résolument physiocratique. En 1764, sur demande du contrôleur général L'Averdy, l'Académie de Metz se prononçait en faveur de l'autorisation d'exporter les grains vers les pays voisins sur rapport de Muzac, président de la Chambre des requêtes au Parlement de Metz et adepte des idées physiocratiques. Nanti de cet appui, L'Averdy n'eut aucune peine à faire enregistrer l'édit en juillet 1764.

Depuis 1766 on dissertait longuement autour du roi et dans les provinces sur l'opportunité de clore les propriétés foncières, mesure essentielle de la réforme physiocratique. Avec la Haute-Normandie et le Béarn, la Lorraine ducale (mars 1767) et la généralité de Metz (mai 1768) entraient dans une phase d'individualisme agraire. Le premier édit tirait argument « d'une espèce de chevaux... totalement abâtardie et dégénérée » pour établir des haras qui ne pouvaient « avoir lieu dans un pays où tous les héritages sont ouverts ». Chacun pouvait à son gré clore « les terres, les prés, les champs et... tous les héritages de quelque nature qu'ils soient ». L'édit de mai 1768 voulait « mettre de justes bornes aux droits de parcours ou de vaine pâture ». Si parlementaires, académiciens et riches laboureurs tiraient satisfaction de cette mesure, il n'en était pas de même de la majorité de la paysannerie. La Cour souveraine prit conscience du danger en faisant des remontrances « à l'égard des manœuvres et des laboureurs qui n'ont aucun héritage en propriété ».

Le deuxième volet de la réforme d'inspiration physiocratique autorisait le partage des communaux. Dans les Trois Evêchés l'édit de juin 1769 l'envisageait sous certaines conditions. L'association de ces deux mesures provoquait l'éclatement des structures et des usages anciens au détriment des plus démunis, alors que les seigneurs, bénéficiant de la clause du *triage*, obtenaient en toute propriété une partie (en général un tiers) des biens communaux. La mesure ne put être promulguée dans le reste de la Lorraine en raison de l'opposition de la Cour souveraine.

Certains secteurs de la vie agricole manifestaient dans les deux dernières décennies de l'Ancien régime des signes d'une grave décadence. La pénurie de bois était, partout, source de mécontentement général : les salines, les forges et les verreries en étaient rendues responsables. La saline de Dieuze avec ses trente-sept poêles exigeait chaque année 21 000 cordes de bois (70 770 stères) et 1 500 000 fagots. Celle de Rosières consommait 53 000 stères au milieu du XVIIIᵉ siècle. Tous ressentaient, comme la noblesse lunévilloise, la nécessité d'une réforme profonde des maîtrises forestières. Et en 1787, l'Académie de Metz mettait au concours la question essentielle : « Quels seraient les moyens de multiplier les plantations de bois sans nuire à la production des subsistances ? »

Autre sujet d'inquiétude : la crise de la viticulture lorraine, particulièrement dans le pays messin. Les vins devenus médiocres répondaient aux besoins des nombreuses garnisons. De plus les Hollandais se livraient à des pratiques frelatées et contribuaient au discrédit des produits. Par ailleurs les parlementaires, qui investissaient volontiers dans le vignoble, furent contraints d'y renoncer en raison de l'exil qui leur fut imposé en 1771. Un auteur anonyme dénonçait le « discrédit dans lesquels notre vin est tombé » et parlait de la « ruine du pays » (cité par Jocelyne Barthel) : les vins de Champagne et de Bourgogne s'implantaient dans les débouchés traditionnels des produits lorrains : Luxembourg, pays de Trêves.

Cliché P. Bodez.

Le raccommodeur de faïence, *statuette en faïence de Niderviller, vers 1770.*
Céramiques lorraines, *op. cit.*

A travers les écrits de la fraction « éclairée » de la société apparaissait, comme ailleurs dans le royaume, le souci de promouvoir une agriculture rénovée et rationnelle. Suivant l'exemple néerlandais et anglais, on lança des expériences : suppression de la jachère, promotion des fourrages artificiels, du trèfle, de la luzerne, introduction du mûrier à Magny. Ce fut aussi dans la même perspective que l'intendant Chaumont de La Galaizière fit effectuer un remembrement de type moderne à Roville-devant-Bayon et à Neuviller-sur-Moselle en 1770-1771, qui aboutissait à faire disparaître l'antique assolement triennal au bénéfice « d'une nouvelle structure agraire... originale par la géométrie rigoureuse des quartiers insérés dans un réseau de chemins tirés au cordeau » (Jean Peltre). Avec Nonsard en 1763, ces réalisations révolutionnaires furent les seules menées à leur terme avant 1789.

Atouts et faiblesses de l'industrie

Sur le plan industriel, les années soixante virent, malgré les obstacles d'une conjoncture incertaine et fragile, l'éclosion de nouveaux centres dont les débuts furent souvent modestes. L'évêque de Metz Louis-Joseph de Montmorency-Laval obtint en 1764-1765 l'autorisation royale d'établir une verrerie à Baccarat, gros bourg bien installé sur la Meurthe : elle allait devenir cristallerie en 1816. Plus discrète fut la fondation en 1765 de la verrerie de Vannes-le-Châtel par Marie-Anne de Mazirot. Sur un lieu déjà utilisé au XVIe siècle au pays de Bitche, la « verrerie royale de Saint-Louis » commença à produire à partir de 1767 ; en 1781 les verriers de Saint-Louis retrouvèrent les secrets de fabrication du « cristal anglais » (flint glass) et s'ouvrirent de nouveaux marchés.

Au cours de la même période, de nouvelles forges entraient en activité : à Bains-les-Bains avec une importante production de fer blanc, à Cirey-sur-Vezouze, à Sturtzelbronn, alors qu'en 1769 le chevalier de Jars effectuait la première coulée de fonte au coke dans les forges de Wendel à Hayange. Les manufactures de faïence et de porcelaine, sensibles aux fluctuations du marché international, se trouvaient dans une situation délicate : Champigneulles avait disparu vers 1754, mais Cyfflé ouvrait sa manufacture à Lunéville en 1765 alors que le comte de Custine rachetait en 1778 la faïencerie de Niderviller. En 1785 Lazowski signalait que seule cette dernière produisait de la porcelaine et qu'elle fournissait une bonne partie, avec Saint-Clément, Moyen et Toul, de la production « de trente fours... qui font annuellement 1 600 fournées de cinquante douzaines de pièces marchandes chacune ».

LES DÉBUTS DE LA VERRERIE DE BACCARAT

« Le roi Louis XV donna son approbation au projet par lettres patentes du 16 février 1765. Mais il fallait maintenant un technicien et un capitaliste. L'évêque trouva le premier en la personne d'Antoine Renaut, fils du directeur de la verrerie de Saint-Quirin, et le second en celle d'un riche personnage de Corny, près Metz, Léopold. Pour mieux s'attacher Renaut, Montmorency-Laval lui vendit le tiers de l'usine ; quant à Léopold, il lui céda, mais seulement pour la jouissance, un second tiers. Les chefs ainsi trouvés, on put se mettre au travail. Dans une usine, qui selon un rapport sous-préfectoral de la Révolution, était « une des mieux construites et des plus vastes de toute l'Eu-

rope », des ouvriers venus de la région de Saint-Quirin et des apprentis recrutés à Baccarat et dans les villages environnants commencèrent à souffler des verres à vitre, des verres en table, c'est-à-dire des glaces et des gobelets, qui peu à peu se répandirent non seulement à travers toute la France, mais encore en Amérique, en Espagne et sur les côtes d'Afrique.

Il faut noter toutefois que les trois associés ne concoururent pas tous à ce développement déjà remarquable et qui se continua, avec quelques difficultés, après le traité de commerce de 1786 entre la France et l'Angleterre : en 1772 mourait Léopold. Les tuteurs de la fille qu'il laissait, ne voulant plus

continuer à faire partie de l'entreprise, demandèrent remboursement des mises de Léopold, ce qui mit le prélat de Metz en fâcheuse posture : pour s'acquitter, il fut obligé de vendre ses deux autres tiers à Renaut. La verrerie était ainsi devenue propriété d'un seul. Par traités fixes avec Montmorency-Laval, il continua d'avoir priorité pour son alimentation en combustible et livra des produits soit unis, soit taillés par des tours que l'on manœuvrait au pied. »

RENAUT (F.), « La manufacture de Baccarat. Evolution historique, 1764-1914 », *Arabesques*, 1947, n° 2, p. 9-14 (p. 10).

D'autres spécialistes connaissaient de beaux succès, comme à Mirecourt les quatre-vingts luthiers et les femmes de quatre-vingt-dix-huit villages voisins fabriquant une dentelle de renom international.

Il restait la faiblesse permanente de l'industrie textile, victime de la routine et des taxes douanières. Quelques tentatives échouèrent ou végétèrent comme les ateliers de coton ou de mousseline. A la fin de l'Ancien régime, plus du tiers des importations était consacré aux produits textiles.

Cliché P. Bodez.

Surtout de table en terre, bois et métal *(haut de 65 cm) avec mécanisme hydraulique, vraisemblablement œuvre réalisée à Lunéville, par Paul-Louis Cyfflé, à la demande du banquier Villiez, pour sa fille.*

La remise en cause du statut douanier

Les problèmes de l'agriculture et de l'industrie lorraines restaient liés au statut douanier. Périodiquement se reposait depuis 1761 la question du « reculement des barrières », qui aurait aboli, pour les généralités de Metz et de Nancy, leur condition de « provinces à l'instar de l'Etranger effectif » au grand dam des marchands faisant trafic avec les états voisins. Calonne, intendant depuis 1766, et les académiciens, propriétaires de vignes et soucieux d'écouler leur production, se trouvèrent unis pour s'opposer à cette réforme douanière ; ils estimaient qu'il valait mieux changer les mentalités que les règles de circulation des denrées.

Coll. G. Cabourdin.

Almanach de Lorraine et Barrois (1785), *Service des diligences et carrosses de Nancy.*

Le commerce d'entrepôt, dont la prospérité ne se démentit pas, pourrait expliquer, à lui seul, l'attachement au système douanier en place. En effet le commerce resta jusqu'en 1789 dominé par les denrées coloniales importées et réexportées, en particulier à Nancy, où Villiez importait en 1770 vingt-deux tonnes de sucre et douze de cafés. « Nancy redistribuait les cafés achetés à Orléans, Reims ou Rouen, car la Lorraine demeurait exempte des taxes imposées à ses voisines en 1767... La valeur des achats du sucre passe de 230 000 livres tournois en 1737 à près d'un million en 1786 pour la seule Lorraine... A leur échelle les *provinces étrangères* sont un des théâtres de la *bataille du sucre* qui oppose France et Angleterre » (Yves Le Moigne). Dans ce domaine aussi Metz et Nancy étaient en âpre rivalité.

Jean-François Villiez (1699-1789), *marchand-banquier, premier juge-consul de Nancy. Sur cette peinture de Girardet, il reçoit les envoyés de l'empereur Joseph II venus contracter un emprunt.*

La crise prémonitoire

En 1770-1771, une crise à la fois économique et institutionnelle affecta l'ensemble du royaume et plus particulièrement les provinces de l'est. Depuis douze ans avait été appelé à succéder à Bernis aux Affaires étrangères, Etienne-François de Stainville, devenu duc de Choiseul en 1758 ; il fut le maître de la diplomatie et de l'armée de la France. Conciliateur, dilettante, opportuniste, il ne sut pas contenir les ambitions de la Robe, hostile à l'esprit nouveau. L'affaire de Bretagne (1763-1770) marqua l'apogée d'une crise constitutionnelle où les parlementaires provinciaux et parisiens s'opposèrent à l'administration royale.

La pénurie

En Lorraine l'affrontement se fit sur le fond d'une crise de subsistances d'allure classique : il intervint dans un climat monétaire quelque peu perturbé par la prolifération de mauvaises monnaies étrangères de bas billon et des « mitrailles de cuivre », puis celles de haut billon, appelées « massons » qu'il fallut décrier les unes et les autres entre 1760 et 1768.

Or après la médiocre récolte de 1769 intervint la catastrophe frumentaire de 1770. Les prix montèrent à Nancy d'octobre 1769 à août 1770, puis, après un palier, de novembre 1770 à juin 1771 : à cette dernière date le pain blanc valait cinq sols la livre, alors qu'en temps normal il valait entre deux et trois sols. Pour la première fois depuis longtemps, on fit du pain de seigle que l'on taxa le 31 juillet 1772 à deux sols la livre.

LA TAXE DU PAIN BLANC A NANCY. 1769-1772

4 octobre 1769	3 sols	17 novembre 1770	4 sols 1 denier 1/2
3 mars 1770	3 sols 1 denier 1/2	27 mars 1771	4 — 4
19 mai 1770	3 — 3	12 juin 1771	5 —
15 juin 1770	3 — 4 1/2	21 août 1771	3 — 6
5 juillet 1770	3 — 6	31 août 1771	3 — 3
11 juillet 1770	3 — 7 1/2	7 septembre 1771	2 — 9
21 juillet 1770	3 — 10 1/2	28 décembre 1771	2 — 7 1/2
4 août 1770	4 — 1 1/2	11 avril 1772	2 — 4 1/2
18 août 1770	3 — 10 1/2	29 mai 1772	2 — 3
14 novembre 1770	4 — 1	23 septembre 1772	2 — 6

Arch. mun. Nancy, HH 11.

Avec un léger décalage chronologique selon les lieux, la crise fut omniprésente. Certaines villes, après l'alerte de 1768, subirent un sérieux choc. La pénurie était patente : à Mirecourt, au marché du 7 juillet 1770, quinze litres seulement (puisque l'on comptait en volume) étaient à vendre. Le jour même on interdit de cuire du pain blanc et des pâtisseries. Le procureur du roi ordonna une recherche des grains qui révéla la gravité de la pénurie, au moment même où les paysans des alentours venaient se réfugier en ville avec l'espoir de bénéficier d'une distribution de nourritures. Mais les petites villes restaient défavorisées alors que Metz surtout et Nancy parvenaient à éviter la sortie des grains et à constituer au cours de l'hiver 1770-1771 quelques stocks achetés à Amsterdam, Francfort, Trèves et Cologne.

Partout la mortalité connut des hausses, surtout sensibles lorsqu'étaient signalées — sans autre précision — des maladies épidémiques. Metz fut fortement touchée dans l'été 1771.

La crise frumentaire cristallisa le mécontentement provoqué par la réforme agraire de 1767-1769 et par l'arrivée au pouvoir de Maupeou. En mai 1771

LA MAUVAISE MONNAIE 1768

« ...Quoique par différents arrêts de la Cour... l'introduction des monnaies étrangères du bas billon et des mitrailles de cuivre, qui n'ont ni le poids ni la forme et le métal des liards ordinaires, ait été prohibée, et les contrevenans punis ; cette espèce de fraude fait tous les jours des progrès plus considérables dans toutes les parties de la Lorraine ; les Juifs principalement font ce commerce en allant chercher, ou peut-être en fabriquant eux-mêmes ces mitrailles de cuivre, dont cinq ou six feroient au plus le poids d'un liard de France ou de Lorraine ; et cependant au moyen de douze dites mitrailles, ils ont le secret de tirer une pièce de deux sols de la plupart des personnes à qui ils s'adressent, qui les faisant passer pour trois deniers sur le marché et ailleurs, y gagnent un sol.

Que le jour d'hier, les nommés Hirtz Abraham et Rées Wolffin homme et femme Juifs, se disant du village de Grand-Zimmeren, se présentèrent pour entrer en cette ville de Nancy, et furent arrêtés par les Gardes de la Ferme, qui les ayant visités, leur trouvèrent environ cinquante livres pesant de ces mitrailles imperceptibles de cuivre... ».

Arrêt de la Chambre des comptes de Lorraine, 15 avril 1768.

---

deux journées d'émeute troublèrent la vie nancéienne : les boulangeries et le magasin à blé furent pillés. Sur les routes, des convois suspectés de transporter du blé subirent les attaques des paysans. L'intendant La Galaizière fut accusé d'accaparer les subsistances ; la maréchaussée intervint pour mettre un terme au siège de son château de Neuviller-sur-Moselle. L'agitation gagna Bar-le-Duc, Raon l'Etape, Rambervillers et Metz le mois suivant. La situation ne redevint normale qu'en 1772, mais la crise avait durement frappé la population.

On peut en juger d'après les doléances du Conseil de Ville de Mirecourt même s'il forçait le trait : « Aucune ville de la province n'a été plus accablée que celle de Mirecourt de la disette des grains pendant les années 1770 et 1771, qu'aucune n'a éprouvé, comme elle, l'horrible effet de cette disette, ce qui occasionne la perte totale d'une infinité de fortunes médiocres ; que les pauvres s'étaient vu forcés de prendre, comme aliments, les choses les plus malsaines, que, en un mot, une grande quantité de bourgeois s'étaient vu forcés, pour conserver leur vie et celles de leurs malheureuses familles, d'absorber tout ce qu'ils avaient, et que plus de deux cents chefs de familles avaient succombé après la misère la plus affreuse ; que plus de deux cents enfants furent abandonnés à la charité de la ville. Le commerce était arrêté, parce que les étrangers n'osaient plus entrer à Mirecourt ; les dentelles qui faisaient vivre le peuple diminuèrent des trois quarts ; les commerçants, qui avaient pu échapper à la mort, furent forcés de poser leur bilan, ce qui ne s'était jamais vu à Mirecourt ; la maîtrise des Eaux-et-Forêts, qui existait en cette ville et qui était d'une grande ressource pour les aubergistes et taverniers, avait été transférée à Darney... »

L'agitation parlementaire

Alors que la crise de subsistances avait perturbé les activités économiques, la vie politique fut profondément affectée par le conflit opposant les parlementaires messins et le pouvoir central.

Dans l'affaire de Bretagne, conflit politique où, à propos d'enregistrement d'édits fiscaux, s'affrontaient depuis 1763 La Chalotais, procureur général du Parlement de Rennes, et le duc d'Aiguillon, commandant militaire, la plupart des Parlements soutinrent celui de Rennes, déclarant que tous ne formaient qu'un seul corps. Le 14 août 1770 l'assemblée messine rendait un arrêt inculpant l'intendant Calonne, qui avait reçu mission d'exécuter les mesures prises à l'encontre des parlementaires bretons. Sur ordre du roi, le maréchal d'Armentières, commandant en chef dans les Trois Evêchés, cassa cet arrêt. Dans les mois qui suivirent, la tension resta forte, alors que Choiseul était destitué le 24 décembre 1770 et remplacé par Maupeou. Avec l'appui des deux autres membres du Triumvirat, Terray et d'Aiguillon, celui-ci brisa « l'unité » revendiquée par les Parlements et amorça en février 1771 une grande réforme judiciaire : six conseils supérieurs à la place du Parlement de Paris ; disparition de la vénalité des offices ; gratuité de la justice. C'était s'attaquer au pouvoir de la Robe.

La réforme fut étendue aux Parlements provinciaux qui avaient manifesté leur solidarité avec celui de Paris. Le 21 octobre 1771, Calonne et Armentières firent enregistrer d'autorité par le Parlement de Metz sa propre disparition et la réunion de son ressort à celui de la Cour souveraine de Nancy.

Peu après, la royauté rétablissait la vénalité des offices municipaux. Pour conserver son influence au sein du Bureau de ville, le gouverneur De Broglie et Armentières imaginèrent, grâce à l'action du maître-échevin Nicolas Bertrand et du premier échevin Pierre Maujean, de constituer avec les hommes en place une société qui rachèterait les offices. L'opération fut, dans l'ensemble, menée à son terme malgré les Trois Ordres et l'influent avocat Pierre-Louis Rœderer, qui ne ménagèrent pas leur peine pour obtenir la restauration du Parlement.

Une des premières mesures de Louis XVI fut de rétablir les Parlements. En exécution des lettres patentes du 26 septembre 1775 les parlementaires messins retrouvèrent leur charge à la grande joie des habitants dont les activités avaient fortement pâti de leur absence. La réinstallation eut lieu en grande pompe le 5 octobre 1775, en présence du maréchal De Broglie et de Calonne.

Défaillance des subsistances, mécontentement généralisé, émeutes de la faim, hostilité de la Robe, autant de données qui ressurgirent avec force à la veille de 1789.

Nicolas de Montholon, *Conseiller au Parlement de Paris en 1761, premier président du Parlement de Metz en 1764, premier président du Parlement de Rouen en 1774.*

Musée lorrain, Nancy. Cliché P. Mignot.

Cliché Médiathèque, Metz.

Lorry : château *construit en 1743 par le seigneur du lieu, Laurent de Chazelles, receveur des finances de la généralité de Metz. Son fils, Laurent, président à mortier au Parlement, aménagea des jardins vers 1753. Il y donna en 1775 une fête mémorable pour le rétablissement du Parlement.*

La religion et la pensée

Dans le cadre de l'Eglise catholique deux problèmes prédominaient : la situation des jésuites dans les anciens duchés et la réorganisation des diocèses lorrains qu'au début du siècle déjà Léopold avait envisagée, mais en vain.

Les jésuites

Vers le milieu du XVIIIᵉ siècle les jésuites furent attaqués de toutes parts : on leur reprochait leur richesse, les effets théâtraux des missions dont ils étaient les efficaces organisateurs, leur piété trop extériorisée, leur influence politique, leur soumission à la volonté pontificale. Parlementaires, gallicans et jansénistes unirent leurs voix pour réclamer la dissolution de la Société de Jésus. Choiseul laissa le Parlement de Paris condamner en 1762 son organisation et sa doctrine, et les autres Parlements faire de même ; puis un édit de novembre 1764 prononça sa suppression sur l'ensemble du royaume. Mais Stanislas, profondément attaché aux jésuites, refusa avec beaucoup de fermeté de se plier à la volonté du gouvernement français : pour un temps les duchés furent pour eux une terre d'asile.

L'absorption de ces territoires par la France ne leur laissait aucun espoir malgré la protection de la reine Marie Leszczynska. Ce fut après la mort de celle-ci, survenue le 24 juin 1768, qu'un édit supprima en juillet la Société. La

Cliché G. Cabourdin.

Moyenmoutier : église abbatiale *achevée en 1776. La vallée du Rabodeau accueillit à Moyenmoutier et à Senones d'importantes abbayes qui devinrent de grands foyers intellectuels.*

Barthélemy Louis Martin de Chaumont de La Galaizière (1737-1808), *fils du chancelier et premier évêque de Saint-Dié de 1777 à 1802.*

Cour souveraine de Lorraine et Barrois réunie sous la présidence de Michel-Joseph De Cœurderoy, ordonnait le 8 avril aux jésuites « d'évacuer au premier septembre prochain les collèges, maisons, séminaires, missions et autres habitations par eux occupés sous son ressort ».

Cette mesure concernait notamment l'université de Pont-à-Mousson. Le 24 juillet 1768 la « procession du recteur » se déroula selon les anciennes règles avec la participation des 381 étudiants du collège des Arts, de la Théologie, du Droit et de la Médecine. Le roi nomma recteur le doyen de la faculté de Droit, Pierre-Antoine Dumat, avec mission de veiller au transfert et à l'installation de l'université à Nancy où, depuis 1752, avait été créé un collège royal de Médecine. Le vieux collège resta à Pont-à-Mousson. On logea les facultés dans le noviciat des jésuites près de la porte Saint-Nicolas et dans les locaux du collège de Médecine, place Royale. En 1778 Droit et Médecine prirent possession du bâtiment édifié à leur intention (aujourd'hui Bibliothèque municipale) ; on transporta au premier étage les belles boiseries de la bibliothèque mussipontaine. Ainsi le combat mené contre les jésuites aboutit à doter Nancy, capitale administrative de la généralité, du rôle universitaire qui lui avait tant fait défaut jusque-là. Toutefois trois cents étudiants seulement fréquentèrent la nouvelle université, soit une diminution de 20 %.

La réorganisation du diocèse de Toul

Nancy devint aussi chef-lieu d'évêché, satisfaisant une vieille ambition. La vaste étendue du diocèse de Toul pouvait justifier un démembrement « rendu nécessaire au bien de la religion et de l'ordre public ». Vers le sud-est les grandes abbayes vosgiennes exerçaient une « juridiction quasi-épiscopale » ; et le grand prévôt de Saint-Dié aspirait à devenir évêque. L'affaire demanda quelques années, après les vaines tentatives du début du siècle.

Elle fut suivie avec attention par le fils de l'ancien chancelier La Galaizière, Barthélemy (1737-1808) destiné depuis son plus jeune âge à l'état ecclésiastique : à sept ans, Stanislas lui avait laissé la riche abbaye bénédictine de Saint-Mihiel. En 1768 il était devenu grand prévôt de Saint-Dié à la mort de son oncle Dieudonné Chaumont, abbé de Mareil. Louis XV le désigna en février 1774 pour occuper le siège épiscopal de Saint-Dié dont l'érection paraissait imminente.

Certificat de citoyenneté *accordé par la municipalité de Bruyères au premier évêque de Saint-Dié, le 1ᵉʳ août 1778.*

Par brevet du 12 mars 1775 le souverain décida la création des évêchés de Nancy et de Saint-Dié. Le pape Pie VI confirma, et le 17 août 1776 était conclu un « traité préalable » fixant les limites des trois diocèses de Toul, Saint-Dié et Nancy. Le document était signé par Etienne Des Michels de Champorcin, évêque de Toul, Louis de Sabran et Barthélemy de Chaumont de La Galaizière, nommés l'un et l'autre à la tête des futurs évêchés de Nancy et de Saint-Dié. L'affaire ne fut réglée qu'en 1777, avec l'institution d'un évêché à Saint-Dié par la bulle pontificale du 21 juillet et la nomination au nouveau siège de Barthé-lemy de Chaumont de La Galaizière. Derrière l'ancien hôtel du grand prévôt, le premier évêque de Saint-Dié fit construire une belle résidence dont la cour était fermée par un hémicycle néoclassique dû à l'architecte Jean-Michel Carbonnar.

La nomination de Louis de Sabran, primat de Lorraine à l'évêché de Laon, retarda la création du diocèse de Nancy. Le 19 novembre 1777 Pie VI expédiait la bulle selon laquelle était fixée la circonscription territoriale du nouveau diocèse ; à sa tête était nommé Louis-Apollinaire de La Tour du Pin. Nancy devenait ainsi chef-lieu de diocèse et obtenait dans le même temps un comman-dement militaire autonome, acquérant ainsi une dimension jusqu'alors inconnue.

Musée lorrain, Nancy. Cliché P. Mignot.

Louis-Apollinaire de La Tour du Pin Montau-ban, *premier évêque de Nancy de 1777 à 1783.*

Ludovicus Ioseph de Monmorency Laval, Gallus Episcopus Metensis S.R.E. Presbyter Cardinalis creatus a SS.D.N.PIO PP. VI. in Consistorio secreto Palatii Vaticani Feria II. 30. Martii 1789.

C. Antoini sculp.

Louis-Joseph de Montmorency-Laval, *évêque de Metz de 1761 à 1802.*

La fermentation des idées

Les écrivains — particulièrement les philosophes — du XVIIIe siècle eurent le souci d'insister sur le rôle de l'éducation. Or en Lorraine si l'université resta discrète et si l'on ressentit les fâcheuses conséquences de la disparition des collèges jésuites, des efforts sérieux furent entrepris pour développer l'enseignement, notamment en milieu rural. Dans le diocèse de Toul, les sœurs de la Doctrine Chrétienne, que l'on appelait les *vatelottes,* continuaient l'œuvre entreprise par les curés Varnelot, Gueldé et Vatelot (mort en 1748) pour l'éducation des jeunes villageoises. Dans le diocèse de Metz, selon le vœu du prêtre messin Jean-Martin Moyë, des *pauvres sœurs* appelées plus tard *sœurs de la Providence* ouvrirent leurs premières écoles en 1762 à Saint-Hubert et à Befey. Certaines tentatives, moins connues, furent effectuées par des religieuses d'autres ordres. De plus, les maîtres d'école, dont la nomination était depuis 1750 ratifiée par les intendants, accomplissaient un important travail. Ainsi, à la veille de la Révolution, la Lorraine comptait, dans le cadre national, la plus grande proportion d'alphabétisés sachant au moins signer lisiblement leurs actes de mariage, soit près de neuf hommes sur dix et de trois femmes sur quatre.

Certes tous n'étaient pas en mesure de se procurer et de lire les ouvrages des imprimeurs lorrains, dont le nombre avait été, en 1768, fixé à neuf dans la généralité de Nancy (quatre à Nancy, un à Bar, Pont-à-Mousson, Epinal, Neufchâteau et Saint-Dié) et à quatre dans les Trois Evêchés (dont deux à Metz).

Affiches des Evêchés et de Lorraine.

Cet hebdomadaire messin est paru de 1779 à 1790 ; il prit la suite des « Affiches, annonces et avis divers pour la Lorraine et les Trois Evêchés » (1773-1778). A remarquer dans ce numéro en date du 29 août 1782 l'annonce de la vente aux enchères de la seigneurie de Chevalain, située à l'est de Metz ; et le goût pour les sciences naturelles avec la mention d'une collection d'animaux embaumés et d'un « cabinet d'Histoire naturelle ».

169

AFFICHES DES ÉVÊCHÉS ET LORRAINE.

Cogimur ipsius (N°. 22.) *commoditate frui.* Ovid.

DU JEUDI 29 AOUST 1782.

ANNONCES.

A vendre.

MArdi prochain, deux heures de relevée, il sera procédé pardevant Me. *Grosset,* Notaire à Metz, à l'adjudication définitive de la Terre & Seigneurie de Chevalain, sur la route de Metz à Saint-Avold, distante de 5 lieues de la première de ces Villes, & consistante en Maison seigneuriale & de Fermier ; jardins, haute, moyenne & basse justice, gruerie, droit de pêche, chasse, amendes, épaves, confiscations ; 600 arpens, tant terres arables, prés, pâquis, chenevieres, jardins, que bois, sur la mise à 68000 liv.

Belle & grande Maison, avec remise & écurie, située à Pont-à-Mousson, rue Saint-Laurent.

Un Clos de 4 jours & demi de vignes, au ban de Maidieres, duquel dépend une petite Maison propre pour le logement d'un Vigneron ; avec une autre piece de vignes de 2 jours & demi, située à la côte de Rieupe, ban de Pont-à-Mousson.

Une piece de pré contenant 4 fauchées, entourée de murs & de haies vives, au ban de Maidieres, connue sous le nom du clos de St. Jean ; ce terrein est très-propre, par la beauté de sa situation, à la construction d'une Maison de campagne très-agréable.

Un pressoir à 4 cuves.

Une Collection d'oiseaux & de quadrupedes des Indes & d'oiseaux du pays, embaumés, du nombre d'environ 60 pieces. S'a-

dresser, pour ces 4 articles, à Me. *Lelorrain,* Avocat à Pont-à-Mousson.

Samedi prochain, dix heures du matin, il sera, au Village de Semécourt, en la Maison du Maire, procédé, en détail, à l'adjudication définitive, d'une Maison située audit lieu, jardin, vignes, prés, & du 14e. dans un pressoir, dit le Gros Pressoir. S'adresser au sieur *Morhain* le jeune, Huissier, demeurant près de la Fontaine Saint-Jacques, à Metz.

Un riche Cabinet d'Histoire naturelle, en gros ou en détail. S'adresser à Me. *Willemet,* rue & vis-à-vis des Dominicains, N°. 104, à Nancy. Ce Cabinet renferme un grand nombre de coquillages rares & précieux, des coraux branchus de toute beauté, des madrepores ramifiés, des coralines, des panaches de mer, des plantes marines, des astéroïdes, des poissons de mer, quelques fossiles singuliers, enfin une grande quantité de morceaux de choix. Il faut affranchir les Lettres.

Un petit Pressoir, à Pouilly, à bon compte. S'adresser à *Nicolas le Jaille,* Vigneron audit lieu.

Chez le sieur *Jacquin,* Concierge de l'Hôtel-de-Ville de Metz, deux voitures de vuidanges, dans une grande partie desquelles il n'y a eu qu'un vin ; & 40 bouteilles de kirchenvasser de 38 ans.

A vendre ou à louer.

La Maison de campagne dite St. Martin-Fontaine, située à une demi-lieue de Pont-à-Mousson, près du Village de Jézainville, & sur un grand chemin ; sa situation est une des plus agréables qui soient aux environs

Mais partout on discerne les progrès d'une culture diffusée par l'écrit. Les inventaires après décès constituent, avec la description des bibliothèques particulières, de précieuses sources de renseignements pour toutes les catégories de la société. Autre signe : l'ouverture de cabinets de lecture tel celui que le libraire Nicolas Gerlache tint à Metz en Fournirue, et où, moyennant trente sols par mois, on pouvait s'abonner à la lecture de vingt-sept journaux ou gazettes.

Dans l'ensemble du royaume on assista, dans les trois dernières décennies du régime, à l'apparition et la diffusion d'une presse périodique qui tentait de satisfaire les besoins d'une clientèle éclairée. Après quelques tentatives vite avortées, le 30 septembre 1769 parut à Metz le premier numéro des *Affiches des Trois Evêchés* qui devinrent l'année suivante les *Affiches, annonces et avis divers pour les Trois Evêchés et la Lorraine*. Leur audience pâtit en 1778 de la concurrence d'un autre hebdomadaire imprimé à Nancy. Cette presse d'information tenait les lecteurs au courant de l'activité théâtrale et musicale, du cours des marchés, des annonces diverses, des communiqués de la Conservation des hypothèques ; de temps à autre étaient publiées des pièces littéraires trop souvent médiocres.

Le rôle des académies, lieux de rencontre culturelle, a déjà été évoqué. Il fut très important à Metz où l'on eut très tôt le souci du bien public et celui de l'amélioration des activités économiques. A Nancy où le parti dévôt était très influent, l'essentiel restait la pratique des belles-lettres et la recherche historique.

Le développement de la franc-maçonnerie s'inscrit directement dans le mouvement des Lumières, dont elle diffusait les messages. Les deux premières loges lorraines furent créées à Metz en 1735 et à Lunéville en 1737. Malgré certaines présomptions, parfois converties un peu rapidement en certitudes, on ne sait si

LA FRANC-MAÇONNERIE EN LORRAINE

Les loges civiles au XVIIIe siècle

Chevallier (P.), « **Les milieux maçonniques en Lorraine** », *La Lorraine dans l'Europe des Lumières*, Nancy, 1968, p. 77-94 (p. 82).

LES ÉMEUTES DE 1779

« Il y a eu en Lorraine dans le courant de mai des émeutes assez vives pour le blé à Nancy, Dieuze et à Lunéville. Les bailliages ont été assez fermes : ils ont instruit et jugé sévèrement dans les vingt-quatre heures. Le Parlement n'a fait que confirmer les sentences. Pour moi, je n'en ai pas parlé au ministère et compte ne pas m'en mêler, à moins qu'on ne me provoque. J'ai éprouvé trop d'ingratitude de la part du public et d'indifférence de la part du gouvernement en 1771 pour me donner les mêmes soins. C'est ainsi que l'usage du monde et des ministres gâte... J'ai vu M. Necker le mercredi 2 juin. Je lui ai parlé des émeutes de Lorraine. Il m'a paru fort approuver la promptitude et la sévérité des jugements rendus contre les auteurs de ces émeutes, mais il désapprouve fort le parti, qu'il m'a appris, que M. l'intendant avoit pris de rendre une ordonnance pour empêcher l'exportation... »

Journal de Michel-Joseph de Cœurderoy, premier président de la Cour souveraine de Lorraine et Barrois (1767-1790), f. 135.
Arch. dép. M.-et-M.

Stanislas fut initié ; mais il n'y fut pas hostile et organisa à la Cour le 12 février 1739 une fête maçonnique de rite jacobite, marqué par la mystique chrétienne. D'ailleurs les religieux de Saint-Vanne furent plus ou moins revêtus de grades écossais ; et Pierre Chevallier, historien de la franc-maçonnerie, se demande s'ils y virent « une perfection du christianisme ». Mais le nouveau courant de pensée s'essouffla dans la deuxième partie du règne de Stanislas probablement à cause de la résistance du catholicisme traditionnel, fidèle à l'esprit du concile de Trente, et à l'influence du père De Menoux.

A Metz la maçonnerie trouva l'appui de nombreux parlementaires, souvent venus d'ailleurs. Véhiculant les idées nouvelles, les loges se multiplièrent de 1760 à 1790 non seulement à Metz qui resta le foyer principal, mais aussi dans une vingtaine de villes. La majorité des frères se reconnaissaient dans le courant qualifié de mystique et chrétien, et non dans la tendance rationnelle.

Une société malade

La crise de 1770-1771 avait marqué les esprits. Elle relançait la querelle sur l'agronomie et sur la question douanière dans le nord-est du royaume. Elle avait introduit dans les esprits la méfiance envers les accapareurs suspectés d'avoir partie liée avec des notables. L'ardeur physiocratique déclinait ; les municipalités s'étaient endettées, alors qu'un édit de 1771 avait rétabli la tutelle ferme des intendants et la vénalité des charges urbaines.

Un mauvais climat économique

Dans les dernières années de l'Ancien régime, les différents secteurs de l'économie lorraine présentaient des faiblesses graves à l'instar de la plupart des provinces françaises.

La succession de récoltes médiocres provoqua un mécontentement généralisé ; on soupçonnait les manœuvres frauduleuses des marchands ; les Juifs étaient accusés de faire sortir les grains de Lorraine. En mai 1779, des émeutes éclatèrent à Dieuze. A Lunéville, les 14 et 15, des voitures de céréales furent interceptées ; on s'attaqua à la prison du bailliage. Le 17, dans le faubourg Saint-Pierre de Nancy, des femmes empêchèrent un convoi de blé de quitter la ville. La justice bailliagère intervint rapidement et fermement. Les émeutiers nancéiens et lunévillois furent, deux jours plus tard, condamnés à subir les peines du carcan et du fouet.

Après quelques bonnes années qui facilitèrent le financement de la guerre d'Amérique, de nouvelles défaillances des subsistances provoquèrent des flambées de prix céréaliers en 1784 et 1785. De nouveau on ressentit les mêmes effets. Devant la pénurie les paysans affamés mangèrent des produits avariés ; la dysenterie s'installa en ville comme à la campagne avec son cortège de morts. Des épizooties frappèrent aussi chevaux et bovins : à partir de 1779 la morve, maladie très contagieuse, commença à réduire le troupeau des chevaux, en déclin sérieux depuis déjà plusieurs décennies et, par là, à affecter les capacités de mise en valeur des cultures lorraines.

Dans le domaine industriel, des mesures contradictoires débouchèrent sur la réforme des corporations intervenue en 1780-1781, qui permit une remise en ordre limitée. Seuls quelques secteurs du textile messin en tirèrent profit alors que d'autres souffraient, comme à Verdun, de la relative faiblesse des effectifs militaires. Autre menace permanente : la pénurie de bois qui angoissa les contemporains et menaçait de s'aggraver.

Metz chercha à ranimer son économie défaillante. Les foires y contribuèrent : celle de mai dont la durée fut portée à deux semaines à partir de 1782, et celle de Saint-Louis ouverte en août-septembre 1784. Des marchands étrangers y vinrent et le marché s'anima. D'une autre ampleur fut le projet d'amélioration de la navigation sur la Moselle dont Calonne se fit l'apôtre, et qui remettait au premier plan la querelle d'influence entre Metz et Nancy. Calonne dénonçait sans retenue « l'injuste et décourageante disparité qui se trouve établie, on ne sait pourquoi, entre la condition de la Lorraine et celle des Trois Evêchés... disparité qui est tellement à l'avantage des Lorrains et au désavantage des

Messins, qu'il est impossible à ceux-ci de soutenir la concurrence et de partager le gain qu'ils voient faire à leurs voisins, éternel objet de leur jalousie ». Pour Calonne la régénération de l'économie messine passait par celle du commerce d'entrepôt, domaine dans lequel Nancy était fortement installé. Il espérait faire de Metz le centre d'un grand commerce international. Dans l'hiver 1771-1772, avec l'aide de l'ingénieur Le Brun, il tint de nombreuses réunions préparatoires, particulièrement sur la mise en condition du tronçon mosellan de Metz à Coblence. On parvint à convaincre le Luxembourg et l'électeur de Trèves. Mais en refusant de faire les travaux qui auraient étendu la véritable navigation jusqu'à Nancy, Metz espérait devenir un relais avec transbordement des denrées de la voie routière à la voie fluviale. Elle n'y parvint pas en raison du rappel de Calonne, de l'opposition de Strasbourg et de la conjoncture politique internationale. Nancy garda le contrôle de l'active route sarroise : Nancy, Château-Salins, Saint-Avold, Sarrelouis. Cette conception messine de la géographie des échanges et de leur avenir privilégiait l'axe méridien au détriment du commerce est-ouest. Pierre-Louis Rœderer, conseiller au Parlement et conseiller échevin de Metz, le déclarait nettement : « Metz ne doit pas prétendre redevenir un entrepôt entre l'Allemagne et l'Italie, mais devenir un entrepôt entre l'Allemagne et la France » (cité par Yves Le Moigne). Une telle orientation impliquait la modifica-

Cliché Claude Henrard.

La synagogue de Lunéville.
L'autorisation royale de son édification fut donnée en 1784 grâce à l'action d'Abraham Brisac. L'architecte fut Augustin-Charles Piroux. Le bâtiment fut inauguré le 15 septembre 1786. Lunéville comptait alors une trentaine de familles, soit 150 à 200 personnes environ (Françoise JOB).

tion du statut douanier dans l'espace lorrain, mais Rœderer prenait soin de ne pas remettre ouvertement en cause cette question si controversée. D'ailleurs les Commissions extraordinaires réunies en 1787 s'accordaient sur ce point. « Le reculement des barrières n'a jamais été envisagé qu'avec effroi par toutes les classes des habitants : ils ont considéré que le tarif est un impôt, une surcharge d'un million » affirmait-on dans les Trois Evêchés, alors que dans la Lorraine et le Barrois on estimait le projet « comme désastreux..., contraire à leurs privilèges, nuisible à leur agriculture, destructif de leur commerce et en particulier de celui d'entrepôt ».

Les contrastes sociaux

Malgré les apparences, la société lorraine subit des modifications réelles. En milieu urbain — particulièrement à Nancy — le nombre élevé des domestiques traduisait à la fois l'aisance des uns et l'étroitesse des débouchés professionnels chez les autres. Un dénombrement de Nancy indique en 1769 la présence de 1 292 hommes et 1912 femmes, les uns et les autres domestiques, soit la proportion de 11,5 % par rapport à la population totale.

Les ouvriers des manufactures devaient subir de difficiles conditions de vie ; dans les métiers, les règles corporatives réduisaient les possibilités d'accès à la maîtrise. Ainsi se constituait un véritable prolétariat à « vocation révolutionnaire », face à l'influente noblesse de robe et au nombreux clergé séculier et régulier.

Formulaire pour l'examen des femmes voulant entrer en religion dans le diocèse de Saint-Dié.

Musée lorrain, Nancy. Cliché P. Mignot.

Le clergé était traversé par des mouvements de pensée susceptibles de nuire fortement à son homogénéité. Les clercs attachés au service des paroisses bénéficiaient dans l'ensemble d'une situation matérielle confortable et d'un bon niveau culturel. A la veille de la Révolution, les idées, qu'Edmond Richer avaient exprimées dès 1611, furent reprises par le bas-clergé dans l'esprit des Lumières : l'Eglise y apparaissait comme une société égalitaire tendant à la démocratie cléricale. « Se développe une fièvre idéologique ... qui revêt en Lorraine une ampleur et un tour systématique inconnus ailleurs. Il s'agit en effet non d'une simple rivalité de classes, mais d'un conflit d'idées à l'expression doctrinaire » (René Taveneaux). La pensée de l'abbé Grégoire fut particulièrement marquée par ce mouvement néorichériste.

Les dernières années de l'Ancien régime furent, dans les campagnes, marquées par une importante évolution sociale. Le nombre des propriétaires et des laboureurs diminua fortement en raison du coût d'un attelage complet (jusqu'à huit chevaux pour le travail des terres fortes) et de l'accroissement des charges fiscales. Dans le territoire qui allait devenir le département de la Meurthe, les propriétaires de biens ruraux n'étaient que 20 % (de 7 % à 44 % selon les bailliages) ; les propriétés comportaient un à trois hectares en région moyenne, et très souvent quelques ares selon les calculs de Maurice Lacoste. Ainsi se présentait la situation à la veille de la Révolution : moins de propriétaires, moins de laboureurs, moins de terres à cultiver, moins de chevaux donc de fumures. Les conditions des baux des fermiers devenaient plus dures. « Souvent les propriétaires cèdent en gros leurs baux à des usuriers ou négociants, sortes de fermiers généraux qui ont naturellement... à tirer le maximum de ces fermages » (J.-A. Lesourd).

Le remède à cette situation, aggravée par le morcellement de la propriété et la division parcellaire, pouvait être le remplacement de la jachère dans l'assolement par les prairies artificielles. Or le petit paysan vivait de la vaine pâture ; sa disparition le ruinerait. Les édits sur les défrichements, sur la division des communaux déjà réduits par usurpation ou aliénation, et sur la clôture des terres avaient abouti à des échecs, et parallèlement des seigneurs s'efforçaient de maintenir intacts leurs droits anciens, provoquant la résurgence d'une forte tension avec la communauté d'habitants. Pour la plupart ils ne résidaient pas dans leurs châteaux et laissaient à leurs fermiers le soin de faire valoir leurs biens. Et lorsqu'ils voulaient s'en défaire, ils passaient des annonces dans les *Affiches, annonces et avis divers*. La seigneurie était entrée pleinement dans le jeu du libéralisme économique.

Les maux de la société

La conjoncture économique et la différenciation sociale qu'elle suscitait à l'intérieur du cadre institutionnel et juridique, étaient concrétisées par l'aggravation du paupérisme et de ses diverses formes d'expression. Le phénomène — on l'a vu — a poussé à certains moments des individus, parfois des familles entières à s'expatrier : plusieurs milliers d'émigrants cherchèrent sinon la fortune, tout au moins de meilleures conditions de vie en gagnant l'Europe centrale après 1779.

Pour les autres, anciens ou nouveaux pauvres, il s'agissait de subsister au jour le jour, quittant leur lieu d'origine pour vagabonder et mendier « d'huys en huys ». A la fin de l'Ancien régime le problème de la mendicité n'échappait pas à des gouvernants comme Turgot et Necker pour lesquels il s'agissait d'une des principales tâches de l'Etat. A Nancy un dépôt de mendicité fut créé en 1769, mais ce n'était encore qu'un organisme de répression, mi-hôpital et mi-prison. Les conditions de vie étaient telles que Turgot créa une commission spécialisée, puis il envoya une circulaire annonçant la fermeture des dépôts, à l'exception de quelques-uns dont celui de Nancy transformé en maison de réclusion. De nouveaux établissements furent créés : les bureaux de charité qui répartissaient les secours entre les pauvres de la paroisse concernée dont on déterminait la liste ; et les ateliers de charité (Bar, Bitche, Gerbéviller, Mirecourt, Morhange, Neufchâteau...) où les pensionnaires étaient assistés en échange de leur travail. A Nancy ils furent employés aux travaux de terrassement dans la Pépinière royale. Mais l'œuvre de Turgot fut éphémère. Le 15 juillet 1775 l'intendant La Galaizière décidait la fermeture des ateliers arguant de la baisse du prix des grains. La répression des mendiants, qui avait fléchi sous Turgot, reprit avec la réouverture des dépôts. Plus tard, en 1778, on créa au dépôt de Nancy un atelier textile pour occuper les détenus.

La « chasse aux pauvres » n'apportait pas de réelle solution à ce grave problème social, malgré le zèle de la maréchaussée et des *garde-pauvres* qui arrêtèrent à Nancy 1 306 personnes de 1769 à 1773. Partout les femmes étaient plus nombreuses que les hommes, en raison de l'importance des prostituées arrêtées par l'autorité militaire qui craignait la propagation des maladies vénériennes.

La pauvreté favorisait la délinquance et la criminalité. Dans la deuxième partie du XVIIIᵉ siècle, il était significatif que dans le bailliage de Nancy, les vols, de

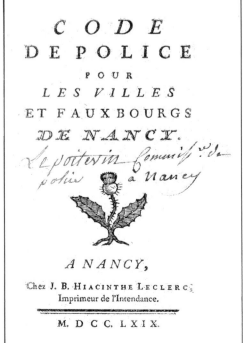

Coll. G. Cabourdin.

34 % des délits entre 1720 et 1738, passèrent à 69 % entre 1771 et 1789. De plus l'identité entre la courbe des prix céréaliers et la criminalité était presque parfaite jusqu'en 1777 ; il semble que par la suite pauvreté et criminalité étaient devenues endémiques, presque banales.

Le rejet du jeune enfant a été, de tout temps, un signe de misère plus que d'égoïsme. Le phénomène s'accrut considérablement en France au cours du XVIIIe siècle : à Metz où les enfants abandonnés furent recueillis à l'hôpital Saint-Nicolas depuis 1705, on en dénombre en moyenne 117 de 1705 à 1724 ; après 1785, 360 à 390 selon les années. A Verdun comme dans les villes non dotées d'établissements spécialisés, les enfants étaient, après un séjour dans un hôpital, envoyés à Paris dans la Maison des enfants trouvés, littéralement submergée par la masse des arrivées. A Nancy où la charge revenait depuis 1699 à l'hôpital Saint-Julien un hôpital fut établi en 1774 et accueillit en moyenne 397 enfants par an. Il est vrai que l'institution était régulatrice réduisant la clandestinité, mais aussi incitatrice. Parmi les causes repérables de l'abandon, on entrevoit la

L'ACCUEIL A PARIS DES ENFANTS TROUVÉS DE VERDUN

« ...Il n'y a pas de difficulté à envoyer de votre hôpital ou d'ailleurs des enfans soit mâle ou femelle orphelins ou batards même ayant père et mère pourvu qu'ils ne soyent pas plus âgés de dix à onze ans depuis les nouveaux nés, il convient que ces enfans soient marqués par un numéro ou par un ruban avec une notte sur le baptistaire de la marque qui aura été mise à l'enfant pour que les commissionaires ne se trompent pas et qu'un enfant n'aye pas le baptistaire de l'autre... »

(Paris, le 6 janvier 1772).

« ...Si vous envoyez bientôt des enfans il faudroit n'en envoyer que huit à dix à la fois car hier nous en avons reçu plus de soixante dix à la fois. Vous pouvez dire à Mgr l'évêque de Verdun que les enfans envoyés aux enfans trouvés de cette ville sont remis à différens particuliers ouvriers qui en leurs apprenant des métiers gagnent la maîtrise à Paris. D'autres, notamment les légitimes, deviennent prêtres ou gens de pratique suivant leurs dispositions. D'autres deviennent domestiques ou soldats ».

(Paris, 17 mars 1772).
Arch. mun. Verdun, 1G 24

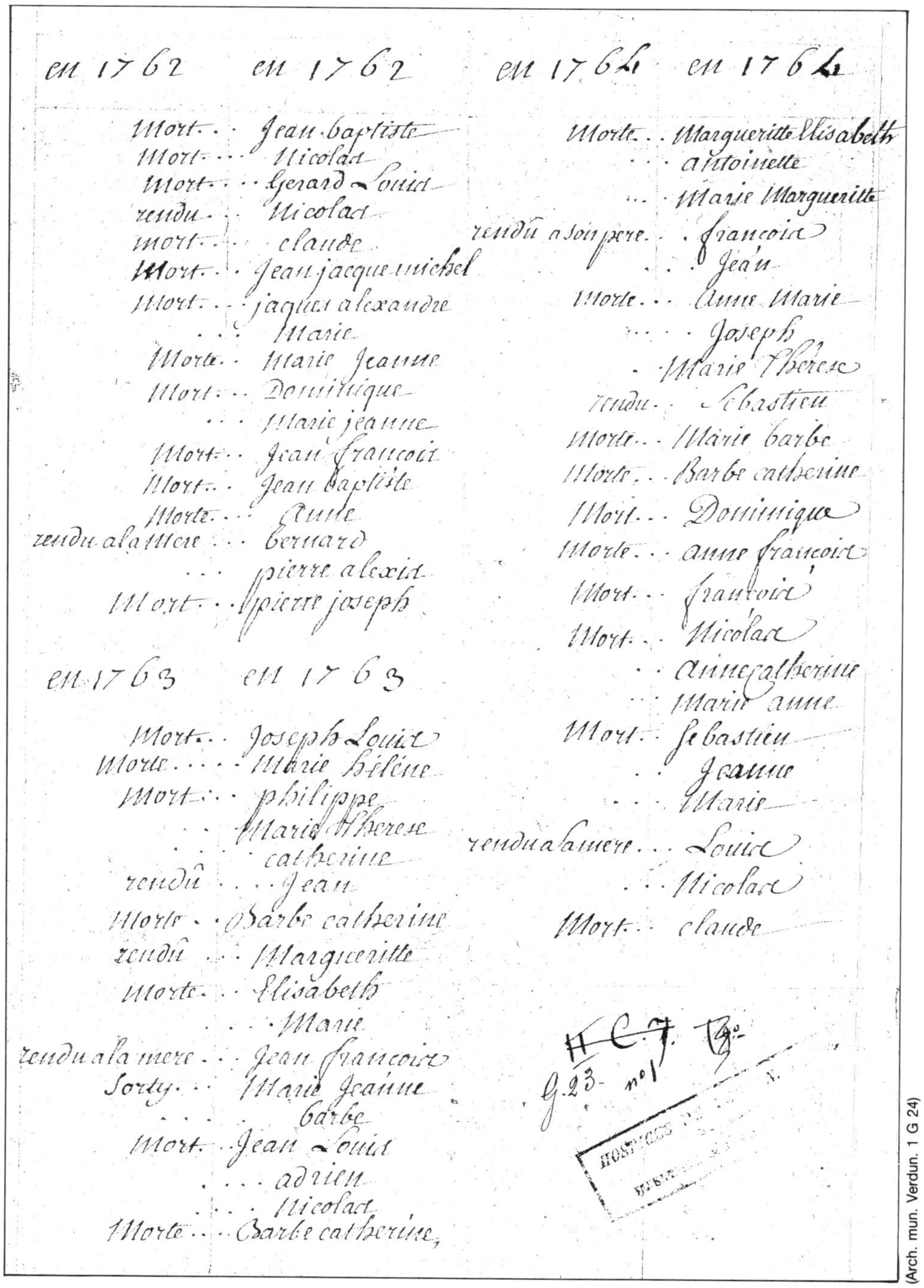

Etat des enfants trouvés à Verdun, *avec l'indication des noms de baptême et celle des morts et des survivants.* Arch. mun. Verdun. G 23, 1

(Arch. mun. Verdun. 1 G 24)

213

situation familiale, la malformation d'un nouveau-né, l'illégitimité qui se développa partout au XVIIIᵉ siècle et devint encore davantage un phénomène urbain en raison de l'importance des soldats et des domestiques. La misère ou la simple gêne étaient la cause de nombreux abandons, moins au cours des crises brèves que dans les difficultés du long terme. En général, les contemporains évitaient d'insister sur cet aspect : il aurait fallu remettre en cause l'ordre social. L'avenir des enfants abandonnés était tragique : placés chez des nourrices, cupides et de mauvaise volonté, la plupart mouraient très vite.

*

Tous ces aspects révélaient la dureté des temps et les fissures d'une société où s'affrontaient les nantis, ceux qui aspiraient à le devenir et ceux à qui aucun espoir n'était réservé. On parlait de régénération du royaume alors que beaucoup ne songeaient qu'à défendre leurs privilèges, grands ou petits. Les dernières réformes de l'Ancien régime ne le sauvèrent pas : remaniement du pouvoir central par Loménie de Brienne, création des assemblées hiérarchisées en 1787 (de l'Assemblée provinciale à l'assemblée de paroisse)... Un autre âge commençait.

Cliché Rep. Lor.

L'escalier rond de l'abbaye des Prémontrés à Pont-à-Mousson.

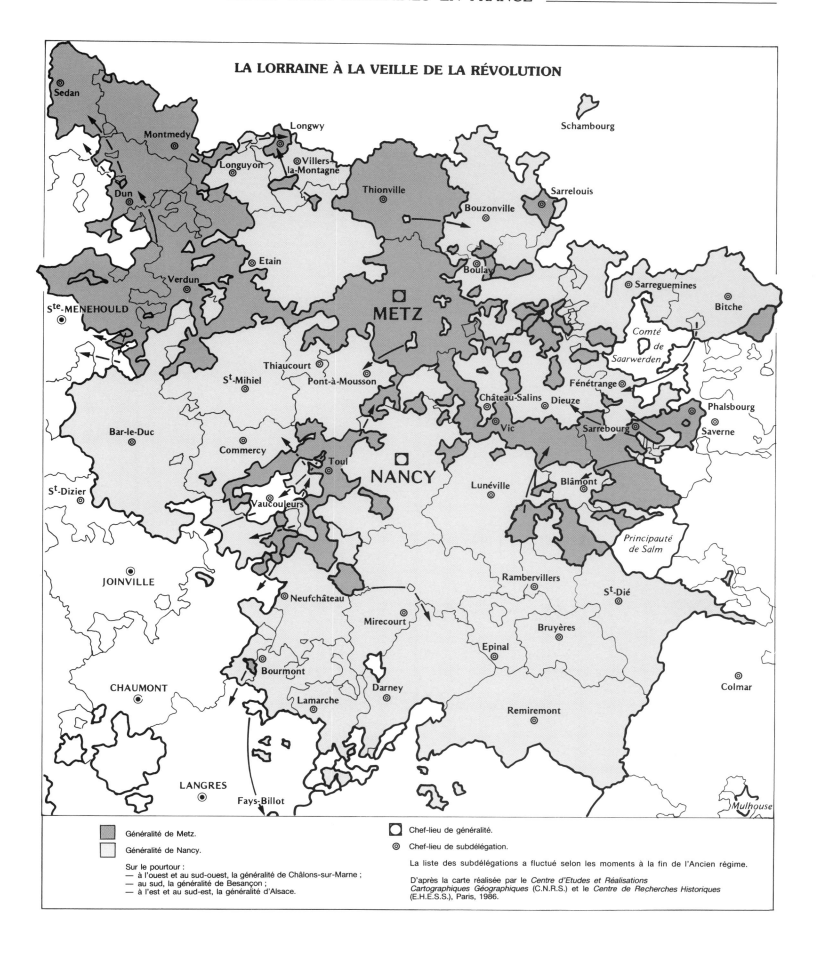

LA LORRAINE À LA VEILLE DE LA RÉVOLUTION

Sedan

Montmedy

Longwy

Longuyon

Villers-la-Montagné

Thionville

Schambourg

Bouzonville

Sarrelouis

Etain

Verdun

Sarreguemines

Boulay

METZ

Bitche

Ste-MENEHOULD

Comté de Saarwerden

Thiaucourt

St-Mihiel

Pont-à-Mousson

Château-Salins

Fénétrange

Dieuze

Phalsbourg

Bar-le-Duc

Commercy

Toul

Vic

Sarrebourg

Saverne

NANCY

St-Dizier

Vaucouleurs

Lunéville

Blâmont

Principauté de Salm

JOINVILLE

Rambervillers

St-Dié

Neufchâteau

Mirecourt

Bruyères

Epinal

Colmar

Bourmont

CHAUMONT

Darney

Remiremont

Lamarche

LANGRES

Fays-Billot

Mulhouse

Généralité de Metz.

Généralité de Nancy.

Sur le pourtour :
— à l'ouest et au sud-ouest, la généralité de Châlons-sur-Marne ;
— au sud, la généralité de Besançon ;
— à l'est et au sud-est, la généralité d'Alsace.

Chef-lieu de généralité.

Chef-lieu de subdélégation.

La liste des subdélégations a fluctué selon les moments à la fin de l'Ancien régime.

D'après la carte réalisée par le *Centre d'Etudes et Réalisations Cartographiques Géographiques* (C.N.R.S.) et le *Centre de Recherches Historiques* (E.H.E.S.S.), Paris, 1986.

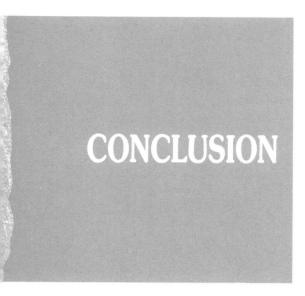

CONCLUSION

La signature, en 1648, de la paix de Westphalie mettait, en principe, fin à la guerre de Trente ans commencée en 1618. La France était installée au cœur de l'espace lorrain, à Metz, Toul et Verdun et les grandes puissances l'avaient admis officiellement. Mais le problème des duchés, lié à celui de l'Espagne, n'était pas réglé et Charles IV, leur souverain nominal, tenta de mener son propre jeu dans le chaos des relations internationales. On le vit intervenir dans les affaires intérieures françaises, retrouver la complicité du clan lorrain en soutenant les ambitions des Guise, mener ses troupes jusqu'à Paris et faire trembler, un moment, la royauté. Son action, qui ne fut pas négligeable, manqua de cohérence et de perspicacité diplomatique. Ses manœuvres inquiétèrent ses alliés de la veille et l'encombrant duc dut subir, de la part des Espagnols, une incarcération injurieuse de 1654 à 1660.

Le traité de Vincennes, signé le 28 février 1661, constitue une date de toute première importance dans l'histoire de la Lorraine. Il mettait un terme à la première occupation du pays entamée en 1633. Charles IV confirmait la cession de Sierck, Moyenvic, Clermont, Stenay et Jametz. Mais l'essentiel était la création d'une « trouée » au bénéfice des Français en plein cœur du territoire lorrain : la *Route de France*, dite aussi *Chemin d'Allemagne,* permettait aux régiments et aux marchands du royaume d'aller sans difficulté de la Champagne à l'Alsace, de Verdun à Phalsbourg. Dorénavant Louis XIV avait un accès direct et commode à la vallée du Rhin. Cette disposition condamnait les duchés à dépendre, en permanence, de leur grand voisin occidental. A chaque épisode inquiétant, les armées françaises pouvaient intervenir.

La Restauration de Charles IV fut éphémère, alors qu'il aurait fallu du temps et de la sérénité pour restaurer l'autorité ducale, repeupler le pays, réorganiser les activités économiques. Le maladroit traité de Montmartre provoqua le mécontentement général. Les rapports entre royaume et duchés se détériorèrent peu à peu et aboutirent à la deuxième occupation en 1670, à la veille de l'attaque de la Hollande.

Charles IV participa à des opérations militaires jusqu'à sa mort en 1675, après un règne tourmenté qui avait duré un demi-siècle. La postérité le jugea avec grande sévérité. Il fut, avant tout, un homme de guerre et, plus précisément, un « entrepreneur de guerre ». Brave et versatile, il inquiéta la France ; n'alla-t-il pas jusqu'à Paris menacer la royauté ? Même aux pires heures de sa détention, il resta le duc de Lorraine et de Bar, représentant la légitimité et la continuité. Il fut conduit par l'idée, si fortement défendue par ses prédécesseurs, que la Maison de Lorraine était dotée d'une mission de défense du catholicisme, dans la ligne des enseignements du concile de Trente. Restant toute sa vie sous l'emprise de ses amours et de son goût pour les intrigues politiques, il manqua de constance.

A partir de 1670 la France contrôlait la totalité de l'espace lorrain. La fin du siècle fut marquée par les guerres de Hollande (1672-1678) et de la Ligue d'Augsbourg (1688-1697) avec leurs exigences stratégiques, diplomatiques et fiscales. L'indispensable militarisation de la Lorraine fut conçue, de façon rationnelle, dans le plan Louvois-Vauban mis au point en 1679-1680 ; il s'appuyait sur Phalsbourg, Longwy et Sarrelouis, pièces maîtresses du dispositif. Parallèlement la Chambre de réunion prononçait l'annexion de nombreux territoires.

La progression de la France vers l'Est, au XVIIᵉ siècle, contraignit les princes de la Maison de Lorraine à se rapprocher des Habsbourg et à vivre dans leur sillage. On assista à une certaine « germanisation » des ducs lorrains, refoulés de leur pays. Nicolas-François et son épouse, Claude, dernière fille de Henri II, séjournèrent à Vienne de 1637 à 1654. Leur fils Charles V, qui y naquit en 1643, passa son existence à se battre pour l'Empire et sauva sa capitale de la menace turque ; de plus il épousa la fille de l'empereur Ferdinand III. Leurs enfants Léopold, Charles-Joseph, Joseph et François reçurent une éducation « allemande ». Le fils de Léopold, François, fut envoyé à Prague et à Vienne pour parfaire son éducation. Le point d'aboutissement de cette évolution, qui donnait une coloration germanique à la Maison de Lorraine, fut le mariage de François avec l'héritière du trône impérial : un duc lorrain allait devenir empereur romain germanique. Il n'est pas étonnant de constater qu'ayant vécu longtemps loin du pays de leurs ancêtres, Léopold et François ne manifestèrent aucune réticence à l'idée d'échanger leur Lorraine avec un autre territoire plus « rémunérateur » : le Milanais pour le premier, la Toscane pour le second. Ils laissaient ainsi entrevoir les limites de leur attachement à leur passé et à leur peuple.

Le mirage milanais évanoui, Léopold apporta tous ses soins au gouvernement et à la restauration de l'économie. Le mariage avec la nièce de Louis XIV lui apporta le contrepoids nécessaire à l'influence impériale. En fait l'indépendance retrouvée était placée sous surveillance française : ainsi les duchés durent subir, en 1702, une troisième occupation.

Malgré des difficultés financières et d'excessives prodigalités, le règne de Léopold fut, dans l'ensemble, réparateur. Le duc sut lui redonner un réel éclat par l'installation d'une Cour conforme aux règles de la monarchie louis-quatorzième.

Les années qui suivirent la mort de Léopold furent marquées par une intense activité diplomatique où se mêlaient les ambitions des grandes puissances, les soucis de remodelage des territoires, les échanges et les compensations, les perspectives matrimoniales d'un roi de France et de l'héritière de l'Empire. Il en sortit, pour la Lorraine ducale, la certitude de son destin français, une fois achevé un inattendu intermède.

En 1737, une fois écartés les illusions et les faux-semblants, la France était partout en Lorraine. La veuve de Léopold dut quitter Lunéville pour Commercy : au mépris de l'opportunisme des nantis et de l'apathie du plus grand nombre, d'aucuns voulurent y voir le symbole d'un indéfectible attachement à l'ancienne dynastie.

Les pays lorrains furent, selon des modalités spécifiques, aux mains de trois personnes : le duc de Belle-Isle avec ses pleins pouvoirs militaires joints à son autorité propre sur la généralité de Metz ; le chancelier Antoine-Martin Chaumont de La Galaizière qui s'acquitta à merveille de la tâche d'introduire dans les duchés le système français, donc de préparer l'annexion officielle ; et Stanislas, roi déchu de Pologne mais beau-père de Louis XV, qui s'accommoda d'une compétence restreinte. Pendant trois décennies il sut tenir son rang, embellir le pays, attirer écrivains et artistes, philosopher de belle manière et faire œuvre bienfaisante. Il eut la meilleure part dans l'affection de ses récents sujets, alors que le poids de l'omniprésence française s'alourdissait avec les vingtièmes et les corvées.

Depuis le début du XVIIIᵉ siècle la tâche dominatrice de défense du royaume confiée aux Trois Évêchés modela leurs visages et leurs activités. La politique internationale n'était plus de leur ressort direct, mais ses répercussions se faisaient sentir souvent avec force. Metz, auquel Belle-Isle donna un nouvel aspect, accéda dans le cadre des Lumières à une autre Renaissance : elle resta la ville la plus peuplée.

De la mort de Stanislas, en 1766, à la Révolution, la Lorraine devint, sans heurt, totalement française tout en restant partagée, au sein même du royaume, en deux généralités, prolongement de la séculaire dichotomie. A la fin de l'Ancien régime, elles furent traversées par les mêmes courants de pensée et, bientôt, de contestation.

ORIENTATION BIBLIOGRAPHIQUE

Se reporter au tome précédent pour les ouvrages généraux concernant la période 1508-1788.

ACHEREINER (J.-P.), *Restauration paroissiale dans le diocèse de Metz durant l'épiscopat de Georges d'Aubusson de la Feuillade (1669-1697)*, M.M., univ. Metz, 1974, dactyl.

ANTOINE (M.), « La victoire de Charles V devant Vienne en 1683 et les destinées de la Lorraine et de l'Europe », *P.L.*, 1983, p. 133-146.

ANTOINE (M.), « Les Magny, danseurs du roi de France et du duc de Lorraine », *A.E.*, 1959, p. 3-22.

ANTOINE (M.), « L'Opéra de Nancy », *P.L.*, 1965, p. 1-23.

ANTOINE (M.), « Le fonds du Conseil d'Etat et de la Chancellerie de Lorraine aux Archives Nationales », *A.E.*, 1953, p. 3-50.

ANTOINE (A.), « Aperçu sur l'administration des finances de l'Ancien régime, spécialement dans la généralité de Metz et d'Alsace », *M.S.P.V.*, 1931, p. 161-238.

ANTOINE (M.), « Le fonds du Conseil d'Etat et de la Chancellerie lorraine aux Archives Nationales », *A.E.*, 1953, p. 3-50, 123-153, 261-281.

APTEL (C.), *Société et propriété à Nancy en 1767*, M.M., univ. Nancy II, 1980, reprogr.

BAILLY (J.), *Le logement des gens de guerre à Epinal sous le règne de Stanislas-Leszczynski, 1737-1766*, M.M., univ. Nancy II, 1981.

BALTZER (G.), « Sarrelouis », *Bulletin de la Société des Amis des Pays de la Sarre*, Sarrebruck, 1931, p. 153-241.

BARTHEL (J.), *Vignerons, vigne et vin en pays messin*, Metz, 1990.

BAUMONT (H.), *Etudes sur le règne de Léopold, duc de Lorraine et de Bar (1697-1729)*, Paris-Nancy, 1894.

BEAUVALET-BOUTOUYRIE (S.), *La population de Verdun de 1750 à 1790 : étude démographique*, Bar-le-Duc, 1991.

BEAUVAU (marquis de), *Mémoires pour servir à l'histoire de Charles IV*, Cologne, 1689.

BÉRINGUIER (Dr), « Metzer Réfugiés in Berlin », *J.G.L.G.A.*, 1888-1889, p. 109-132.

BLANCHARD (A.), *Les ingénieurs du « roy » de Louis XIV à Louis XVI. Etude du corps des fortifications*, Montpellier, 1979.

BLUM (X.), « La population de la seigneurie de Hombourg-Saint-Avold de 1628 à 1662, *C.L.*, 1988, p. 237-260.

BOQUILLON (F.), *Les Dames de Remiremont sous l'Ancien régime (1566-1790), Contribution à l'étude de la noblesse dans l'Eglise*, Thèse, univ. Nancy II, 1988, reprogr.

BOQUILLON (F.), « La noblesse et les chapitres de Dames : l'exemple d'Epinal aux XVIIe et XVIIIe siècles », *A.E.*, 1976, p. 39-64.

BOUVERESSE (J.), « Contribution à l'étude de la dîme : la jurisprudence de Lorraine au XVIIIe siècle », *A.E.*, 1981, p. 99-150.

BOYÉ (P.), *Le budget de la province de Lorraine et Barrois sous le règne nominal de Stanislas (1737-1766)*, Nancy, 1896.

BOYÉ (P.), « Le chancelier Chaumont de La Galaizière et sa famille », *P.L.*, 1936, p. 113-132, 441-460, 537-552 ; 1937, p. 129-157, 409-470 ; 1938, p. 481-507.

BOYÉ (P.), « Les châteaux du roi Stanislas en Lorraine », *R.L.I.*, 1907-1909 et tirage à part, Nancy, 1910.

BOYÉ (P.), « La cour polonaise de Lunéville, (1737-1766) », *M.S.A.L. (1923-1925)*, 1926, p. 5-352.

BOYÉ (P.), « Les eaux et forêts en Lorraine au XVIIIe siècle », *Bulletin du Comité des travaux historiques et scientifiques*, 1907, p. 39-77 et tiré à part, Paris, 1909.

BOYÉ (P.), *La Lorraine commerciale sous le règne nominal de Stanislas (1737-1766)*, Nancy, 1899.

BOYÉ (P.), *La Lorraine industrielle sous le règne nominal de Stanislas (1737-1766)*, Nancy, 1900.

BOYÉ (P.), « Postes, messageries et voitures publiques en Lorraine au XVIIIe siècle », *Bulletin du Comité des travaux historiques et scientifiques*, 1910, p. 128-144 et tiré à part, Paris, 1913.

BOYÉ (P.), « Les poudres et salpêtres en Lorraine au XVIIIe siècle », *Bulletin du Comité des travaux historiques et scientifiques (1910)*, Paris, 1913, p. 132-164.

BOYÉ (P.), « Les salines et le sel en Lorraine au XVIIIe siècle », *Annuaire de Lorraine*, 1903, p. 65-77, 1904, III-L.

BOYÉ (P.), *Stanislas Leszczynski et le troisième traité de Vienne*, Nancy, 1898.

BOYÉ (P.), « Les travaux publics et le régime des corvées en Lorraine au XVIIIe siècle », *A.E.*, 1899, p. 380-431 et 529-559 et tirage à part, Paris-Nancy, 1904.

BRASME (P.), *Le Bureau des finances de la généralité Metz-Alsace (1664-1698)*, M.M., univ. Metz, 1970.

BRAUN (P.), « La Lorraine pendant le gouvernement de la Ferté-Sénectère (1643-1661) », *M.S.A.L.*, 1906, (p. 109-266).

CABOURDIN (G.), « Léopold, duc de Lorraine et de Bar et la vénalité des offices civils (1698-1729) », *La France d'Ancien régime, Etudes réunies en l'honneur de Pierre Goubert*, Toulouse, 1984 (p. 109-117).

CABOURDIN (G.), *Quand Stanislas régnait en Lorraine*, Paris, 1980.

CAHEN (G.), « Les juifs dans la région lorraine, des origines à nos jours », *P.L.*, 1972, p. 55-84.

CARLET DE LA ROZIÈRE, *La campagne du maréchal de Crégny en Lorraine et en Alsace*, s.l., s.d.

CAZIN (R.), « François III, dernier duc de la Maison de Lorraine et de Bar (1729-1737) », *B.S.H.A.M.*, 1966, p. 25-36.

Céramique lorraine, Chefs-d'œuvre des XVIIIe et XIXe siècles, Catalogue d'exposition, Nancy-Metz, 1990.

CHABERT (F.-M.), « Notice historique sur le duc de Belle-Isle », *L'Austrasie*, 1854-1855-1856.

CHABERT (publiée par F.-M.), *Chronique anonyme de 1684 à 1725*, Metz-Nancy, 1879.

CHEVALIER (J.), « François-Ignace de Wendel », *A.S.H.A.L.*, 1938, p. 181-206.

CHEVALLIER (P.), *La monnaie en Lorraine sous le règne de Léopold (1698-1729)*, Montpellier, 1955.

CHOUX (J.), « Journal de la visite pastorale de Georges d'Aubusson, évêque de Metz, dans l'archidiaconé de Sarrebourg en 1680 », *P.L.*, 1980, p. 13-34.

CLERCQ (C. de), *François-Etienne de Lorraine, Marc de Beauvau-Craon et la succession de Toscane*, Ventimiglia, 1976.

CORVISIER (A.), *Louvois*, Paris, 1983.

COUDERT (J.), « La dernière rédaction de coutume avant la Révolution : la difficile réformation des usages de Hattonchâtel (1784-1788) », *R.H.D.F.E.*, 1989, p. 237-272.

COURRIER (C.), *Les registres paroissiaux et l'immigration étrangère à Metz de 1633 à 1697*, M.M., univ. Metz, 1972, dactyl.

CUÉNOT (R.), « Les victoires décisives du duc Charles V de Lorraine dans la plaine de Hongrie », *P.L.*, 1988, p. 3-24.

DANGELZER (B.), *La législation antiprotestante des ducs de Lorraine*, D.E.S., univ. Nancy, 1963, dactyl.

DES ROBERT (E.), « Charles V, duc de Lorraine et la délivrance de Vienne en 1683 », *R.H.L.*, 1933, p. 167-172.

DES ROBERT (F.), *Charles IV et Mazarin (1643-1661) d'après des documents inédits*, Nancy-Paris, 1899.

DUVERNOY (E.), « Gouverneurs et intendants de la Lorraine au dix-septième siècle », *A.S.H.A.L.*, Metz, 1929, p. 1-32.

ECHERAC (P. d'), *La jeunesse du maréchal de Belle-Isle (1684-1726)*, Paris, 1908.

ETIENNE (J.-L.), *Charles V et les tentatives de recouvrement de ses étals (1675-1679)*, M.M., univ. Nancy II, 1968.

FOURNEL (M.-J.), *Les activités de Claude Gaillot, marchand-magasinier à Saint-Dié de 1742 à 1764*, M.M., univ. Nancy II, 1970, dactyl.

FRANCE-LANORD (A.), *Emmanuel Héré, architecte du roi Stanislas*, Nancy-Metz, 1984.

FRANCE-LANORD (A.), *Jean Lamour, serrurier du Roi*, Nancy, 1977.

FULAINE (J.-C.), *L'armée du duc Charles IV de Lorraine, 1624-1675*, Thèse, univ. Nancy II, 1991, reprogr.

GABER (S.), « Charles V, duc de Lorraine et de Bar (1643-1690) », *P.L.*, 1983, p. 147-166.

GABER (J.), *Et Charles V arrêta la marche des Turcs..., un Lorrain sauveur de l'Occident chrétien*, Nancy, 1986.

GABER (S.), *L'entourage polonais de Stanislas Leszczynski à Lunéville, 1737-1766*, Thèse, univ. Nancy II, 1972, reprogr.

GALLET (J.), *Le bon plaisir du baron de Fénétrange*, Nancy, 1990.

GALLET (J.), « La seigneurie de Sarreguemines au XVIII⁰ siècle, 1660-1754 », *C.L.*, 1986, p. 37-57.

GALLET (J.), « Société et propriété en Lorraine au XVIII⁰ siècle : la ville et le ban de Fénétrange », *A.E.*, 1985, p. 227-260.

GEINDRE (L.), « La faïencerie de Champigneulles retrouvée, XVIII⁰ siècle », *P.L.*, 1991, p. 81-94.

GERMAIN (L.), et LEPAGE (H.), *Complément au nobiliaire de Dom Pelletier*, Nancy, 1885.

GONÉ (H.), *Charges, revenus et privilèges des officiers du Parlement de Metz, fin XVII⁰ siècle, 1771*, M.M., univ. Metz, 1971, dactyl.

GOUBERT (P.), *Mazarin*, Paris, 1990.

GREIB (R.), *L'immigration suisse dans les paroisses du comté de Nassau-Sarrewerden après la guerre de Trente ans*, Saverne, 1971.

HAINZELIN (D.), *Les activités commerciales d'Antoine Crampel, marchand à Lunéville (1758-1775)*, M.M., univ. Nancy II, 1970, dactyl.

HARSANY (Z.), *La Cour de Léopold, duc de Lorraine et de Bar (1698-1729)*, Nancy-Saint-Nicolas-de-Port, 1938.

HARSANY (Z.), [édité par], *Cayer pour laisser à mon successeur, Mémoire sur le duché de Lorraine, rédigé vers 1715 par le duc Léopold*, Nancy-Paris-Strasbourg, 1938.

HARSANY (E.), *Le mariage de Charles-Emmanuel III, roi de Sardaigne et duc de Savoie et d'Elizabeth-Thérèse, princesse de Lorraine (1737)*, Chambéry, 1986.

HAUSSONVILLE (comte d'), *Histoire de la réunion de la Lorraine à la France*, Paris, 1860.

HECK (J.-H.), « Le sort des communautés protestantes de Phalsbourg et de Lixheim au XVII⁰ siècle et la politique religieuse des grandes puissances ». *C.L.*, 1983, p. 161-172.

HECK (J.-H.), « La révocation de l'édit de Nantes à Lixheim », *C.L.*, 1986, p. 57-66.

HEILI (P.), « Les forges vosgiennes des origines à 1789 », *Le pays de Remiremont*, 1982, p. 3-21.

HIEGEL (C.), « Du puits à balancier aux pompes. L'élévation de l'eau salée dans les salines lorraines du Moyen Age au XVIII⁰ siècle », *C.L.*, 1987, p. 243-285.

HIEGEL (C.), « Répression dans les bailliages de Boulay, Bouzonville, Dieuze et Lixheim de l'émigration lorraine en Hongrie au XVIII⁰ siècle », *A.S.H.A.L.*, 1971, p. 83-130.

HIEGEL (C.), « Répression de l'émigration lorraine en Hongrie au XVIII⁰ siècle dans les bailliages de Bitche et de Sarreguemines », *A.S.H.A.L.*, 1970, p. 101-168.

HIEGEL (C.), « Le transfert des archives des ducs de Lorraine à Metz en 1670 », *A.S.H.A.L.*, 1972, p. 69-81.

HOUPERT (J.), *La prévôté d'Insming, Repeuplement et restauration d'un canton lorrain après la guerre de Trente ans*, Skerbrook (Canada), 1975.

HUMBERT (C.), « Les heyduques à la Cour de Léopold, duc de Lorraine », *P.L.*, 1978, p. 53-63.

HUMBERT (C.), *Les sources de l'orientalisme, son développement et son évolution sous Léopold I⁰ʳ de Lorraine (1698-1729)*, Thèse, univ. Nancy II, 1976, dactyl.

JACOB (V.), « Suppression du Parlement de Metz en 1771 », *I.'Austrasie*, 1855, p. 118-128.

JACOPS (M.-F.), *La captivité de Charles IV à Tolède et le traité des Pyrénées (1654-1659)*, univ. Nancy II, s.d. M.M.

JACOPS (M.-F.), « La pompe funèbre de Charles V à Nancy », *P.L.*, 1983, p. 167-178.

JAMEREY-DUVAL (V.), *Mémoires*, annotés par GOULEMOT (J.-M.), Paris, 1981.

JOB (F.), *Les juifs de Lunéville aux XVIII⁰ et XIX⁰ siècles*, Nancy, 1989.

JOLLY (P.), *Calonne, 1734-1802*, Paris, 1949.

Les juifs lorrains du ghuetto à la nation, 1721-1871, Catalogue d'exposition, Metz, 1990.

KAISER (J.-B.), « Procès-verbal de délimitation de frontière en 1661 », *A.S.H.A.L.*, 1920, p. 188-190.

KALCH (Y.), *Les officiers de la Chancellerie près la Cour souveraine de Lorraine et Barrois (1770-1790)*, M.M., univ. Nancy II, 1971, dactyl.

KAYPAGHIAN (N.), « Le duché de Lorraine et les Trois-Evêchés entre deux occupations (1663-1670) », *C.L.*, 1981, p. 105-122.

KAYPAGHIAN (N.), *Jean-Paul de Choisy, intendant des Trois-Evêchés (1663-1673)*, M.M., univ. Metz, 1979.

KERNER (S.), « Les démarches des envoyés de la communauté juive de Metz à Paris et à Versailles relatives à la *taxe Brancas*, (1712-1733) », *A.E.*, 1974, p. 217-264.

KIEFFER (J.), « Le plat pays thionvillois au XVIII⁰ siècle : étude démographique », *C.L.*, 1983, p. 49-54.

KLIPFFEL (L.), « Essai de géographie politique lorraine », *M.S.A.L.*, 1935, p. 1-187.

LA CONDAMINE (P. de), *Aux temps des ducs de Lorraine, une principauté de conte de fées, Salm-en-Vosges*, Paris, 1965.

LA CONDAMINE (P. de), « Le maréchal de Belle-Isle, moraliste », *M.A.M.* (1963-1964), Metz, 1965, p. 119-129.

LACOSTE (M.), *La crise agricole dans le département de la Meurthe à la fin de l'Ancien régime et au début de la Révolution*, Thèse univ. Paris, 1950, dactyl.

LACOUR-GAYET (R.), *Calonne, financier, réformateur, contre-révolutionnaire*, Paris, 1963.

LALLEMENT (L.), *Le départ de la famille ducale de Lorraine (6 mars 1737)*, Nancy, 1860.

LAMBERT (T.), *La criminalité dans le bailliage de Nancy au XVIII⁰ siècle*, M.M., univ. Nancy II, 1970, dactyl.

LAMBLIN (J.-P.), *Recherches sur le prolétariat urbain à Nancy dans la deuxième moitié du XVIII⁰ siècle*, M.M., univ. Nancy II, 1974, dactyl.

LAUMON (G.), *Histoire des postes en Lorraine*, Nancy, 1989.

LE MOIGNE (F.-Y.), « Le commerce des provinces étrangères, Alsace-Evêchés-Lorraine, dans la deuxième moitié du XVIII⁰ siècle ». *Aires et structures du commerce français au XVIII⁰ siècle* (Colloque Paris, 1973), Lyon, 1975, p. 173-200.

LE MOIGNE (F.-Y.), « La crise frumentaire de 1770-1771 à Metz, Nancy et Strasbourg », *Bulletin de la Société d'Histoire moderne*, 1972, p. 3-5.

LE MOIGNE (F.-Y.), « *Hommes du roi et pouvoir municipal à Metz (1641-1789)* », *Pouvoir, ville et société en Europe, 1650-1750*, Strasbourg, 1983, p. 571-589.

LE MOIGNE (F.-Y.), « Plaidoyer pour le commerce messin », *B.S.L.E.L.*, 1967, p. 1-17.

LE MOIGNE (F.-Y.), « Les préoccupations économiques de l'académie de Metz », *A.E.*, 1967, p. 3-28.

LE MOIGNE (F.-Y.), et MICHAUX (G.), *Prostestants messins et mosellans, XVIe-XXe siècles* (Actes du colloque de Metz réunis par), Metz, 1988.

LE MOIGNE (F.-Y.), « Le rôle économique des garnisons évêchoises au XVIIIe siècle d'après les exemples de Metz, Sarrelouis et Verdun ». *Beiträgezur Geschichte der frührenzeitlichen Garnisons — und Festungsstadt (Colloque de Sarrelouis, 1980),* Saarbrücken, 1983, p. 199-223.

LEPAGE (H.), « La Lorraine allemande, 1766-1871 », *M.S.A.L.,* 1873, p. 255-301.

LEPAGE (H.), *Sur l'organisation des institutions militaires de la Lorraine,* Paris, 1884.

LEPAGE (H.), « Les offices des duchés de Lorraine et de Bar et la Maison des ducs de Lorraine », *M.S.A.L.,* 1869, p. 17-440.

LEPINTE (C.), « Le pays de Phalsbourg. Une terre de rencontre », *Lorraine, Alsace, Franche-Comté,* Strasbourg, 1957.

LESOURD (J.-A.), « Problèmes agricoles en Lorraine au début de la période contemporaine d'après les thèses de Maurice Lacoste », *A.E.,* 1951, p. 219-231.

LIVET (G.), *L'intendance d'Alsace sous Louis XIV, 1648-1715,* Paris, 1956.

LIVET (G.), « La Lorraine et les relations internationales au XVIIIe siècle », *La Lorraine dans le siècle des Lumières,* Nancy, 1966, p. 15-47.

La Lorraine dans l'Europe des Lumières (Colloque de Nancy, 1966), Nancy, 1973.

LOUVIGNÉ (J.-J.), *La fourniture des rations aux troupes pendant la guerre de succession d'Espagne (1701-1714), M.M., univ. Metz, 1973,* ronéot.

MAHUET (comte de), « Le don de joyeux avènement dans le Barrois mouvant en 1729 », *R.H.L.,* 1933, p. 9-29.

MAHUET (A. de), *Biographie de la Cour souveraine de Lorraine et Barrois et du Parlement de Nancy (1641-1790),* Nancy, 1911.

MAHUET (H. de), *La Cour souveraine de Lorraine et Barrois (1641-1790),* Thèse univ. Nancy, 1958, dactyl.

MAQUINÉ (G.), *Le mouvement des prix des céréales à Metz de 1720 à 1790,* M.M., univ. Metz, 1981.

MARTIN (E.), *Histoire des diocèses de Toul, de Nancy et de Saint-Dié,* Nancy, 1900-1903.

MARTIN (E.), *L'université de Pont-à-Mousson (1572-1768),* Paris-Nancy, 1891.

MATHIEU (D.), *L'ancien régime dans la province de Lorraine et Barrois (1698-1789),* Paris, 1879.

MAUCOLOT (N.), « La situation économique et sociale à Bar (1680-1710) », *B.S.H.A.M.,* 1977, p. 183-203.

MAURE (F.-A.), « La Régence et le traité de Paris du 21 janvier 1718 », *A.E.,* 1966, p. 181-220.

MAURE (F.-A.), *Recherches sur des négociations diplomatiques préparatoires au traité de Paris de 1718,* D.E.S., univ. Nancy, 1965, dactyl.

METTAUER (M.), *Le commerce de la Lorraine de la mort de Stanislas à la Révolution de 1789,* D.E.S., univ. Nancy, 1968, dactyl.

MICHEL (E.), *Biographie du Parlement de Metz,* Metz, 1853.

MICHEL (E.), *Histoire du Parlement de Metz,* Paris, 1845.

MOHR (W.), *Geschichte des Herzogtums Lothringen,* Teil IV : *14-17 Jahrhundert,* Trèves, 1986.

MOURROUX (J.), « Stenay, ville militaire, à la fin du XVIIe siècle », *B.S.H.A.M.,* 1967, p. 37-58.

NEUFCHÂTEAU (F. de), *Recueil authentique des anciennes ordonnances de Lorraine,* Nancy, 1784.

NOËL (J.-F.), « Les problèmes de frontières entre la France et l'Empire dans la seconde moitié du XVIIIe siècle », *R.H.,* 1966, p. 333-346.

NOËL (M.), « Le palais épiscopal de Toul », *P.L.,* 1967, p. 79-127.

OSTROWSKI (J.), *L'œuvre architecturale du roi Stanislas en Lorraine 1737-1751,* Thèse, univ. Nancy II, 1972.

PAULMIER (M.), *Aspects de la restauration de l'économie rurale dans trois bailliages lorrains sous le règne de Léopold, 1697-1729,* Thèse univ. Nancy, s.d., dactyl.

PAULUS (E.), *Annales de Baltus (1724-1756),* Metz, 1904.

PELTRE (J.), « Les industries de la Lorraine ducale d'après les déclarations des communautés de 1708 », *Etudes de géographie historique, C.T.H.S.,* Paris, 1978, p. 153-164.

PELTRE (J.), *Recherches métrologiques sur les finages lorrains,* Lille, 1974.

PERNOT (M.), *Etude sur la vie religieuse de la campagne lorraine à la fin du XVIIe siècle, le visage religieux du Xaintois d'après la visite canonique de 1687,* Nancy, 1971.

PERNOT (M.), « La révocation de l'Edit de Nantes à Metz et dans le pays messin d'après la correspondance du comte de Bissy conservée aux archives de Saône-et-Loire », *A.E.,* 1967, p. 355-386.

PETITJEAN (G.), « Un corridor français en Lorraine au XVIIe siècle », *R.H.L.,* 1932, p. 160-169.

PFISTER (C.), « Tableau de la Lorraine et de Nancy de 1641 à 1670 », *B.S.P.V.,* 1905-1906.

PFISTER (C.), « Le magasin à blé de Nancy et la révolte de 1771 », *B.S.A.L.,* 1906, p. 77-92.

PHILIPPS (P.), « Le Val-de-Guéblange après la guerre de Trente ans : chroniques du curé Monsieux », *Le Pays d'Albe,* 1987, p. 25-40.

PIERSON (M.), *L'intendant de Lorraine de la mort de Stanislas à la Révolution française,* Nancy, 1956.

PIQUET-MARCHAL (M.-O.), *La Chambre de Réunion de Metz,* Paris, 1969.

PLASSE (Capitaine), « Prélude à la réunion, 1633-1766 », *L'Armée à Nancy 1633-1766,* Nancy-Paris, 1967, p. 11-71.

POULET (H.), « Les Lorrains à Florence », *R.L.I.,* 1909, p. 25-48, 65-88, 129-152.

PUPIL (F.), *Recherches sur les architectes de Nancy de la mort de Héré à la Révolution,* Thèse, univ. Nancy II, 1968, dactyl.

RICHARD (E.), « La société mussipontaine à la veille de la Révolution », *A.E.,* 1989, p. 285-298.

RIGAULT (J.), « La population de Metz au XVIIe siècle. Quelques problèmes de démographie », *A.E.,* 1951, p. 307-316.

RODIER (P.), *Charles IV, duc de Lorraine et de Bar (1604-1675),* Epinal, 1904.

RODIER (P.), *Les trois derniers ducs de Lorraine, Charles V, Léopold Ier, François III,* Epinal, 1907.

ROHAN-CHABOT (A.), *Les écoles de campagne en Lorraine au XVIIIe siècle,* Thèse, univ. Paris, 1960 et Nancy, 1985.

RONSIN (A.), *Le livre en Lorraine de 1482 à 1698,* Thèse, univ. Nancy, 1962, dactyl.

RONSIN (A.), *Les périodiques lorrains antérieurs à 1800. Histoire et catalogue,* Nancy, 1964.

ROTHIOT (J.-P.), *Mirecourt de 1689 à 1729,* M.M., univ. Nancy II, 1973, reprog.

SCHAACK (J.), *Un problème social : les enfants trouvés dans la région de Nancy à la fin du XVIIIe siècle,* M.M., univ. Nancy II, 1971.

SCHMIT (J.-A.), « La Route de France ou la Route de la Reine dans le Saulnois », *M.S.A.L.,* 1869, p. 446-487.

SCHMIT (J.-A.), « Le Barrois mouvant au XVIIe siècle (1624-1697) », *M.S.L.S.A.B.,* 1928-1929, p. 1-481.

SEGONDI (J.-P.), *Les relations diplomatiques entre le royaume de France et le duché de Lorraine après le traité de Paris (1718-1721),* M.M., univ. Nancy II, 1971, dactyl.

SELLAOUTI-TLILI (R.), *La province de Lorraine à la veille de 1789. Recherches sur le cahier de doléances de la ville de Nancy,* Tunis, 1978, reprog.

SENAULT (B.), *La mendicité à Nancy dans la seconde partie du XVIIIe siècle,* M.M., univ. Nancy, 1969, dactyl.

SOARES (M.), *Les enfants trouvés à Metz au XVIIIe siècle,* M.M., univ. Metz, 1983, reprog.

SOUDÉE-LACOMBE (C.), « Faïenciers et porcelainiers de Niderviller au XVIIIe siècle », *P.L.,* 1984, p. 1-76.

STANGLICA (F.), « Die Auswanderung der Lothringer in das Banat und di Batschka im 18. Jahrhundert », *Schriften des wissenschaftlichen, Institut der Elsass-Lothringer im Reich an der Universität Frankfurt,* 1934.

STREIFF (J.-P.), *Les magistrats de la Chambre des comptes du duché de Bar (1698-1791). Etude sociale.* Thèse, univ. de Franche-Comté, Besançon, 1983, reprog.

STURGILL (C.), « Les dépenses militaires de la ville de Metz (1715-1730) », *M.A.M.,* 1973, p. 71-87.

TAILLARD (M.), *Histoire de Charles IV, duc de Lorraine et de Bar, par Charles-Louis Hugo, abbé d'Etival : édition critique du manuscrit,* Nancy, s.d.

TARILLON (B.), *La vie municipale à Thionville au XVIIIe siècle*, M.M., univ. Metz, 1978.

TAVENEAUX (R.), « L'abbé Grégoire et la démocratie cléricale », *Revue d'Histoire de l'Eglise de France*, 1990, p. 235-256.

TAVENEAUX (R.), *Le jansénisme en Lorraine (1640-1789)*, Paris, 1960.

TAVENEAUX (R.), « Les monastères lorrains à la fin de l'Ancien régime », *A.E.*, 1961, p. 169-180.

TAVENEAUX (R.), « La Nation Lorraine en conflit avec Rome. L'affaire du Code Léopold (1701-1713) », *Les fondations nationales dans la Rome pontificale*, Rome, 1981, p. 749-766.

TAVENEAUX (R.), « L'usure en Lorraine au temps de la Réforme catholique. Les controverses sur le prêt à intérêt », *A.E.*, 1974, p. 187-216.

TAVENEAUX (R.) et VERSINI (L.), *Stanislas Leszczynski*, Nancy, 1984.

THIRION (M.), *Etude sur l'histoire du protestantisme à Metz et dans le pays messin*, Nancy, 1884.

THORELLE (A.), « La ville de Metz en 1684, Statistique », J.G.L.G.A., 1888-1889, p. 86-96.

TOUSSAINT (M.), *L'hôpital général de Saint-Nicolas de Metz (1620-1789)*, M.M., univ. Metz, 1971, dactyl.

TRIBOUT DE MOREMBERT (H.), « Le clergé et la Franc-Maçonnerie en Lorraine au XVIIIe siècle », *A.S.H.A.L.*, 1970, p. 78-100.

TRIBOUT DE MOREMBERT (H.) et HAEFELI (A.), « Maîtres-Echevins et Maires de Metz (1189-1959). Armorial et notes biographiques », *A.S.H.A.L.*, 1959, p. 45-81.

VANSON (L.), « La subvention, Impôt sur les facultés présumées en Lorraine sous l'Ancien régime », *R.H.L., 1933, p. 102-111*.

VERNIER (A.), *La place forte de Marsal au XVIIIe siècle*, M.M., univ. Metz, s.d.

VERSINI (L.), *François-Ignace de Wendel, essais inédits*, Nancy-Metz, 1983.

VIEIRA (F.), *L'Assemblée provinciale des Trois-Evêchés (1787-1790)*, M.M., univ. Metz, 1970, dactyl.

WEYHMANN (A.), *Die merkantilistische Währungs politik Herzog Leopolds von Lothringen (1697-1729)*, Leipzig, 1910.

WOLLBRETT (A.), « Phalsbourg dans l'histoire militaire », *Phalsbourg, 1570-1970*, Saverne, 1970, p. 11-20.

ZELLER (G.), « Les charges de la Lorraine pendant la guerre de Hollande », *M.S.A.L.*, 1911, p. 13-68.

ZELLER (G.), *L'organisation défensive des frontières du Nord et de l'Est au XVIIe siècle*, Paris, 1928.

ZELLER (G.), « L'origine de Sarrelouis. Lettres inédites de Louvois, Vauban, Thomas de Choisy », *B.M.S.A.L.*, 1923, p. 8-21 et 38-47.

ZELLER (G.), « Le traité de Montmartre (6 février 1662) d'après des documents inédits », *M.S.A.L.*, 1912, p. 5-74.

ZINGRAFF (J.-M.), *L'illégitimité dans le bailliage de Nancy au XVIIIe siècle*, M.M., univ. Nancy II, 1981.

Abréviations utilisées :

A.E. : Annales de l'Est.

A.S.E.V. : Annales de la Société d'Emulation Vosgienne.

A.S.H.A.L. : Annales de la Société d'Histoire et d'Archéologie de la Lorraine.

B.S.A.L. : Bulletin de la Société d'Archéologie Lorraine.

B.S.E.V. : Bulletin de la Société d'Emulation Vosgienne.

B.S.H.A.M. : Bulletin des Sociétés d'Histoire et d'Archéologie de la Meuse.

B.S.L.E.L. : Bulletin de la Société lorraine des études locales dans l'enseignement public.

B.S.P.V. : Bulletin de la Société Philomatique Vosgienne.

C.L. : Cahiers lorrains.

D.E.S. : Diplôme d'études supérieures.

J.G.L.G.A. : Jahrbuch der Gesellshaft für lothringische Geschichte und Altertumskunde.

J.S.A.L. : Journal de la Société d'Archéologie Lorraine.

M.A.M. : Mémoires de l'Académie nationale de Metz.

M.A.S. : Mémoires de l'Académie de Stanislas.

M.M. : Mémoire de maîtrise.

M.S.A.L. : Mémoires de la Société d'Archéologie Lorraine.

M.S.L.S.A.B. : Mémoires de la Société des Lettres, Sciences et Arts de Bar-Le-Duc.

M.S.P.V. : Mémoires de la Société Philomatique de Verdun.

M.S.R.S.L.A.N. : Mémoires de la Société Royale des Sciences, Lettres et Arts de Nancy.

P.L. : Le pays lorrain.

P.L.P.M. : Le pays lorrain, le pays messin.

R.H. : Revue historique.

R.H.D.F.E. : Revue d'histoire du droit français et étranger.

R.H.L. : Revue historique de la Lorraine.

R.L.I. : Revue lorraine illustrée.

Index des noms de personnes et de lieux

Ne figurent pas dans cet index les noms trop souvent cités de Metz et Nancy, des ducs et des souverains français.

Table des illustrations

Encarts, cartes, plans, tableaux

Cet ouvrage a été conçu
et réalisé dans les ateliers de
Graphic-Expansion s.a.
54000 Nancy
en septembre 1991